GIUSEPPINA RESTIVO

LE SOGLIE DEL POSTMODERNO: «FINALE DI PARTITA»

IL MULINO

ISBN 88-15-03264-9

INDICE

INTRODUZIONE

Finale di partita, atto unico di Samuel Beckett, andato per la prima volta in scena al Royal Court Theatre di Londra nel '57 (insieme all'*Atto senza parole I*), è testo di grande rilievo nella storia del teatro del Novecento, per i problemi teorici che ha particolarmente contribuito a evidenziare o determinare nella riflessione sia estetica che filosofica contemporanea. La sua analisi può aprire spazi di esplorazione su più versanti tra loro complementari.

La ricostruzione *genetica* della vicenda del testo, da ripercorrere dopo le importanti acquisizioni di materiali negli archivi alla fine degli anni '80, e il confronto tra i "possibili" testuali sperimentati e accantonati nelle diverse stesure, consentirà anzitutto di restituire il processo creativo dell'autore, e con esso un momento cruciale nella cultura del secolo, poco oltre la metà del quale l'opera si colloca. Solo dopo l'esame dell'*avantesto* potranno bene delinearsi le componenti della poetica specifica del testo, del suo universo simbolico, della sua sintassi culturale, in cui confluiscono importanti apporti non ancora analizzati: W.R. Bion e M. Duchamp, l'illuminismo di S. Johnson e di Chamfort come di Leopardi, e la rappresentazione melanconica di A. Dürer. La tipologia della cultura di Juri Lotman consentirà poi di cogliere, con il gioco dei codici, la posizione di *soglia* di Beckett e *Finale di partita* nel dibattito del Novecento, in particolare sul postmoderno, e opportuni confronti potranno chiarirne la funzione estetica e intellettuale.

Nato nel 1906 a Dublino, Beckett incontra tardi il successo: come poeta e narratore raccoglie dapprima riconoscimenti da una ristretta cerchia di amici ed estimatori, mentre stenta a superare la diffidenza degli editori. È solo intorno ai 50 anni, con *Aspettando Godot*, rappresentato per la prima volta a Parigi nel 1953 e "consacrato" al Royal Court Theatre di Londra nel 1956, che egli raggiunge la notorietà, volgendosi dalla narrativa al teatro. Ma il commento di Beckett ironicamente definisce *Godot* «a bad play», mentre è del secondo dramma, *Finale di partita*, che lo scrittore si dichiara convinto e orgoglioso. Lo ha elaborato a lungo, a partire dal '50, e ha voluto dirigerne personalmente la messa in scena a Berlino nel '67, inaugurando un ruolo di regista dei propri testi. Conoscendo il tedesco, egli non si limita per la realizzazione berlinese a utilizzare la traduzione dal francese di Elmar Tophoven, pubblicata da Suhrkamp con il testo francese a fronte, ma induce il traduttore a una paziente revisione e a una nuova edizione tedesca in collaborazione con lui, partendo dalla propria versione inglese. Registra inoltre la complessa esperienza in un *Notebook* inedito, conservato nell'Archivio Beckett dell'Università di Reading. «È per me il più caro dei miei pezzi», «Es ist mir das liebste meiner Stücke», afferma Beckett, secondo quanto riportato nei *Materialen zu Endspiel* che Suhrkamp pubblica nel '68 a testimonianza della regia dell'autore.

Cogliendovi l'essenza dell'arte di Beckett, è a *Finale di partita* che T.W. Adorno dedica il suo celebre saggio, da cui tende successivamente a dedurre, nella *Teoria estetica*, l'estetica stessa della contemporaneità.

La scelta dell'esilio a Parigi, parallelo a quello di Joyce, ha collocato Beckett in una posizione di ricezione culturale "europea" tra le più ricche possibili. Destinato dall'appartenenza al gruppo minoritario di protestanti, non inglesi ma d'origine francese-ugonotta, ad avvertire nella cattolica Irlanda un'alterità, rispetto alla quale scegliere l'assimilazione o l'espatrio, Beckett scelse la "soluzione francese", peraltro come Joyce, che era invece di famiglia cattolico-irlandese. Ma, a differenza di Joyce, Beckett sboccò in un bilinguismo letterario insolito, scrivendo ora in inglese ora in francese, per poi tradursi nell'altra lingua. Apprese bene anche il tedesco, e l'italiano fu, dopo il francese, una delle due lingue in cui si laureò al Trinity College.

Grazie alla competenza poliglotta dell'autore, *Finale di*

partita, come tutta l'opera di Beckett, rivela versanti linguistico-culturali molteplici. Se Beckett attinge alle letterature della sua lingua nativa – inglese, irlandese, americana, da Shakespeare a Swift, da Samuel Johnson a James Joyce, cui l'autore si lega a Parigi di lungo sodalizio, o da W.B. Yeats a T.S. Eliot – la sua scrittura interagisce anche con la cultura e la letteratura francese, alla cui lingua ricorre per tanta parte della narrativa e per la prima edizione di alcune delle opere teatrali (oltre a *Fin de partie*, *En attendand Godot*, i due *Actes sans paroles*, *Catastrophe*). Al saggio giovanile di Beckett su Proust si aggiunge l'interesse per Chamfort o la passione per Apollinaire e la frequentazione dei dadaisti e dei surrealisti francesi. Alla letteratura italiana la sua narrativa deve i riferimenti a Dante e "l'esempio" di Leopardi; e con la tradizione russa egli stesso ha stabilito rapporti, alludendo all'Alioscia dei *Fratelli Karamazov*[1] o all'*Oblomov* di Goncharov[2].

Alla memoria letteraria si aggiungono competenze filosofiche insolitamente vive e vaste: studioso di Cartesio fino al particolare biografico e del suo interprete Geulincx, lettore attento di Vico, Schopenhauer e Nietzsche, ma anche di Kant e Mauthner, interessato «à chaque nouvelle école de philosophie» (come dichiara l'autobiografico protagonista di un dramma rimasto inedito, *Eleutheria*), Beckett anticipa con la sua opera i nodi del recente dibattito gnoseologico.

Al tempo stesso Beckett e *Finale di partita* esprimono consuetudine con la psicoanalisi, freudiana, kleiniana (Beckett fu in analisi per un anno e mezzo con W.R. Bion a Londra) e junghiana: «transition», la rivista di Eugene Jolas cui Beckett collaborava, pubblicò articoli di Jung, che Beckett ascoltò poi di persona a Londra in occasione di un ciclo di conferenze. Il rapporto con Bion, lungo e "dubbioso", può meglio spiegare non pochi tratti finora trascurati del quadro di riferimento beckettiano, anche se non meno, probabilmente, di certe scelte teoriche di Bion. Ma anche la competenza sul gioco degli scacchi e i suoi campioni, indirettamente connessa alla psicoanalisi, è rilevante per *Finale di partita*.

I contatti con le arti figurative furono ampi: amico di Marcel Duchamp (con il quale giocava a scacchi), dei dadaisti e surrealisti, di Giacometti, Bram van Velde, Jack B. Yeats,

Beckett aspirò a divenire direttore di museo, come l'amico Thomas McGreevey, Direttore della National Gallery di Dublino, e scrisse recensioni d'arte: di qui frequenti riferimenti, nelle sue opere o nei suoi appunti, alla pittura del '300 e '400 italiano o del '500 e '600 europei, come agli artisti da lui frequentati. E di qui un pellegrinaggio artistico di sei mesi in Germania, dove conobbe il critico Willi Grohmann e artisti tedeschi[3]. Come si vedrà, in *Finale di partita* l'influsso di Duchamp sembra intrecciarsi con quello della *Melencolia I* di Dürer, di cui sorprendentemente richiama la scena. È dunque un ampio spaccato di cultura europea quello che si può cogliere ricostruendo la genesi di *Finale di partita*. Nonostante l'apparenza di stringata semplicità espressiva, che tuttavia risulta subito enigmatica, emerge una complessa sintesi di avventure intellettuali, emotive, biografiche, non meno stratificate che nella scrittura joyciana dell'*Ulisse* o del *Finnegans Wake*, la cui densità di citazione è del resto ripresa nei primi testi narrativi di Beckett, come *More Pricks Than Kicks*. «Beckett ama le citazioni», «liebt Zitate», come riferito nei *Materialen* per *Finale di partita*, ma nel teatro in particolare giunge insieme a occultarle e incrociarle tra loro in un sistema multiplo di riferimenti. Se in modo aperto e diretto *Finale di partita* cita meno di quanto faccia la scrittura joyciana, l'arco semicelato delle intertestualità è invece insolitamente differenziato e di sorprendente ampiezza. Seguirne le tracce consente di ricostruire il complesso farsi del testo e del suo senso, lungo il cui percorso si delineano le poetiche e le linee di tendenza della seconda metà del Novecento.

Secondo la scuola kleiniana e Hanna Segal in particolare – nell'elaborazione che si sviluppa negli anni '50, contemporaneamente alle diverse stesure di *Finale di partita* dal '50 al '57 – l'opera d'arte comunica al lettore un "percorso esemplare", espressione di controllo formale ed emotivo di un'esperienza di identificazione proiettiva, in cui le tipiche dinamiche infantili schizoparanoidi e depressive si compongono producendo conoscenza[4]. Al lettore compete allora una ricostruzione di tale esperienza (o *Nacherleben*, secondo la definizione che H. Segal riprende da Dilthey), tramite di un confronto immediato con le angosce del personaggio. Queste angosce non si offrono più come elaborazione composta, "monumentale", di quella dignità tragica o eroica che l'arte classica proponeva, respingendo fuori di sé la fase dello smarrimento o disordine psichico. A lungo escluse dalla rappresentazione estetica, esse ora affiorano come una realtà cui accedere direttamente, sempre più consapevolmente e coraggiosamente. È in questa prospettiva che la vicenda creativa di Beckett va esplorata.

L'indagine sugli "strati" di *Finale di partita*, sul lungo farsi del testo attraverso molteplici scritture (fino alle sue traduzioni-varianti con l'apporto diretto dell'autore in tre lingue) comporta l'esame di numerosi manoscritti e dattiloscritti depositati, spesso dallo stesso autore, presso gli archivi di Reading in Inghilterra, del Trinity College di Dublino in Irlanda, della Ohio University, della University of Texas e della Washington University di St. Louis negli Stati Uniti. Questo esame non va semplicemente inteso come ricostruzione di uno sbozzarsi progressivo e "teleologico" della scrittura, secondo quello che Cesare Segre definisce il «preconcetto evoluzionistico» di un preciso sviluppo lineare, di un progressivo «affinarsi di un'idea iniziale»[5], ma come esperienza dei *possibili del testo*, testimonianza della storia dell'opera, come del suo spessore finale. Di qui l'intenzione dell'autore di conservare le diverse stesure, parte integrante, a un livello di consapevolezza critica, della versione conclusiva. Non si tratta quindi di indugiare su scorie immature di un prodotto datoci infine nella sua forma perfetta, ma di percorrere alternative, sistemi testuali differenti nelle loro unità di contenuto, attraverso cui l'autore ha operato la sua selezione, senza peraltro mai chiudere definitivamente il divenire dell'opera, rimasta aperta a un continuo processo di revisione, nelle traduzioni come nelle regie da lui curate. L'analisi genetica di *Finale di partita* intende assecondare quella *poetica della scrittura* anziché del testo – secondo l'opposizione definita da Raymonde Debray-Genette[6] – che Beckett stesso sembra implicare nella sua insistenza sul concetto di «work in progress», come nella conservazione delle varianti: una conservazione già tipica del Proust da lui studiato, e di una tradizione che in Francia risale a Stendhal o alle disposizioni testamentarie di Victor Hugo.

Solo percorrendo questa fase preparatoria di *avantesto* si può accedere a quella «terza dimensione» teorizzata da Louis Hay[7], che ridà concretezza alla storicità del processo creativo, all'autore nel rapporto con il suo lavoro, esposto alle voci circostanti – della contemporaneità o della tradizione – che entrano nell'opera come *intertestualità*. È attraverso la vicenda dei possibili del testo che si può meglio individuare il senso della ricerca, insieme estetico-culturale, storico-biografica e simbolico-antropologica, iscritta nell'opera.

Si potrà allora interpretare, discutere le scelte e le provocazioni, anche gnoseologiche, che *Finale di partita* implica, radicalizzando e insieme "esaurendo" quello che, con la tipologia della cultura di Lotman, è definibile come un *codice illuminista assurdo*, luogo di un arco di confluenze intertestuali che va da un Samuel Johnson alle avanguardie del Novecento. E si potrà avanzare ipotesi sul ruolo dell'arte di Beckett, fonte di un dibattito culturale e una saggistica ampi e vari, spesso di sintomatica pregnanza teorica, vivace di continue novità, ma carente di una specifica monografia su un'opera come *Finale di partita*: un testo-manifesto, che lo spessore delle competenze intellettuali di Beckett ha reso crocevia dei più rilevanti e difficili percorsi dell'arte contemporanea.

La ricerca sui diversi livelli testuali di *Finale di partita* comporta la selezione di una molteplice *rete di modelli critici*, tesi a convergere su un fare letterario che Tagliaferri ha bene definito "iperdeterminato". Questa rete di modelli risponde a un'economia della responsabilità interpretativa, a una scelta ermeneutica che, non credendo all'isolamento né a un senso "monoteistico" dell'oggetto da conoscere, sceglie un itinerario "a enciclopedia" (nell'accezione di Eco) per visitare con molteplici strumenti critici il campo da esplorare, e porre nuove domande, su esso come sulla letteratura del Novecento. Il ricorso a confronti-campione, per analogie come per differenze tipologiche, con Joyce o Kafka, Sartre o Camus, Pinter o Bond, Eliot o Calvino, intende meglio definire la poetica di Beckett, in particolare in rapporto al dibattito sul *displuvio tra moderno e postmoderno* – di difficile definibilità – in cui il testo di Beckett può essere considerato occasione propizia o persino obbligata, in ogni caso fruttuosa, di discussione.

Questo studio, inizialmente stimolato dalla collaborazione nel 1982 con l'ATER di Bologna per la rappresentazione di *Finale di partita* – regia di Walter Pagliaro – su invito dell'amico Benvenuto Cuminetti, si è poi definito e ampliato negli anni successivi, con ricerche sulla genesi e le strutture del testo suggerite da Cesare Segre, al cui esempio di intelligenza critica dedico quanto di positivo può esservi contenuto. Hanno poi contribuito, per specifiche competenze, Arturo Schwarz, con materiali e consigli su Duchamp e la psicologia degli scacchi, Silvia Vegetti, per il rapporto Beckett/Bion, e Didier Conejo per l'identificazione delle massime di Chamfort.

Per la ricerca sui manoscritti desidero ringraziare James Knowlson, direttore dell'archivio Beckett dell'Università di Reading e l'allora sua assistente Audrey McMullan. Robert Tibbets e Carlton Lake, direttori rispettivamente dell'archivio della Ohio State University e dell'archivio della University of Texas a Austin, sono stati generosi nel fornire materiali e documenti. Gentilissimi i curatori degli archivi della Washington University a Saint Louis e della McMaster University a Hamilton, Ontario.

A Aldo Tagliaferri un grazie per la simpatia critica; agli amici di Pavia Tomaso Kemeny, John Meddemmen e Elisa Biancardi la mia riconoscenza per aver seguito con partecipazione e consigli la vicenda del libro.

Note all'introduzione

[1] Parlando di *Murphy* in una lettera a Thomas McGreevey del 17 luglio 1936, Beckett teme di non aver evitato per il suo personaggio quello che chiama «an Aliosha mistake» (cfr. S. Beckett, *Disjecta*, London, John Calder, 1983, p. 102).

[2] Cfr. D. Bair, *Samuel Beckett, A Biography*, London, Jonathan Cape, 1978, p. 276. Beckett lesse *Oblomov* per suggerimento di Peggy Guggenheim.

[3] *Ibidem*, p. 246.

[4] H. Segal, *Un approccio psicoanalitico all'estetica*, in *Nuove vie della*

psicoanalisi, a cura di M. Klein, P. Heimann, R. Money-Kyrle, Milano, Il Saggiatore, 1966 (trad. it. di *New Directions in Psycho-Analysis*, London, Tavistock Publications, 1955).

[5] C. Segre, *Avviamento all'analisi del testo letterario*, Torino, Einaudi, 1985, p. 83.

[6] Cfr. *La naissance du texte*, Paris, éds. CNRS, 1987 e S. Teroni, *Proust, genesi del testo*, in «Alfabeta», n. 105, febbraio 1988, p. 14.

[7] L. Hay, *Le texte n'existe pas*, in «Poétique», aprile 1985.

CAPITOLO PRIMO

MODELLI PREPARATORI

1. *La partita di Murphy*

La partita a scacchi cui allude il titolo *Finale di partita* – *fin de partie* o *endgame* è termine tecnico che designa la terza e ultima fase di un incontro di scacchi – era cominciata per Beckett molto prima della stesura e rappresentazione del dramma tra il '50 e il '57. Se nel testo teatrale gli scacchi non compaiono concretamente, pur suggerendo titolo e struttura, essi erano invece apparsi nel romanzo cui Beckett aveva lavorato più a lungo: *Murphy*, scritto e riveduto fino alla stampa tra il 1934 e il 1938.

Nei capitoli 9 e 11 del romanzo, il protagonista Murphy, infermiere presso un ospedale psichiatrico, si dedica negli intervalli del lavoro al gioco degli scacchi con un paziente, Mr Endon, dalla cui schizofrenia e assoluta indifferenza a ogni relazione egli si sente attratto, come Narciso dalla sua immagine speculare: «drawn as Narcissus to his fountain».

Mr Endon gioca di attesa: le sue mosse con gli scacchi non obbediscono a una strategia d'attacco, ma tendono a mantenere la posizione iniziale, secondo «Fabian methods» grazie ai quali talvolta, dopo 8 o 9 ore di "guerrilla" «neither player would have lost a piece or even checked the other»[1]. Come rilevato dalla critica, in questo gioco «dominated by the circular action of the knights, Murphy systematically attempts to cancel out moves in one direction by countermoves in the opposite direction»: un movimento che appare lo stesso in *Finale di partita*, in cui la rigida programmazione delle mosse di Clov sembra «an attempt to reach a conclusion by undoing what has been done [...]. At the end of this movement Hamm and Clov are as they were – it is as if they had never moved at all»[2].

Nell'ultima partita che precede di poco la sua morte, Murphy tenta invano di trascinare Endon alla lotta, di coinvolgerlo in una relazione, e perde il controllo di sé esponendosi alla sconfitta, le cui fasi sono descritte in dettaglio. Viene infatti indicata la sequenza delle 43 mosse del bianco e del nero, seguita da un commento ad alcune specifiche scelte, e vengono evidenziati, con la psicologia dei giocatori, il fallimento esistenziale e il turbamento che porteranno Murphy alla fine.

Dalla partita Murphy fugge spogliandosi man mano per strada e si rifugia nella sua stanza, dove si lega alla sedia a dondolo, come era solito fare per dondolarsi più energicamente, incurante del pericolo di rovesciarsi senza potersi più liberare. Più tardi si apprende che il gas del fortunoso impianto di riscaldamento della stanza ha provocato un incendio, in cui il protagonista è morto.

Ad alimentare la vicenda del romanzo è un nodo multiplo: in esso confluiscono, con il gioco degli scacchi e la coscienza della soglia psicotica, una crisi radicale dei rapporti sociali ed emotivi. Murphy è infatti psichicamente inadatto al lavoro. Quando cerca di trovarne uno per amore di Celia, una prostituta che lo ama, giunge ironicamente ad alienarsi da Celia come da se stesso.

La ricostruzione dei dati biografici di Beckett in quegli anni, non meno che la cronaca dei campioni di scacchi del periodo, forniscono materiali di riferimento e suggeriscono un complesso sovrapporsi di modelli di esperienza destinati più tardi a riaffiorare nel quadro emotivo, intellettuale e figurativo di *Finale di partita.* L'identificazione di questi modelli consente di meglio avviarsi alla lettura del dramma e alla sua ipotetica gamma di intenzionalità.

Il Murphy di Beckett, il cui nome è certo adatto per diffusione a indicare un *everyman* irlandese, sembra tuttavia voler implicare riferimenti psicologici particolari. In una scena in cui cerca di farsi servire due tazze di tè al costo di una, Murphy è infatti descritto da Beckett facendo ironicamente ricorso alle teorie di Külpe e della scuola di Würzburg (vengono citati anche Marbe, Bühler, Watt e Ach). Analizzando l'episodio (*Murphy*: 63), Jean-Michel Rabatè commenta le possibili implicazioni, convincendosi che il nome di Murphy debba essere a sua volta allusivo: «Il ne peut s'agir que d'un autre Murphy, [...] un Murphy qui pourrait bien avoir servi de source principale à Beckett pour tout qui touche à la psychologie et à la psychiatrie dans le livre»[3]. Giunge così a additare un medico, Gardner Murphy, il primo a introdurre in Inghilterra le teorie psicologiche tedesche, autore di *An Historical Introduction to Modern Psychology*, pubblicato a Londra nel 1929. La coincidenza è interessante, ma il Murphy di Beckett, infermiere, si identifica con un paziente schizofrenico, rinviando alla psichiatria piuttosto che alla psicologia; al tempo stesso il tratto distintivo che lo accomuna al malato – la passione per gli scacchi – sembra poter alludere, più che a uno psicologo, al caso psichiatrico reale di un celebre campione di scacchi finito nella follia e oggetto di uno studio di Ernest Jones, *The Problem of Paul Morphy*[4]. Lo studio di Jones fu letto presso The British Psychoanalytical Society nel '30, e pubblicato nel '31, tre anni prima che Beckett, appassionato giocatore di scacchi (anche con M. Duchamp, responsabile di una rubrica di scacchi sul quotidiano «Ce Soir» e coautore di un noto studio di scacchistica[5]) iniziasse il romanzo e insieme una terapia psicoanalitica con W.R. Bion alla Tavistock Clinic di Londra, dopo due anni di problemi mentali e fisici, descritti da Didier Anzieu come «fasi di ritiro narcisistico ed episodi depressivi»[6].

Il gioco degli scacchi secondo Jones tende a configurarsi come edipico. Di natura sadico-anale, esso inscena, nella centralità del re – debole come pezzo, per la scarsa mobilità, e pur oggetto su cui convergono gli attacchi – un parricidio; lo scacco al re o scaccomatto può significare castrazione, esposizione della debolezza del re-padre o sua uccisione. Al rifiuto dell'autorità e alla conflittualità padre/figlio possono aggiungersi nello scacchista una sottintesa omosessualità repressa e un forte narcisismo, cui spesso corrispondono difficoltà di rapporto con le donne.

Paul Morphy, nato a New Orleans nel 1837, ispano-irlandese da parte di padre e francese per parte di madre, batté a Londra nel 1858 tutti i più grandi campioni mondiali degli scacchi. Ma Staunton – noto critico letterario oltre che scacchista – rifiutò di misurarsi con lui. Rimasto senza rivali a 21 anni, Morphy dichiarò sorprendentemente finita la sua carriera di scacchista. Tentò invano di studiare legge, divenne paranoico e morì nel 1884, a 47 anni.

Secondo Ernest Jones fu il rifiuto di Staunton a scatenare la paranoia in Morphy. *Imago* del padre agli occhi di Paul, Staunton evitò di giocare con il campione americano, attaccandolo, come gli era tipico, con frasi di dileggio: queste parvero a Paul uno smascheramento delle sue motivazioni inconsce contro il proprio padre, e fecero precipitare il suo equilibrio psichico.

L'allusione a Morphy nel nome Murphy potrebbe rispecchiare vissuti personali di Beckett. È interessante osservare che una componente biografica sembra aver suggerito nel romanzo aspetti della psicologia dello scacchista che Jones non rileva nel caso Morphy, ma che in un successivo studio del '56 (l'anno in cui Beckett completò *Fin de partie*) sono invece messi in risalto da Reuben Fine in *Chess and Chess Masters*[7].

Riprendendo il caso di Morphy, Fine ridimensiona l'importanza del rifiuto di Staunton (Morphy in realtà aveva già battuto Anderssen, che nel 1858 era considerato più forte di Staunton) e sottolinea invece il costante rifiuto del lavoro e della professionalità del giocatore, per il quale gli scacchi avrebbero dovuto rimanere un libero passatempo. Morphy appare a Fine segnato da una netta volontà di "ritiro dal mondo", compensata fino a un certo punto dall'interesse per gli scacchi. Quando l'abilità portò Morphy alle vette del primato mondiale, trasformando di fatto il suo gioco in attività seria, egli entrò in crisi, abbandonò la scacchiera e nulla più lo difese dalla psicosi. Nella sua regressione paranoica Fine vede esprimersi direttamente, non più mediato dagli scacchi, l'attacco al padre, di professione giudice, sulle cui fortune economiche, così diverse dalle sue, il figlio era solito insistere. Come giocatore Morphy si dimostrava particolarmente compassato, apparentemente superiore a ogni emozione umana: una calma coatta, poi "tradotta" in paranoia[8].

Scacchista e caso patologico come Morphy, anche il Murphy di Beckett è caratterizzato, come del resto il giovane Beckett e i suoi tipici protagonisti, dalla fuga dal lavoro e dal desiderio di evitare le emozioni. Il rapporto con Mr Endon, che gli fa perdere il controllo di sé, si esprime significativamente in un impulso irresistibile: guardare attentamente gli occhi indifferenti, lo sguardo nel nulla di Endon. Questi occhi, che non vedono Murphy come fossero ciechi, precorrono quelli di Hamm in *Finale di partita*. Essi sono «uno scherzo della natura», enormi, privi di colore o bianchi, con pupille dilatate come per mancanza di luce, iridi mostruose, segni di suppurazione:

> In shape they were remarkable, being both deep-set and protuberant, one of Nature's jokes involving sockets so widely splayed that Mr. Endon's brows and cheekbones seemed to have subsided. And in colour scarcely less so, having almost none. For the whites, of which a sliver appeared below the upper lid, were very large indeed and the pupils prodigiously dilated, as though by permanent lack of light. The iris was reduced to a thin glaucous rim of spawn-like consistency, so like a ballrace between the black and white that these could have started to rotate in opposite directions, or better still the same direction, without causing Murphy the least surprise. All four lids were everted in an ectropion of great expressiveness, a mixture of cunning, depravity and rapt attention. Approaching his eyes still nearer Murphy could see the red frills of mucus, a large point of suppuration at the root of an upper lash, the filigree of veins like the Lord's Prayer on a toenail and in the cornea, horribly reduced, obscured and distorted, his own image. They were all set, Murphy and Mr. Endon, for a butterfly kiss, if that is still the correct expression. (*Murphy*: 170)

Il caso Morphy sembra precedere il *Murphy* di Beckett come il romanzo di Beckett anticipa *Fin de partie,* di cui inscena, con il binomio scacchi-cecità, non pochi elementi costitutivi e dettagli situazionali. Come gli occhi di Endon, gli occhi ciechi di Hamm, che Clov rifiuta di vedere, sono definiti bianchi dietro gli occhiali neri. Nel fazzoletto macchiato di sangue con cui Hamm si copre il volto ritorna anche l'associazione occhi-sangue; e tra Hamm e Clov, incapaci di lasciarsi pur senza volersi, pronti a isolarsi definendo morto il mondo esterno, si ripete la negazione di legame di

Murphy con Endon. Di Endon tornano in Hamm numerosi tratti narcisistici. Definito nel romanzo «the most biddable little gaga of the entire institution» (*Murphy*: 164), Endon è sempre avvolto in una vestaglia rossa, in elegante contrasto con il nero pigiama di seta:

> Mr. Endon did not dress, but drifted about the wards in a fine dressing-gown of scarlet byssus faced with black braid, black silk pyjamas and neo-merovingian poulaines of deepest purple. His fingers blazed with rings. (*Murphy*: 129)

Nella seconda versione in due atti di *Finale di partita* anche Hamm, apparentemente signore decaduto di un castello o tenuta, è segnato dagli stessi due colori di Endon, il rosso della veste da camera e il nero degli occhiali, esteso nel secondo atto al cappello. E negli appunti di regia per un *Endgame* al San Quentin drama workshop del 1980 Beckett descrive Hamm con un «Pin of stauncher emerging *smart* from breast pocket»[9]. Il narcisismo di Hamm tuttavia si esprime qui maggiormente nel suo orgoglio intellettuale.

Di *Murphy* torna anche in *Finale di partita* un altro tratto rilevante, l'ossessione del cielo: la fissazione per l'astrologia e l'oroscopo raggiunge nel romanzo il comico e il grottesco. Murphy osserva ansioso il cielo dalla finestra della soffitta, ma non vi scorge stelle. In *Finale di partita* Hamm si accorda con Clov nel negare, con la variabilità meteorologica, il sole, la pioggia, le stelle, e insieme insiste sull'osservazione dell'esterno con un cannocchiale, mediante il quale rilevare un uniforme grigio.

Non manca in *Murphy* perfino un momento di teatralizzazione che anticipa il dialogo e le pause di *Fin de partie*. Davanti agli occhi di Endon, Murphy avverte la necessità di parlare, anche se il suo interlocutore non risponde, e le sue battute, alternate con la ripetuta indicazione *a rest*, anticipano il dialogo in francese del dramma, continuamente marcato dal segno di pausa *un temps*. Fra comico e tragico avviene già lo scambio che Beckett vedeva asserito in Schopenhauer, e che sarà tipico del suo teatro: la vicenda essenzialmente tragica della vita si stempera nella bassa quotidianità comica, in cui gli incidenti, la fisicità e l'irrisione dei dettagli impediscono la dignità tragica e la sostituiscono con il comico.

Il passaggio dalla narrativa al teatro richiederà tuttavia una lunga gestazione. Nel '36 Beckett si volge al suo primo progetto teatrale, dopo due esperimenti giovanili universitari del 1931, *Le Kid* (il cui testo, scritto insieme al francese Georges Pelorson, con ironico riferimento a *Le Cid* di Corneille, è perduto) e *The Possessed*, di una sola pagina[10]. Il progetto, dal titolo *Human Wishes*, ispirato al poema settecentesco di Samuel Johnson, *The Vanity of the Human Wishes*, prevede quattro atti. Ma il tentativo di produrre un dramma da questa *Johnson phantasy*, come l'autore stesso l'ha definita, non viene condotto a termine. Ne nasce una breve *pièce*, pubblicata solo nel 1983, in *Disjecta*[11], e rappresentata all'Università del Texas nel 1984. Né ha successo un nuovo tentativo drammatico nel '47, quando Beckett progetta un testo in tre atti con l'insolito titolo *Eleuthéromane*, poi *Eleuthería*, significativamente vicino alla *Irish eleutheromania* ironicamente menzionata nel capitolo 7 di *Murphy*. Il testo viene completato, ma Beckett rinuncia a pubblicarlo e a mandarlo in scena, accantonandolo.

Questi esperimenti teatrali tuttavia testimoniano un progressivo lavoro di attacco, spesso parodico, alle forme della tradizione teatrale, un percorso di scarti, di modelli "impossibili", necessario all'autore per "sgomberare il campo" e selezionare le proprie future alternative[12].

Se nel '48-'49, con *En attendant Godot,* l'autore scrive la sua prima opera teatrale riuscita, andata poi in scena a Parigi nel '53 e a Londra nel '56, è con *Fin de partie* che egli completa la trasposizione teatrale del nucleo centrale della vicenda di Murphy, la sua peculiare partita a scacchi. Nel gioco di grecismi del romanzo il nome Endon suggeriva interiorità, clausura autistica, ma al tempo stesso, in inglese, *Endon* poteva alludere a fine, spettacolo della fine (*end on*); e l'associazione tra personaggio e partita a scacchi già conduceva al termine tecnico *endgame*. È di Murphy la battuta (ironica parodia del Vangelo di Giovanni) «in the beginning was the pun».

Nonostante gli anni che separano le pagine di *Murphy* da

quelle di *Fin de partie*, e la differenza di genere tra narrativa e teatro, si ripetono, oltre agli elementi costitutivi già identificati, anche molti particolari. Nel romanzo, Murphy abita in un piccolissimo sottotetto, *garret* – cui corrisponde la piccola cucina di m. 3 × 3 × 3 di Clov – e vi accede con una scala retraibile, che egli ritira ogni volta per interrompere le comunicazioni con il mondo, anticipando la scala con cui Clov si arrampica a guardare dalla finestra. Hamm si connota come Endon, non solo per i suoi occhi bianchi e ciechi, ma anche per il suo desiderio suicida: se Endon è classificato in ospedale come «a tab», aspirante suicida, Hamm cerca di rovesciare la sua sedia a rotelle per morire. Ma già Murphy a sua volta era morto rovesciando la sedia a dondolo.

La partita a scacchi decisiva di Murphy e Endon dura l'intera giornata, come la partita di *Fin de partie* si svolge da un supposto risveglio del mattino fino al sonno della sera, o forse sonno finale e suicida come quello che subentra per Murphy dopo la sconfitta. Nel romanzo compare anche un servo, Cooper, che non può sedersi come Clov; e Murphy ama legarsi alla sua sedia a dondolo fino a non potersene liberare, finendo immobilizzato come poi Hamm, vincolato dalla paresi alla sua sedia a rotelle.

Nella scena che precede la morte, mentre torna nella sua stanza sconvolto dalla partita, Murphy tenta invano di evocare dentro di sé la madre e il padre. All'improvviso sorprendentemente "vede" invece la figura di un bambino con i pugni chiusi: «the clenched fists and rigid upturned face of the Child in a Giovanni Bellini *Circumcision*, waiting to feel the knife» (*Murphy*: 172). Sulla scena di *Finale di partita* la madre e il padre di Hamm, chiusi in due bidoni, possono essere evocati o respinti a volontà, aprendo o chiudendo i coperchi. Ma anche qui, nella scena finale, un bambino si mostra all'improvviso fuori dal rifugio, "impossibile visione" e motivo di complesse implicazioni. E se in *Murphy* il bambino è esplicita citazione figurativa, anche in *Fin de partie* il bambino sembra implicare, come apparirà più oltre, una citazione figurativa da una celebre incisione di Dürer[13].

L'accidia di Murphy a sua volta ripete quella di un personaggio dei racconti di *More Pricks Than Kicks* (1933), Belacqua Shuah, ispirato al Belacqua dantesco, ed evocato nel quinto capitolo del romanzo nella *Belacqua fantasy* (*Murphy*: 56-57). Ma l'accidia di Murphy ha aggiunto a quella di Belacqua la consapevolezza della patologia schizofrenica di Endon. Essa si è scissa in due componenti: quella proiettata sull'invidia per la radicale indifferenza psicotica di Endon, e l'insopportabile grado di sensibilità e bisogno di relazione che permane in Murphy, facendo di lui un personaggio coscientemente tragico anziché psicotico come Endon. In questo spazio tra i due personaggi, e nella sua consapevolezza, si predispone la partita a scacchi di Hamm e Clov, insieme psicotica e lucidamente autocritica. È dunque per più motivi evidente che *Murphy* offre un "modello preliminare" a *Finale di partita*.

Già nel romanzo, e più negli anni di gestazione di *Finale di partita*, il "caso Morphy" è attraversato, prima di riversarsi, condensarsi e decantarsi in *Finale di partita*, da un'altra decisiva esperienza di Beckett: l'analisi con W.R. Bion a Londra, che accompagna la scrittura stessa di *Murphy*, immettendo nella riflessione di Beckett una dimensione aperta a ulteriori sviluppi, connessi con le formulazioni successive della psicoanalisi di Bion negli anni '50. Il rapporto Bion-Beckett sembra aver contribuito non poco al quadro psichico di *Finale di partita*.

2. *S. Beckett, W.R. Bion e C.G. Jung*

L'anno in cui Beckett inizia a scrivere *Murphy* – il '34 – è anche l'anno in cui l'autore, tormentato da ricorrenti disturbi psicosomatici e periodi di debilitazione fisica, su consiglio del suo medico curante e amico irlandese Geoffrey Thompson, entra, come accennato, in analisi con Bion a Londra per proseguire poi anche nel '35. In quest'arco di un anno e mezzo, a parte le visite a casa a Dublino, Beckett stesso dichiara di aver passato la maggior parte del suo tempo con l'analista – molto probabilmente le sedute erano quattro alla settimana[14] – o in passeggiate.

Morto da poco il padre, a differenza del fratello Frank, Samuel, alle soglie dei trent'anni, non ha trovato una collocazione socio-economica che soddisfi la madre. Il prezzo del lungo apprendistato artistico, che sboccherà solo tardi nel successo, "giustificandosi" e assicurando a Beckett l'autonomia economica, è un difficile rapporto con la madre, di dipendenza e di odio-amore, di rimproveri e delusioni reciproche, fino alla morte di lei nell'agosto del '50, prima che il figlio divenga famoso.

Quando si reca da Bion, Beckett è da tempo interessato alla psicoanalisi. Alla frequentazione dei surrealisti parigini, assertori della "scrittura automatica" come trascrizione dell'inconscio (tra questi Breton aveva fatto esperienza come analista), si aggiungeva la collaborazione con la rivista «transition» di Eugene Jolas, che nel numero 21 del 1932 aveva pubblicato un manifesto in 10 punti, dal titolo *Poetry is Vertical*, firmato anche da Beckett, insieme a Hans Arp, Thomas McGreevey[15] e altri. Al settimo punto il verticalismo della poesia – modificato nel numero successivo in "vertigralismo", per includere il movimento sia verso l'alto che verso il basso – è definito in termini di affioramento dell'Io trascendentale: un Io «reaching back millions of years» grazie alla «hallucinatory irruption of images in the dream, the daydream, the mystic-gnostic trance and even the psychiatric condition»[16].

Preceduto da una *Proclamation* del'29, questo manifesto, il secondo di «transition», esaltava contro il positivismo la «inner life», la vita interiore del soggetto, opponendosi all'ideale classico di un artefatto senso di armonia («factitious sense of harmony») in favore di una concezione medianica della poesia, che nel primo manifesto era stata già sottolineata con una serie di citazioni da William Blake. Dei surrealisti tuttavia Jolas criticava la sopravvalutazione dell'inconscio, cui opponeva la necessità di un'organizzazione conscia dell'arte. La sua rielaborazione di Freud ignorava il Super-ego e dava carattere trascendentale all'inconscio, avvicinandolo a Jung, incontrato a Zurigo nel '30, e di cui Jolas tradusse in inglese per il numero 19-20 di «transition» il saggio *Psychologie und Dichtung*, *Psicologia e poesia*, secondo il quale il poeta esprime "l'uomo collettivo", inteso come inconscio collettivo. Non venne invece pubblicata sulla rivista, per l'opposizione di Joyce, la prefazione di Jung all'*Ulisse* in occasione dell'edizione tedesca: infastidito da questa lettura ritenuta ostile, Joyce dichiarò «I have nothing to do with psychoanalysis»[17]. Ma nel '35 sua figlia Lucia entrava in analisi a Zurigo.

Grazie all'amico Thompson infine, nel '34, Beckett visitò persino il Betlehem Royal Hospital di Bekenham, studiando gesti e comportamenti dei malati, poi utilizzati per *Murphy* e il suo Magdalen Mental Mercy Seat.

Durante l'analisi con Bion, poi interrotta dal paziente[18], Beckett sembra aver alternato la determinazione a perseverare nella cura con momenti di dubbio sulla sua utilità; ma il colloquio con Bion – in trattamento singolo – fu intenso, forse più sul piano culturale che terapeutico, e trovò riscontro in una particolare attenzione di Bion, oltre che all'esperienza pulsionale analizzata da Freud, poi fusa con le teorie kleiniane, all'esperienza cognitiva ed estetica e all'individuo eccezionale.

Nell'aprile del '60 l'interesse di Beckett per le teorie kleiniane appare vivo in un episodio riferito nell'ampia biografia di Deirdre Bair: incontratosi con il cugino Peter Beckett, psichiatra, appena tornato dagli Stati Uniti, Samuel si interessò alle differenze tra le scuole inglese e americana, sorprendendo il cugino per la sua competenza[19].

Nel '34 Bion esordiva come analista, ma è negli anni in cui nasce *Finale di partita*, dal '50 al '57, che egli, allievo di Melanie Klein, elabora buona parte del suo pensiero analitico, occupandosi della dinamica del "doppio" (il suo saggio *Il gemello immaginario* è del '50) e della schizofrenia, di cui imposta una teoria tra il '54 e il '55. Nel '55 inoltre esce a Londra, nell'ambito delle Tavistock Clinic Publications, una raccolta di saggi kleiniani, dal titolo *New Directions in Psycho-Analysis,* con prefazione di Ernest Jones e introduzione di Money-Kyrle, che include due saggi di Bion. Quattro saggi nella seconda parte trattano della letteratura e bene delineano la prospettiva Klein-Bion dei rapporti tra psicoanalisi ed estetica.

Il saggio di Hanna Segal in particolare privilegia Proust,

(scrivendo sul quale Beckett aveva iniziato la sua carriera letteraria) e la *Recherche*, definita esempio dell'opera d'arte come *lavoro del lutto*, del desiderio di ricreare un mondo perduto elaborandone e superandone l'esperienza di depressione[20].

Mentre il bello nell'opera d'arte evita la fase della depressione, che presuppone antecedente, e testimonia la riparazione, il brutto esprime la depressione stessa, superandola nella forma artistica. Le reazioni negative del pubblico di fronte a certa letteratura o musica contemporanee, "difficili" per il loro utilizzo del brutto, sono lette dalla Segal come difesa maniacale contro le ansie depressive, finché esse non cedono al coraggio dell'artista. L'artista a sua volta, per poter trionfare della depressione che esprime, deve saper riconoscere e accettare anche la realtà della morte – per il Sé e per l'oggetto – come ad esempio Shakespeare nel *King Lear*, secondo l'intuizione freudiana. L'artista deve saper accettare, inglobare nella forma artistica il brutto e il caos: una posizione che Beckett stesso ha espresso con evidenza[21].

La poetica di Beckett sembra inoltre condividere con il pensiero della Klein due assunti di base: la *centralità del soggetto* che deforma il mondo, filtrandolo attraverso i suoi meccanismi emotivi di proiezione, e il compito di ridefinire il soggetto e la speculazione filosofica a partire dalla *follia*, come a partire dalla patologia viene desunta per la Klein la normalità. Di questi due assunti Bion accentua la problematica epistemologica. Accanto alla realtà obiettiva esterna, inconoscibile, appare altrettanto inconoscibile al soggetto la sua "verità interna", l'inconscio, significativamente indicato come O, insieme lettera (Origine) e numero. Dell'oggetto ciò che conosciamo sono le sue infinite trasformazioni e l'invarianza al di là di esse; le trasformazioni insieme svelano e occultano l'oggetto.

Del pensiero di Bion, elaborato in parte durante le stesure di *Finale di partita* e in parte dopo, è difficile determinare la specifica influenza su Beckett, o eventualmente viceversa la ricezione in esso della poetica beckettiana. Analizzando per la prima volta il rapporto Bion-Beckett, Didier Anzieu ha recentemente formulato un'ipotesi di "parallelismo":

Nel 1934-35, Beckett e Bion si sono confrontati insieme e si sono scontrati su una problematica corrispondente a quello che Bion chiamerà il protomentale (nel quale il funzionamento fisico e psichico sono indissociabili) e su quello che Melanie Klein comincia a teorizzare proprio in quel momento sotto il nome di posizione psicotica. A partire dal 1945, l'opera romanzesca (in francese) di Beckett, ed a partire dal 1950 l'opera scientifica di Bion (in inglese) costituiscono tentativi paralleli di elaborare questo nodo psichico[22].

Il noto biografo di Freud si chiede se sia stato Bion o Beckett a suggerire all'altro il concetto di *splitting* tra parte psicotica e non psicotica della personalità, ma ritiene di vedere in *Murphy* «un'anticipazione dello schermo degli elementi "beta", concetto che Bion pubblicherà nel '55». Scorge inoltre in due protagonisti di Beckett, Murphy e Watt, l'esperienza della cura con Bion, il cui nome è sdoppiato e "registrato", prima nei due infermieri gemelli Bim e Bom di *Murphy*, ironica allusione al saggio di Bion sul gemello immaginario[23], e poi nei protagonisti Pim e Bom di *Comment c'est*. Analizzati i romanzi di Beckett e l'opera di Bion, Anzieu interpreta il rapporto tra i due – che lo stesso Bion lesse in occasione della 133esima seduta come "un interminabile beccarsi", con allusione all'origine francese (Becquet) del nome Beckett – secondo una gemellarità/complementarità antitetica:

Così, Bion s'è interessato ai disordini del pensiero verbale quando Beckett ha cessato di farne il tema dei suoi romanzi, Beckett ha fatto del gruppo interno delle voci che parlano disordinatamente in ciascuno di noi il tema dei suoi romanzi, quando Bion ha elaborato la teoria degli assunti psichici di base dei gruppi umani [...]. Per questi due creatori, ciascuno sembra essere stato in segreto il gemello immaginario dell'altro, non il gemello identico che Bion ha svelato nei suoi pazienti schizofrenici, ma il doppio complementare che appare come una tappa decisiva nel processo creativo[24].

Non è dunque sorprendente che tesi di Bion possano chiarire, su un versante teorico-analitico, situazioni ricorrenti nell'opera di Beckett; ed è lo stesso Beckett a registrare il nome di Bion in una pagina di appunti sulla prima versione in due atti di *Finale di partita*, cui poi corrisponde nella successiva stesura in due atti (del '56) un'esplicita allusione a Melanie Klein[25].

L'enigmatica stranezza "irrazionale" del quadro di riferimento beckettiano trova in effetti nell'elaborazione bioniana dell'identificazione proiettiva della Klein una plausibilità teorica. Queste corrispondenze conferiscono a *Finale di partita* il sapore di una ricerca consapevole, non priva di rimandi ironici al modello bioniano, come di riscontri reciprocamente illuminanti.

Il primo contributo sembra derivare dallo stesso rapporto di analisi, rapporto a due che per Bion si configura come «attesa catastrofica», una situazione ricorrente nel teatro di Beckett. Per Bion, analista e paziente costituiscono un «gruppo di accoppiamento» basato su una sospensione o attesa e una speranza messianica: «La speranza è quella di un cambiamento catastrofico, desiderato e paventato a un tempo, che destrutturi e trasformi l'organizzazione psicotica»[26].

Questa situazione corrisponde alla scena stessa di *Aspettando Godot* come di *Finale di partita*. In entrambe le coppie, Vladimir-Estragon e Hamm-Clov, è evidente una funzione didattica e di controllo di uno dei due (Vladimir e Hamm) in una relazione di struttura psicotica. All'attesa messianica di God(ot) corrisponde in *Finale di partita* un'analoga attesa di un evento decisivo, improvviso e catastrofico, che spezzi il circolo vizioso del legame: la paventata partenza di Clov, o un suo equivalente, l'inattesa apparizione finale di un bambino. Come nell'analisi con Bion, interrotta senza esito risolutivo, in entrambi i casi "l'attesa messianica" è ironicamente vana. Ma essa dà forma alla comunicazione teatrale, la quale a sua volta risolve, nel distacco del controllo espressivo e del suo black humour, la situazione psicotica di relazione e di atteggiamento cognitivo che rappresenta.

Questa diviene dunque "trasparente" – e con essa le sue metamorfosi nei testi preparatori di *Finale di partita* – se vista alla luce della prospettiva bioniana, che può essere considerata per Beckett, se non oggetto di convinta accettazione, certo fonte di provocazione intellettuale di rilievo, modello di riferimento specifico per questo testo, come accennato, esplicitamente menzionato dallo stesso autore.

Il pensiero di Bion elabora con grande autonomia i presupposti kleiniani[27]. Per Bion il soggetto va considerato sempre in relazione, in un campo bi-personale o pluri-personale: una coppia di personaggi costituisce per l'analista la scena minima, come tipicamente per il teatro di Beckett. Dalla natura del legame di amore, L(ove), o di odio, H(ate), dipende, con il regime emotivo, anche la funzione cognitiva, K(nowledge). Nel primo rapporto del soggetto, tra madre e bambino, si produce nel bambino identificazione proiettiva, ma l'alterità fisica della madre, resa evidente nei momenti di assenza, provoca nel bambino una frustrazione, la reazione alla quale è decisiva per la sua psiche.

Avvertita se presente come "seno buono" e se assente come "seno cattivo", la madre provoca una scissione della sua immagine nel bambino, una posizione schizoparanoide. Se tuttavia la madre recepisce con sensibilità le fantasie del bambino nella sua attività di "rêverie", può indurre il bambino a passare dalla posizione schizoparanoide a una posizione depressiva, in cui i due aspetti scissi si congiungono e vengono accettati, stabilendo un equilibrio tra odio e amore, L e H. A coprire quella che ora è percepita come assenza e non più come dualità schizoide e persecutoria, provvede un'attività cognitiva (K), avvio di pensiero.

Se invece un'eccessiva intolleranza alla frustrazione, o un acuirsi dell'«invidia del seno», della voracità o della rivalità del bambino, producono attacchi sadici e onnipotenti, e odio per le emozioni, il bambino si rifiuta al legame e la relazione si fa parassitaria, solo fisica e di sopravvivenza. La funzione cognitiva ne risulta compromessa: gli elementi in reciproca relazione vengono spogliati di vitalità e di senso, mediante un processo di "disintegrazione", e la funzione della coscienza viene espulsa per evitare emozioni e giudizio, facoltà minacciose perché ponte con un esterno frustrante e incontrollabile. Il passaggio dalla posizione schizoparanoide alla sintesi depressiva, e di qui al pensiero, è impedito; l'attacco al legame si risolve allora in una negativizzazione emotiva e cognitiva insieme, producendo quelli che Bion chiama –L, –H, –K.

Il rapporto tra madre e figlio, se positivo, costituisce

dunque il meccanismo di base generatore del pensiero; ma se l'identificazione proiettiva si fa patologica ne deriva nel bambino una *evacuazione* della coscienza, secondo dinamiche che si ripeteranno poi nelle relazioni successive. Nel primo caso si sviluppa la funzione "α" del pensare (comprendere e ricordare) e del sognare, e si produce distinzione tra veglia e sogno, realtà esterna e emozioni interne, grazie a una *barriera di contatto* tra conscio e inconscio. Nel secondo caso, se invidia e sadismo impediscono il riconoscimento del legame, si ha *inversione* della funzione α e la fissazione di una personalità infantile schizoide. L'incapacità di sentire e amare lascia spazio solo a paura e odio, producendo uno "schermo β", caratteristico del legame psicotico, che derealizza il mondo, creando un circolo vizioso tra sofferenza per la realtà e identificazione proiettiva patologica. Questa situazione può portare alla formazione degli "oggetti bizzarri" e alle allucinazioni. In queste condizioni il soggetto tende a non distinguere più tra veglia e sogno, conscio e inconscio. Le funzioni β possono essere evacuate o mediante il sistema motorio (*acting-out*) o tramite il sistema vegetativo, in disturbi psicosomatici.

Per descrivere lo sviluppo del pensiero, Bion elabora anche una *griglia* di livelli progressivi di attività cognitiva (dagli elementi β agli elementi α, ai pensieri onirici o miti, fino alla deduzione scientifica e al calcolo algebrico), e di forme d'uso del pensiero, quali le ipotesi definitorie, lo *pseudos*, la notazione, l'attenzione, l'indagine, l'azione. Lo *pseudos* in particolare esprime una forma di conoscenza negativa, –K, o "bugia", definita come formulazione di cui chi la introduce sa che è falsa, ma la mantiene come una barriera contro proposizioni che condurrebbero a un «tumulto psicologico». Il bugiardo è dunque diverso dal delirante, ma il terrore del reale lo vincola alla sua menzogna.

Questa rapida sintesi della prospettiva kleiniana elaborata da Bion consente fin da ora qualche riferimento, oltre che a *Murphy*, ai tratti più generali già anticipati di *Finale di partita*.

Nel rapporto con Celia, Murphy si scinde in due: una parte di lui la ama e accetta di lavorare, e una parte la rifiuta e si rifiuta al mondo. A questa percezione già schizoide si offre quindi il modello psicotico dei pazienti dell'ospedale psichiatrico. La totale chiusura sull'esterno di Endon attrae Murphy come ideale di totale sottrazione al legame.

La regressione schizoparanoide per rigetto del legame appare evidente anche nella descrizione della mente di Murphy nel capitolo 6. A parte le ironie filosofiche, il quadro della psiche chiusa in sé come una sfera e divisa in tre parti, una in luce, una in penombra e una in ombra, suggerisce tre diversi gradi di "latitanza" rispetto al mondo esterno. Nella prima zona della psiche vige la regola del rovesciamento della frustrazione esterna in piacere interno: un calcio diventa ad esempio una carezza. Nella seconda si opera il distacco contemplativo del «Belacqua bliss», ma nella terza persino l'ultimo sforzo della volontà, ancora presente nella seconda, viene meno. Qui si perde ogni senso di identità, ogni riferimento a odio o amore, in un perpetuo «coming together and falling asunder of forms», e «the world of the body is broken up into the pieces of a toy» (*Murphy*: 79). Qui la pace è quella della totale frammentazione o evacuazione della coscienza, uno stato cui Murphy desidera sempre più regressivamente ricorrere.

L'ironia, la comicità con cui l'esperienza schizofrenica di Murphy è descritta, il black humour che lo investe persino dopo morto, comunicano insieme al lettore distacco o "superiorità" sulla vicenda, e lutto per la rescissione dei legami del protagonista. Nella sua prima opera di teatro, *Aspettando Godot*, Beckett insiste con ironia in molteplici battute sul legame (*tie*) nel rapporto Vladimir-Estragon, e in quello Pozzo-Lucky legati addirittura da una corda.

Ma è successivamente, in *Finale di partita*, che la "scena bioniana" trova più evidenti coincidenze.

La coppia dei protagonisti, Hamm e Clov, sembra corrispondere alle funzioni α e β: mentre Hamm pensa e può alternare sonno e veglia (la scena inizia con il suo risveglio), Clov non può pensare né dormire o sognare, ma solo scaricarsi in una inesausta attività motoria (*acting-out*), che lo costringe a stare in piedi senza mai sedersi. Un rapporto di odio-amore vincola i due a una dinamica di attacchi sadici, da cui scaturiscono una totale devitalizzazione e perdita di senso (–K), e da cui dipende la derealizzazione del mondo esterno. Sul mondo entrambi i protagonisti sembrano esprimersi, di comune accordo, secondo quella che nella terminologia di Bion può essere definita una "modalità *pseudos*", con una descrizione che essi sanno falsa, ma condividono, perché mantiene la barriera che li difende dal «tumulto psicologico» del rapporto esterno.

La curiosa collocazione dei genitori di Hamm, presenti nella stanza di *Finale di partita* dentro due bidoni (*containers*), sembra inoltre giocare umoristicamente sulla definizione bioniana della madre (e del padre) come «container» psichico del figlio. Non a caso vengono evocati, attraverso i ricordi di Nagg, i rapporti genitori/bambino vissuti da Hamm. Al pianto del piccolo che interrompeva il sonno dei genitori, questi reagivano allontanando il figlio il più possibile da sé.

Facendo riferimento al pensiero di Bion molti elementi del contesto beckettiano acquistano il senso coerente di un'analisi intima del soggetto e del rapporto di base io-tu.

Sulla scrittura di *Murphy* influì anche il pensiero di C.G. Jung, che nel '35 tenne cinque conferenze alla Tavistock Clinic di Londra, segnalate a Beckett dallo stesso Bion. La terza conferenza ebbe grande effetto su Beckett, attratto dalla teoria dei«complessi autonomi»[28]. A differenza che per Freud, lo sdoppiamento della personalità non è per Jung necessariamente patologico, anzi rientra, entro certi limiti, nella normale fisiologia della psiche, che viene così a giovarsi di una flessibile pluralità.

Nella mente di un poeta, in particolare, gli effetti di sdoppiamento alimentano la capacità di drammatizzare e personificare i contenuti mentali, proiezioni di un teatro interiore che attinge all'inconscio personale come all'inconscio collettivo. Solo se l'inconscio prende il sopravvento, o le componenti scisse della personalità sfuggono al controllo cosciente, si producono psicosi e schizofrenia.

La concezione junghiana della psiche colpì Beckett perché corrispondeva al gioco delle voci autonome che egli sentiva dentro di sé e che lo spingevano a scrivere. Essa gli apparve insieme come una conferma e una minaccia che in seguito, sostiene Deirdre Bair, si frappose talvolta tra lui e la sua creatività[29]. Essa comunque entrò fra le componenti di *Murphy*.

In *Finale di partita* gli sdoppiamenti immaginari di ruolo di Hamm e, in tre delle versioni preliminari del testo, anche di Clov, sono, probabilmente, di ispirazione junghiana, come forse anche certi simbolismi "alchemici" o archetipici.

Nei confronti di Bion come di Jung, l'atteggiamento di Beckett sembra essere stato di curioso ascolto: Beckett era ansioso di indagare su se stesso, quanto infastidito dalla pretesa altrui di indagare su di lui (di qui l'impazienza in genere sulle interpretazioni critiche della sua opera). Egli cercava un modello teorico che gli consentisse di spiegare le sue ansie e turbe psicosomatiche e insieme la sua urgente creatività.

Di Jung utilizzò per sé la diagnosi formulata per una bambina di dieci anni, preda di sorprendenti sogni mitologici, spiegati con l'ipotesi, che a Beckett parve rivelatoria, di una "nascita incompleta":

> Beckett seized upon this remark as the keystone of his entire analysis. It was just the statement he needed to hear. He was able to furnish detailed examples of his own womb fixations, arguing forcefully that all his behaviour, from the simple inclination to stay in bed to his deepseated need to pay frequent visits to his mother, were all aspects of an improper birth[30].

3. *Saint-Lô*

Alle esperienze fin qui delineate si aggiunge ancora, ulteriore fattore preliminare alla scena di *Finale di partita*, l'esperienza della guerra mondiale e della resistenza in Francia: il modello della rovina e del lutto universale, che salda i vissuti personali di Beckett con la storia contemporanea.

Nel '51, scrivendo di *Molloy*, Georges Bataille scorgeva nell'opera di Beckett «l'autorité des ruines» e nella sua struttura un «mouvement forcené de ruine»[31]. Ed è a un quadro fisico reale di rovine e non solo a una vicenda personale di distruzioni che Beckett sembra volgersi dopo la guerra, come egli stesso dichiara in un suo intervento rimasto inedito fino al 1986, dal titolo *The Capital of the Ruins*.

Letto da Beckett a Radio Erin il 10 giugno del 1946, questo intervento, che culmina in una implicita dichiarazione di poetica, nasce da un'esperienza personale, tra l'agosto del '45 e il gennaio '46, come membro della Croce Rossa Irlandese, impegnatasi a contribuire con un ospedale ai soccorsi a Saint-Lô, una cittadina francese quasi interamente distrutta dalla guerra.

Lasciata Parigi nel '42 e dopo un periodo a Roussillon, Beckett, che aveva partecipato alla resistenza francese (di qui il conferimento di una Croix de Guerre), era rientrato in Irlanda. Ma desiderando tornare nella Francia liberata e a Parigi, si era offerto volontario come interprete e magazziniere – *store-keeper* – nella Croce Rossa Irlandese, il cui operato e rapporto con la popolazione francese era divenuto in seguito oggetto di polemiche a Dublino. Per intervenire in queste polemiche con la sua testimonianza diretta, Beckett scrisse e pronunciò alla Radio una difesa del lavoro compiuto, nonostante le incomprensioni tra irlandesi e francesi. Ciò che colpisce in questo intervento e ne fa una buona introduzione a *Finale di partita* è la rivelazione di due atteggiamenti: il riconoscimento della difficoltà nella comunicazione con l'altro (Beckett difende i francesi dalle accuse irlandesi) e il riconoscimento di un'umanità in rovina come compito del pensiero e della cultura, e quindi della sua stessa arte, dopo la guerra. Ecco come Beckett riassume la lezione appresa in questa esperienza:

> What was important was not our having penicillin when they had none, nor the unregarding munificence of the French Ministry of Reconstruction (as it was then called), but the occasional glimpse obtained, by us in them and, who knows, by them in us (for they are an imaginative people), of that smile at the human conditions as little to be extinguished by bombs as to be broadened by the elixirs of Borroughs and Welcome, – the smile deriding, among other things, the having and the not having, the giving and the taking, sickness and health.

E ancora:

> some of those who were in Saint-Lô will come home realizing that they got at least as good as they gave, that they got indeed what

they could hardly give, a vision and sense of a time-honoured conception of humanity in ruins, and perhaps even an inkling of the terms in which our condition is to be thought again. These will have been in France[32].

A Saint-Lô Beckett ha dedicato una breve poesia nel '46, una poesia del superamento del lutto, di cui è protagonista il fiume di Saint-Lô, la Vire:

> Vire will wind in the other shadows
> unborn through the bright ways tremble
> and the old mind ghost-forsaken
> sink into its havoc[33].

Con il soggetto psichico è un paesaggio reale in rovina che occorre sia ripensato («to be thought again»): la rappresentazione dell'eccentrico «non-knower, non-can-er» come Murphy, cui le azioni dei verbi *know*, sapere, e *can*, potere, erano negate, si è estesa alla coscienza dei nessi storici ed economici («the having and the not-having»). Le affermazioni di Beckett – «I'm working with impotence, ignorance», la polemica dichiarazione «My little exploration is that whole zone of being that has always been set aside by artists as something unusuable, as something by definition incompatible with art»[34] – vanno dunque intese non come cecità al mondo, ma come regime delle sue rovine, imposte dalla storia, elaborazione del lutto, sopravvivenza e superamento («the smile deriding») di entrambi.

È infatti sulla rovina, sul disfacimento, che insiste una delle prime dichiarazioni di poetica di Beckett, in *Dream of Fair to Middling Women* (1932). Qui Beckett, attraverso il personaggio autobiografico di Belacqua – omonimo del liutaio fiorentino che Dante colloca, immobile in una melanconica accidia, nell'antipurgatorio – evoca una tradizione cui connettere i suoi progetti di scrittura nel segno del disfacimento. In alcune tele di Rembrandt (un autoritratto, un ritratto del fratello o il *S. Matteo con l'Angelo*) Belacqua dichiara, con amplificazioni poliglotte sottilmente autoironiche, di scorgere «a disfaction, a désuni, an Ungebund, a flottement, a tremblement, a tremor, a tremolo, a disaggregating, a disintegrating, an efflorescence, a breaking down and multiplication of tissue». In alcune composizioni giovanili anche Beethoven «incorporates a punctuation of dehiscence, flottements, the coherence gone to pieces», le cui unità «fall apart» come più tardi nelle ultime composizioni, «the vespertine compositions eaten away with terrible silences». Questa "arte della rovina" diviene quindi nel programma di Belacqua, che si ripromette di scrivere un libro, eloquente silenzio:

> The experience of my reader shall be between the phrases, in the silence, communicated by the intervals, not the terms, of the statement [...] his experience shall be the menace, the miracle, the memory, of an unspeakable trajectory[35].

La traiettoria ineffabile di silenzi tra parole-rovine appare quindi come un percorso "gestaltico" da gestire con competenza: «I shall state silences more competently than ever a better man spangled the butterflies of vertigo» sottolinea ancora, con seria irrisione, Belacqua/Becquet/Beckett.

Note al capitolo primo

[1] S. Beckett, *Murphy*, London, Routledge, 1938; le citazioni dal romanzo fanno d'ora in poi riferimento a *Murphy*, London, Calder & Boyars, 1970. Qui *Murphy*, p. 129.

[2] D. McMillan e M. Fehsenfeld, *Beckett in the Theatre*, London, John Calder, 1988, p. 199.

[3] M. Rabatè, *Quelques figures de la première (et dernière) anthropomorphie de Beckett*, in *Beckett Avant Beckett*, a cura di M. Rabatè, Paris, P.E.N.S., 1984, p. 139.

[4] E. Jones, *The Problem of Paul Morphy: A Contribution to the Psychology of Chess*, in «International Journal of Psychoanalysis», 1931, 12, pp. 1-23, e in volume in *Essays in Applied Psychoanalysis*, London, The Hogarth Press and the Institute of Psychoanalysis, 1951.

[5] M. Duchamp e V. Halberstadt, *L'opposition et les cases conjuguées sont réconciliées*, edizione trilingue (francese, tedesco, inglese), Paris-Bruxelles, Editions de «L'Echiquier», 1932.

[6] D. Anzieu, *Beckett e Bion*, in «Gruppo e Funzione Analitica», gennaio-aprile 1988, p. 9.

[7] R. Fine, *Psychoanalytic Observations on Chess and Chess Masters*, New York, National Psychological Association for Psychoanalysis, 1956.

[8] Su P. Morphy cfr. anche A. de Groot, *Thought and Choice in Chess*, The Hague, Paris, Mouton, 1965.

[9] Gli appunti sono conservati all'Archivio Beckett di Reading come MS1975 (cfr. p. 5, corsivo mio).

[10] Pubblicato in S. Beckett, *Disjecta*, cit., p. 99.

[11] *Ibidem*, pp. 155-166.

[12] Cfr. D. McMillan e M. Fehsenfeld, *op. cit.*, pp. 25-26.

[13] Cfr. capitolo terzo, par. 4.

[14] D. Anzieu, *op. cit.*, p. 9.

[15] Cfr. D. McMillan, *Transition 1927-38*, New York, G. Braziller, 1976, p. 67 (prima edizione, London, Calder and Boyars, 1975). Scopo della rivista, nata a Parigi in inglese, era far conoscere le avanguardie europee in America. Su «transition» furono pubblicati, oltre a testi di Beckett, anche *Metamorfosi* di Kafka, e *Work in Progress* di Joyce.

[16] *Ibidem*, p. 66.

[17] *Ibidem*, p. 61.

[18] Cfr. D. Bair, *op. cit.*, p. 214.

[19] *Ibidem*, p. 520.

[20] H. Segal, *op. cit.*, pp. 476-493.

[21] Cfr. D. Bair, *op. cit.*, pp. 522-523.

[22] D. Anzieu, *op. cit.*, p. 11.

[23] W.R. Bion, *Il gemello immaginario*, in W.R. Bion, *Analisi degli schizofrenici e metodo psicoanalitico*, Roma, Armando, 1984.

[24] D. Anzieu, *op. cit.*, p. 17.

[25] Cfr. capitolo secondo, par. 4.

[26] S. Vegetti Finzi, *Storia della psicoanalisi*, Milano, 1986, p. 357.

[27] *Ibidem*, pp. 349-358. Cfr. inoltre *Letture bioniane*, a cura di C. Neri, A. Correale, P. Fadda, Roma, Borla, 1987; L. Grinberg, D. Sor, E. Tabak de Bianchedi, *Introduzione al pensiero di Bion*, trad. it. Roma, Armando, 1983; L. Grinberg, *Teoria dell'identificazione*, trad. it. Torino, Loescher, 1982.

[28] D. Bair, *op. cit.*, p. 208.

[29] *Ibidem*, p. 209.

[30] *Ibidem*.

[31] G. Bataille, *Le silence de Molloy*, in «Critique», 48, 1951.

[32] S. Beckett, *The Capital of the Ruins* in *As No Other Dare Fail*, London, John Calder, 1986, p. 74.

[33] *Ibidem*, p. 69.

[34] Cfr. D. McMillan e M. Fehsenfeld, *op. cit.*, p. 14.

[35] S. Beckett, *Disjecta*, cit., p. 49.

CAPITOLO SECONDO

LA GENESI DI «FINALE DI PARTITA»

1. *Stratificazioni*

Finale di partita è fra i testi teatrali di Beckett quello che ha richiesto più lunga gestazione, passando attraverso numerose scritture, due diversi avvii nel '50, due successive versioni in due atti e altrettante in un atto unico prima del testo pubblicato nel '57 da Minuit (poi riveduto nell'edizione inglese e tedesca), oltre a vari appunti e frammenti. La battuta di Beckett più volte riportata, «no symbols where none intended», non va certo intesa nel senso di una scrittura facile e poco intenzionale, ma come fastidio per intenzionalità estranee a quelle autoriali (coscienti), così a lungo distillate. Essa è inoltre, come spesso le battute di Beckett, a doppio taglio. Calcolata come freno per le congetture dei critici, in realtà non va al di là di una beffarda tautologia: non vi sono simboli, significati reconditi da rinvenire, dove non erano intesi («*where* none intended»), ma ve ne sono ovviamente ove intesi. Il problema critico rimane ancora da risolvere, dopo il *cave* dell'autore, spesso irritato per le inevitabili forzature interpretative, ma insieme preoccupato di fornire alla critica, depositandola in biblioteche, per lo più con donazioni, tutta la documentazione testuale possibile. Del resto Beckett esordì nella sua carriera intellettuale come critico e assistente universitario[1].

L'analisi dei manoscritti e dei dattiloscritti conservati presso l'Archivio Beckett dell'Università di Reading e presso la Biblioteca dell'Università dell'Ohio, permette di ricostruire la genesi del testo fin dai primi nuclei ideativi. L'arco di evoluzione, dopo le ipotesi di Ruby Cohn[2], la cronologia di Admussen di tutta l'opera di Beckett nel 1979[3], e quella, solo di *Finale di partita*, di S.E. Gontarski nel 1985[4], appare abbastanza ben delineato; e tuttavia richiede oggi un aggiornamento, per l'acquisizione di ulteriore materiale catalogato nell'archivio di Reading, che consente una ricostruzione completa e indica una nuova data di prima stesura.

Rimane tuttora non consultabile un quaderno, venduto a un'asta di Sotheby's[5], contenente un manoscritto di *Finale di partita* di 53 pagine: ma il catalogo dell'asta, che reca copia di due pagine autografe, consente di collocare il materiale. Già Gontarski ha rilevato che le due pagine sono «doubtless very close to the second Ohio State typescript» e sembrano appartenere al manoscritto di quel testo (Ohio II), in uno stadio in cui al manoscritto l'autore faceva regolarmente seguire il corrispondente dattiloscritto. La datazione dovrebbe quindi collocarsi tra il 12 aprile e il 21 giugno del '56. Il confronto delle due pagine del catalogo con Ohio II conferma in effetti la tesi di Gontarski: le pagine del catalogo corrispondono propriamente alle pagine 9-10 e 30 del dattiloscritto, con minime differenze di trascrizione. Il testo venduto da Sotheby's è dunque il manoscritto autografo di Ohio II.

La complessità dell'elaborazione di *Finale di partita* non è apparsa subito in tutta la sua estensione. In una lettera a Jean Jacques Mayoux, lo stesso Beckett così allude alle due versioni in due atti che precedettero l'atto unico:

> La rédaction définitive de *Fin de partie* est de '56. Mais j'avais abordé ce travail bien avant, peut-être en '54. Une première, puis une deuxième version en deux actes avait précédé celle en un acte que vous connaissez[6].

È da tempo noto che a queste si aggiunge in realtà un testo dattiloscritto, dallo stesso Beckett denominato *Avant Fin de partie*, in cui Hamm e Clov sono chiamati X e F (Factotum). Ma l'elenco si è poi allungato con lo studio di Gontarski, che rivedendo e ampliando la cronologia di Admussen è pervenuto a una lista di 14 voci, comprensiva di molteplici materiali afferenti alla genesi di *Finale di partita*. Gontarski spinge la data delle prime elaborazioni al '52 o, con giusta intuizione, anche "forse" al '50: «as early as 1952 or immediately after *Textes pour rien* [composti tra il '50 e il '52]»[7].

La lista include manoscritti, dattiloscritti, frammenti, appunti che bene rivelano il complesso farsi del testo[8]. La datazione, per lo più ipotetica, non è sempre indicata.

L'elenco si apre con un frammento manoscritto ('52?) conservato al Trinity College di Dublino (MS4662). Prosegue con *Avant Fin de partie* (Università di Reading, MS1227/7/16/7), da Gontarski collocato tra il '52 e il '53; la prima versione in due atti (Reading, MS1660); due progetti e cinque pagine di appunti a mano depositati presso l'Università dell'Ohio a Columbus; il manoscritto di una seconda versione in due atti, di cui il primo atto è conservato a Columbus (febbraio '56) e il secondo a Dublino; tre versioni dattiloscritte (gli *Ohio Typescripts* I, II, III, tutti del '56), in cui si passa da due atti a un atto unico e al testo quasi definitivo; il manoscritto da Beckett indicato con *Eté '56* (Reading, MS1227/7/7/1); il dattiloscritto della barzelletta del sarto (aggiunta nel '57, all'ultimo, ma già delineata a p. 47 in *Eté '56*); e il dattiloscritto della traduzione del testo in inglese (*Endgame*), ancora a Columbus.

Il manoscritto di Sotheby's, collocandosi tra la seconda versione in due atti e la prima in un atto unico (entrambe del '56), esprime la fase decisiva del testo, che ne fa il documento forse di maggior rilievo: di qui la notevole cifra di 10.000 sterline con cui il *Notebook* che lo conteneva – insieme ad altri manoscritti beckettiani per un totale di 112 pagine – venne aggiudicato nel luglio 1973. Ricerche presso Sotheby's non ne hanno consentito finora il reperimento, ma la sua inaccessibilità, rinviando il testo, come già argomentato, al *Typescript* II dell'Università dell'Ohio[9], non ostacola la ricostruzione della vicenda di *Finale di partita.*

Gontarski cita, al di fuori dell'ordine cronologico del suo elenco, anche due pagine dattiloscritte (MS4663), depositate in fotocopia al Trinity College di Dublino, con un dialogo tra due personaggi, A e B; il secondo foglio reca in alto l'ironica scritta «Le Christ est venu tard»[10]. La lista si allunga dunque a 15 voci.

A questo elenco lo studioso prepone inoltre due frammenti non pubblicati che, a suo avviso, pur non entrando nella storia dei manoscritti di *Finale di partita*, ne preparano il testo, prodotto della fusione di più nuclei che da tempo si andavano addensando: il *Mime du rêveur* e un pezzo senza titolo, i cui protagonisti si chiamano Ernest e Alice. Il primo, di cinque pagine, è da Gontarski pubblicato in appendice al suo volume su Beckett (l'originale è al Dartmouth College, Hanover, New Hampshire), mentre il secondo, di nove fogli dattiloscritti, è a Reading[11]. Entrambi sono genericamente datati «in the early 1950's», e da essi, prima che dalle diverse versioni del testo, Gontarski comincia a tracciare il quadro di riferimento in cui si sviluppa *Finale di partita.* Anche se questi frammenti, dopo la recente catalogazione di altri materiali a Reading, appaiono probabilmente successivi al primo parziale testo del dramma, essi rinviano a un lavoro complementare a quello che propriamente possiamo chiamare l'*avantesto* di *Finale di partita*, e consentono di gettare un utile sguardo preliminare nel *workshop* dell'autore nella prima fase di creazione del dramma.

Il *Mime du rêveur*, interamente mimato e senza parole, sembra riprendere la situazione centrale di *Murphy*: il "sognatore" protagonista indicato dal titolo è solo con la sua sedia a dondolo, sulla quale dorme o intorno alla quale si muove. Ma delinea tratti comuni a *Finale di partita.* Indossa una vestaglia, ma anche, come più tardi Hamm, «chaussettes épaisses», calze spesse, un copricapo e occhiali. Ci vede, ma poco, cammina, ma con difficoltà, perché ha una gamba più corta dell'altra, quasi a metà strada verso la cecità e la paralisi di Hamm. Per guardare dalle finestre (due, rotonde) usa «un petit banc» sotto ognuna di esse, anticipazione della scala di Clov, e pone la sua sedia a dondolo al centro della stanza, come farà Hamm con la sua poltrona. Maneggia una foto che stenta a vedere persino con una lente di ingrandimento, anticipazione del cannocchiale di Clov come di un momento di *Film*[12]; inoltre si guarda allo specchio e si fa luce con dei fiammiferi. Alterna sonno e veglia, ma per dormire si fa, in modo sempre più grottesco, tre iniezioni, usando il sedativo o *pain-killer* che Hamm chiederà invano; è anche ossessionato dal vento, che cerca di non sentire mettendosi dei tamponi nelle orecchie, e che tornerà nella "storia" composta da Hamm.

Il testo indica poi l'apparizione per tre volte di un secondo personaggio, la cui azione mimica non è stata tuttavia descritta da Beckett: essa avrebbe dovuto svolgersi mentre il protagonista dorme e durare 30 secondi la prima volta; avrebbe poi concluso il testo con la caduta del mimo stesso e il suo faticoso respiro per dieci secondi. Nulla è detto del rapporto tra il primo e il secondo personaggio.

Anche il dialogo tra Ernest e Alice (un dattiloscritto con correzioni a penna e una pagina a mano), pur così diverso dal *Mime du rêveur* per lo scherzo iconico dadaista della sua scena e il *wit* dialogico, sembra richiamare situazioni e fasi della vicenda di Hamm e Clov. Ernest si identifica con Cristo e passa il tempo su una croce eretta nella sua stanza, mentre Alice, la moglie, si occupa di lui come poi Clov di Hamm, e lo chiama «Mon petit Jésus», un appellativo che toccherà anche a uno dei prototipi di Hamm. Ernest dorme russando con un fazzoletto sul viso (come poi Hamm) e porta appeso al collo un secchiello per lo champagne, che egli chiama «calice», giocando con i suoni: «C'est un calice, Alice» dice alla moglie, e dichiara di guardarvi dentro ogni sera per vedervi ciò che ha perso quel giorno «dans le gouffre du rachat universel». È atteso l'arrivo di Anita, e Alice si affretta a preparare Ernest, lavandogli – con ovvio riferimento a Cristo – piedi e mani con dell'acqua calda, mentre Ernest insiste che metta nell'acqua i sali, «les sels», vistosamente menzionati quattro volte, tre nel dialogo e una in didascalia. Indicati dapprima come «cristaux» e poi corretti a mano in «sels», essi sono probabile allusione, ironica, a Duchamp, «merchant du sel», cioè all'artista come "sapiente", secondo la tradizione alchemica[13]. Segue l'arrivo, anziché di Anita, della madre di Ernest, che collabora con Alice per accudirlo, e poco dopo il frammento termina.

Il dialogo tra Ernest e Alice sottolinea un "bon ton" borghese: Ernest dichiara apertamente «je suis bien élevé», e – probabilmente autobiograficamente – Beckett gli conferisce una mescolanza di inglese e francese, menzionando ad esempio «un oeuf au bacon», poi corretto in «un oeuf au jambon». Ironicamente Ernest dichiara poi il desiderio di aiutare la moglie nelle sue spese presso un lungo elenco di negozi («boucher, boulanger, charcutier, épicier, crémier»), ma ne è impedito dal suo impegno a stare sulla croce, che si erge con un meccanismo di incerto funzionamento, sulle cui qualità i due coniugi discutono. Alice a sua volta raggiunge il marito sulla croce salendo con una scala, ma si nega quando egli le chiede «embrasse-moi» e «couche-toi sur moi»[14], anticipando una prassi di rinvio-frustrazione sessuale tra marito e moglie che verrà evocata più volte nelle fasi di *Finale di partita*. Tuttavia "educatamente" Alice non lesina complimenti al marito, che ama sentirsi ripetere l'elenco delle sue qualità: «intelligence, coeur, âme».

Il registro dada anticipa connotazioni che entreranno nella prima versione completa di *Finale di partita*, per venir poi per lo più cancellate, ma non senza lasciare tracce. Questo registro è ben lontano dall'angosciosa solitudine in cerca di anestesia del protagonista del *Mime du rêveur*, ma in entrambi i casi si tratta di brevi testi (4 e 9 fogli) che rispecchiano aspetti diversi del progetto di *Finale di partita*.

Ben più lungo è invece un altro pezzo di teatro, *Eleutheria*, il primo completato da Beckett ma mai pubblicato[15], scritto in francese tra il gennaio e il marzo del'47, che Gontarski non colloca nella "linea di genesi" di *Finale di partita*, ma che a quest'opera rinvia, come bene hanno rilevato Knowlson e Pilling[16], per non poche affinità: non senza nessi, come accennato, con il testo di *Murphy*, dal quale ha attinto il titolo[17].

Suddivisa in tre atti e alimentata da ben 17 personaggi, *Eleutheria* ricorre nei primi due atti a un doppio *set* di scena, evidentemente autobiografico: uno principale, per il protagonista, il giovane Victor Krap, rifugiatosi in una misera stanza parigina in cerca di "libertà", e uno secondario, per rappresentare la famiglia dublinese e borghese di Victor, ansiosa di recuperare il ribelle ai suoi legami affettivi e valori sociali. Abolendo man mano tutti i vincoli, Victor ha respinto ogni rapporto, anche con la donna amata, Olga, con totale distacco dal mondo, in un abulico rifiuto autodistruttivo di qualsiasi attività che, come Knowlson sottolinea, «clearly reflects the central impulse in Schopenhauer's *The World as*

Will and Idea»[18]. Più radicale di Murphy, di cui estende la logica, Victor è giunto al nulla per non essere né «prisonnier des autres», né «prisonnier de moi». Lasciati "gli altri", la prigionia del suo io era apparsa infatti anche più insopportabile, dichiara il giovane: «C'était pire. Alors je me suis quitté»[19]. Ma resosi conto che la libertà è incompatibile con l'essere, egli decide infine, a differenza di Murphy, di sottrarsi all'ipotesi dell'immobilità come del suicidio – soluzioni "mancate" – consapevole ormai di poter solo «frotter mes fers l'un contre l'autre»[20].

Se *Eleuthería* sembra anticipare tratti di vari testi di Beckett, e Victor Krap precede già nel nome *Krapp's Last Tape*, «the most striking affinity is with *Endgame*»[21], sottolinea ancora Knowlson: per la qualità del dialogo, spesso insieme intimo e cinico come poi tra Hamm e Clov, di cui anticipa anche il senso di attesa e il richiamo agli scacchi. La vicenda di Victor viene infatti nel dramma paragonata a una *partita a scacchi*, cui dopo una lunga attesa per la mossa successiva un pirandelliano personaggio di *Spectateur* vorrebbe comunque imporre una soluzione, spinto a irrompere in scena da un irrefrenabile bisogno psichico. Anche lo humour metariflessivo della situazione conflittuale, che frustra le attese di un pubblico ansioso di cogliere eventi, cause ed esiti riconoscibili, anticipa le scelte di *Finale di partita*, denunciando l'impraticabilità del vecchio teatro e della "comedy of characters"[22]. A questo stadio i personaggi sono ancora in cerca, se non d'autore, del loro giusto dramma, il cui protagonista viene infatti discusso in scena. Se motivazioni e svolgimento sono incerti, non lo è tuttavia il riferimento alla tradizione dello humour: ad essa anche Pirandello aveva dedicato un ampio saggio nel 1908, senza tralasciarne i nessi con la tradizione melanconica, ed entrando poi in polemica con Croce[23]. Ma anche altri elementi avvicinano *Eleuthería* a *Finale di partita*.

Una malattia impedisce a Mr Krap, il padre di Victor, di alzarsi da una sedia da solo, anticipando la condizione di paralitico di Hamm, di cui Mr Krap prefigura anche l'attività di scrittore e la competenza letteraria. Lo "strano" personaggio del Vetraio – introdotto per sostituire il vetro rotto di una finestra di Victor, ma ancor più per testimoniare le crisi del giovane, oggetto della sua ostinata curiosità – anticipa qualche tratto di Clov e del suo rapporto con Hamm. Come Clov rimprovererà Hamm di aver negato *l'olio per la lampada* ai vicini che glielo avevano chiesto, già il Vetraio si rammarica con Victor perché ha trascurato *l'olio per le sue lampade*. Inoltre il ruolo del Vetraio si completa in coppia con un bambino, suo figlio, come Clov potrà chiudere *Finale di partita* descrivendo l'apparizione di un bambino.

Ma più ancora che anticipare tratti di *Finale di partita*, *Eleuthería* esibisce elementi destinati a riaffiorare nei testi preparatori del dramma, di cui permangono tracce nella versione finale. Tale è il caso delle ironiche allusioni a una tradizione simbolica alchemica, nella menzione del vetro e del diamante usati dal Vetraio, simboli di ricerca/ascesa sapienziale e artistica, probabilmente ispirati all'amico di Beckett Marcel Duchamp, influenza di rilievo per *Finale di partita*[24]. All'autore del *Grande Verre* il Vitrier di *Eleuthería* – deciso a regalare il suo diamante e gli arnesi di vetraio al giovane Victor, pur non entusiasta di questi doni da lui subito abbandonati – sembra voler ammiccare. Nello stesso "filone" si collocano del resto i sali/cristalli e l'ironica figurazione cristologica del pezzo Ernest/Alice, non privi di riscontro in *Fin de partie*, insieme alle allusioni all'olio da lampada e ad altri elementi che più oltre emergeranno.

Per il Vetraio di *Eleuthería* McMillan e Fehsenfeld hanno suggerito un nesso con il *Dramma del sogno* di Strindberg (1902), in cui, in un contesto fantastico-onirico, dopo lunga dilazione, un Vetraio forza, al posto di un fabbro, una porta oltre la quale dovrebbe celarsi Victoria, il cui nome ovviamente richiama quello di Victor, e il cui personaggio di donna amata attesa invano per tutta la vita si rivela vuoto, mentre il tema centrale del dramma esprime l'esperienza di una dea scesa sulla terra per verificare l'infelice condizione umana. Il dramma può per questo suo nucleo centrale aver attratto Beckett, il cui teatro è tuttavia in *Eleuthería* come altrove molto distante dallo scenario magico-simbolico di Strindberg. Il Vetraio di Strindberg, che ha il solo ruolo di forzare la "porta del desiderio", dietro cui nulla poi si trova, può comunque avere in comune con il Vetraio di Beckett una probabile ascendenza alchemica. Strindberg, che sperimentò molte "fedi"[25], si era occupato, negli ultimi anni dell'Ottocento, anche di alchimia.

Della vicenda genetica di *Finale di partita*, *Eleuthería* anticipa numerosi particolari. Il ricordo di un amico ormai morto di Hamm, artista e pazzo, convinto che il mondo fosse uno sterile deserto, è preceduto in *Eleuthería* dal riferimento a un amico del dottor Pioux, uno dei personaggi che cercano di convincere Victor a tornare sulla retta via: come medico Pioux aveva guarito da una patologica e tormentosa ossessione per la sifilide un giovane romeno, poi divenuto suo amico. L'allusione sessuale qui implicita si ripeterà nell'evocazione di un amico di postribolo di Hamm nella prima versione in due atti di *Finale di partita*, poi sostituita dalla memoria dell'amico artista pazzo. Anche il riferimento a un incidente subito dalla madre di Victor sembra a sua volta anticipare un analogo incidente alla madre di Hamm in *Avant Fin de partie*[26], cancellato nel testo finale. Della prima versione in due atti di *Finale di partita*, *Eleuthería* anticipa ancora, nell'ironica fame di ostriche che coglie i protagonisti della coppia fallita Victor-Olga, un'analoga fame di Hamm dopo un fallito rapporto sessuale con la moglie Sophie, il cui ruolo è però simulato da Clov.

Anche se la distanza tra *Fin de partie* e il testo accantonato di *Eleuthería* rimane molto ampia, il Victor di *Eleuthería*, intellettuale "re dei fannulloni" a Parigi («il s'était fait une véritable spécialité des rois fainéants», rileva il dottor Pioux), fa da ponte "filosofico" e drammatico tra il protagonista di *Murphy* e la vicenda di Hamm e Clov.

La storia di *Finale di partita* tuttavia comincia a delinearsi propriamente solo con la serie dei suoi testi preparatori, che comincia prima delle due versioni in due atti menzionate da Beckett nella lettera a Mayoux. Sia Ruby Cohn che Gontarski fanno riferimento, come accennato, a *Avant Fin de partie*, un dattiloscritto di 21 pagine, ritenuto del '52/'53, in cui è parzialmente incluso anche il testo del primo frammento senza data nella lista di Gontarski, quattro pagine manoscritte conservate al Trinity College[27].

Ma è oggi possibile rinvenire nell'archivio di Reading un

documento antecedente, non ancora studiato dalla critica, che appartiene con evidenza a questa stessa fase "avant *Fin de partie*", e di non scarso interesse per ricostruire e comprendere l'evoluzione del testo.

2. *Un quaderno di appunti*

In un quaderno di appunti (MS 2926), indicato nel sesto supplemento del 1987 al catalogo dell'Archivio Beckett di Reading, dopo cinque fogli che rinviano alla traduzione, commissionata a Beckett nel '50 dall'UNESCO, di un'antologia di poesia messicana curata da Octavio Paz, sono contenuti due testi di teatro, entrambi senza titolo. Uno è il manoscritto (finora ignorato) corrispondente al già noto dattiloscritto di *Avant Fin de partie*, di poco differente da esso e composto di 25 fogli. L'altro, che lo precede, è invece un manoscritto di 15 fogli, che contiene un dialogo tra due personaggi, chiamati non X e F come in *Avant Fin de partie*, ma A e B come nelle due successive versioni in due atti di *Finale di partita*. Esso porta all'inizio del sesto foglio la data del 15 settembre 1950 e l'analisi ne rivela l'appartenenza al processo genetico del testo andato in scena nel '57. Questo manoscritto appartiene alla stessa fase "avant *Fin de partie*" del testo già noto con questa indicazione e al quale si accompagna nello stesso quaderno: il *Notebook* di Reading contiene cioè un *duplice avvio* del testo, di cui l'autore batté poi a macchina solo il secondo, ma di cui il primo, temporaneamante accantonato, riaffiorò più tardi, rivelandosi il nocciolo determinante.

Talvolta di difficile lettura a causa della grafia non sempre decifrabile di Beckett, il primo manoscritto del *Notebook*[28] contiene lo strato d'origine del dramma, sul quale si amalgameranno gli altri strati: è da questo testo che occorre dunque avviare il lungo percorso della scrittura di *Finale di partita*.

La scena rimane indeterminata, ma il dialogo di A e B la definisce un deserto, in cui i soli sopravvissuti, come nel testo finale, sembrano essere i protagonisti. Il registro, allucinato e angoscioso, è lo stesso del *Mime du rêveur*. Tutto il tono del dialogo e un paio di battute di B in particolare –

«j'attendrai qu'il me parle. C'est n'est pas à moi de commencer», e «je pense continuer mon petit train-train» – suggeriscono il rapporto padrone/servo di Hamm e Clov.

Lo scambio dialogico delle battute nelle prime sei pagine (quasi metà del testo) verte sulla solitudine, anzi il terrore della solitudine, e la difficoltà di comunicare. A chiede o ingiunge ripetutamente a B di ascoltarlo – «Tu m'entendes?», «Veux-tu répondre?», «Répondez» – e una serie ossessiva di battute sottolinea l'angoscia di entrambi, il loro inutile desiderio di contatto con un indeterminato "qualcuno" che non giunge mai:

B Y a-t-il quelqu'un?
A Personne, toujours personne.
B Personne. Et cependant...
A Et pendant
B Jamais fini.

A grida all'improvviso «Qui va là?», entrambi credono invano di udire qualcuno, un indefinibile "Godot":

A Ça vient! Ça vient!
B Il bouge, je l'ai entendu.
A } (*ensemble*) Tu entends? (*un temps*)
B }
A Plus rien.

I due temono di esaurire il dialogo tra loro, in un rapporto che è già di odio-amore, secondo la formula «nec tecum nec sine te» che sarà propria di *Finale di partita*; ma li lega un'intesa che consente il dialogo e si esprime in frequenti duetti di mormorii, in cui le voci si sovrappongono con parole inintelligibili, ritmando il tempo all'unisono, analogicamente esprimendo lo stesso stato psichico[29]. L'ansia dei due per l'apparizione di qualcuno, oltre a rinviare ad *Aspettando Godot* – alla data già scritto – sembra non meno anticipare l'apparizione del bambino nel deserto con cui culminerà *Finale di partita*.

La "sequenza sulla solitudine" sfocia quindi in una serie di ironie religiose imperniate sul *Padre nostro*: la nietzschiana "morte di Dio" produce fin da ora il pathos della preghiera impossibile. B chiede ad A: «Vous croyez?», A ritorce la domanda su B, «Et vous?», quindi alla richiesta di recitare "qualcosa di lungo", A inizia il *Padre nostro*, ma non riesce a ricordarne le parole, bloccandosi: «Notre père qui ètes aux cieux...aux cieux...». B procede di poco: «Béné soit votre nom», ma alla richiesta di A, «Continuez», risponde «Je n'aime pas la suite», e invano A tenta ancora di ricordarsi il seguito in ben cinque battute successive.

Questo nucleo della preghiera – poi reso in un sintetico ma più intenso passo nel testo finale – riaffiora qui tre volte (al quarto, decimo e undicesimo foglio del manoscritto), saldando la solitudine del soggetto con l'esigenza religiosa, il problema dell'altro con il problema di Dio.

L'importanza che la preghiera rivestirà nel *Fin de partie* pubblicato da Minuit e nell'*Endgame* tradotto da Beckett è bene evidenziata da un incidente dell'autore con la censura inglese nel 1957. Avendo completato la versione del testo in vista della prima in lingua inglese (lo spettacolo era già stato dato in francese al Royal Court Theatre), Beckett inviò, come d'obbligo, il testo al Lord Chamberlain, le cui più forti obiezioni si appuntarono sul passo della preghiera a Dio, che terminava, con traduzione letterale dal francese, con «The bastard! He doesn't exist!».

Beckett si rifiutò di modificare sostanzialmente il passo incriminato, così spiegando il suo diniego al regista George Devine, ansioso di ottenere il permesso della censura:

> I am afraid I simply cannot accept omission or modification of the prayer passage, which appears to me indispensable as it stands[30].

All'ipotesi di lasciare in quel punto le parole in francese, che pochi in Inghilterra avrebbero compreso, Beckett obietta:

> And to play it in French would amount to an omission, for nine tenths of the audience. I think this does call for a firm stand[31].

Aggiunge quindi ironicamente:

> It is no more blasphemous than "My God, my God, why hast Thou forsaken me?"

e dieci giorni più tardi scrive ancora significativamente:

> I have shown that I am prepared to put up with minor damage which God knows is bad enough in this kind of fragile writing. But no author can acquiesce in what he considers, rightly or wrongly, as grave injury to his work.
> I am extremely sorry to have to take this stand and I can assure you I do not do so lightly[32].

Il Lord Chamberlain rifiutò allora il permesso per uno spettacolo pubblico.

Più tardi, attraverso Devine, si suggerì a Beckett di sostituire almeno il termine *bastard*, e Beckett rispose proponendo *swine*, aggiungendo che se non andava bene egli si rifiutava di trattare ancora: «I simply refuse to play along any further with these licensing grocers»[33]. Curiosamente il termine fu accettato e lo spettacolo andò infine in porto. Ma nell'edizione a stampa della Faber, Beckett ripristinò il termine originario.

Alla scena della preghiera in effetti Beckett aveva pensato nell'arco di circa sette anni, a partire appunto dal primo nucleo del '50, in cui della versione pubblicata spiccano già, con la preghiera, altri tre o quattro dei nodi tragici principali: il nucleo della *fine*, il nucleo della solitudine desemiotizzante (espresso nell'insistenza su *rien* e *personne*), la ricerca della *calma* (poi *calmante*), da conquistare per sopravvivere e, collegato al nucleo della preghiera, il riferimento al desiderio di un *Dio/padre*. Dopo la preghiera fallita, A denuncia la vanità del suo bisogno, anzi sogno, di un Dio e un padre, concludendo (foglio 12) con un disperato e ossessivo «je n'ai rien». Appare quindi scoperta tutta l'ansia esistenziale di Beckett, altrove controllata con registri dadaisti, come nel pezzo Ernest/Alice, o con la fredda ironia del *black humour*, come nella versione terminale di *Fin de partie*.

L'ansia soteriologica domina anzi il manoscritto, esprimendosi ad esempio nell'illusione improvvisa che sia giunto un redentore – «Y a-t-il quelqu'un? Serait-ce le Christ vienne me délivrer?» – cui fa eco il grido insistito di A, «pitiè, par pitiè, par pitié», fino a rompersi in singhiozzi. Ma nessuno giunge, e la conclusione è inesorabile: «Tout est silencieux, pas un souffle». Nel testo finale, caduto l'eccesso di pathos, sarà la *pitiè* qui invocata a tenere insieme Hamm e Clov.

È l'eccesso di emozione che impedendo l'espressione sembra indurre Beckett ad abbandonare il manoscritto al quindicesimo foglio, come "dichiara" l'autore stesso con un gesto illuminante. Egli riporta a fronte di quest'ultima pagina, con una scritta trasversale in rosso che riempie il retro del foglio precedente, la citazione, nell'originale italiano, di un verso di Petrarca (da *Più volte già*, sonetto 170): «chi può dir com'egli arde, è 'n picciol foco».

Il momento è cruciale nella vita di Beckett: gli è appena morta la madre, Mary Beckett, così rilevante per la sua vita affettiva, per il suo rapporto di odio-amore da lui discusso con Bion. Il tumulto psichico insieme stimola Beckett e gli impedisce di scrivere, finché il ricorso a dadaismi e black humour (la scelta dominante nel secondo tentativo di scrittura noto come *Avant Fin de partie*) non avrà consentito la necessaria distanza. Beckett stesso non ha mancato di fare dell'ironia sulla sua intensità emotiva come sulle sue ansie metafisiche, attribuendo al personaggio di Belacqua, in *A Dream of Fair to Middling Women*, la battuta «Behold Mr Beckett, a dud mystic», seguita dalla chiosa «He meant *mystique raté* but shrank always from the *mot juste*»[34]. E proprio questa autoanalisi di Beckett come "mistico rovinato" viene confermata in funzione delle figure parentali da una "diagnosi" di Julia Kristeva.

Riferendosi più particolarmente a *Premier amour* e *Not I*, in un articolo del '76 dal titolo *Le Père, l'amour, l'exil*[35], Kristeva vi scorge un destino culturale, «le destin carnavalisé d'une chrétienté jadis florissante», giunto qui ad uno sconcertante sbocco: «*La pietà* de Beckett traverse les W.C. en demeurant sublime». L'intuizione "spiega" anche, in certo senso, i futuri sviluppi del nucleo del '50 di *Finale di partita*, nel cui testo compariranno più tardi, con Nagg e Nell, entrambi i genitori di A/Hamm.

«L'amour pour la Mort du père» appare a Kristeva il mito fondamentale del mondo cristiano, su cui i personaggi di Beckett si fermano a interrogarsi ("attendono"), rovesciando (decostruendo) la funzione decolpevolizzante del pasto totemico che, secondo Freud, consente la presa del potere al posto del padre. Esprimendo il sostrato giudaico e protestante del cristianesimo, Beckett vi appoggia il senso della parola, resa tuttavia assurda dalla desacralizzazione o "inaccessibilità" di quella morte. Né essa è compensata con la fecondità materna di un'altra tradizione cristiana, l'incesto simbolico madre-figlio, che affiora nelle Madonne di Bellini o della figuratività barocca, a correzione del «rigueur dérisoire de la Mort paternelle».

È quindi nel senso profondo delle figure parentali – già evocate, insieme a una tela di Giovanni Bellini, nel momento più drammatico di *Murphy* – che si radica il testo di *Finale di partita*, nel cui farsi il ruolo della madre affiora fin da *Avant Fin de partie* nel *play in the play* recitato da F. Ma nel primo testo del '50 nessuna elaborazione del lutto è ancora possibile: la figura della madre appena morta, interdetta, lascia spazio all'angoscia e all'orrore puro del «rien»: una parola che dall'undicesima pagina in poi diviene martellante fino a troncare il testo.

A dichiara di non avere nulla – anticipazione in negativo di un ironico passo di *Avant Fin de partie* in cui Hamm elencherà per consolarsi la lista delle sole cinque cose che possiede – e di non voler più dire nulla, o che tutto è nulla: «je n'ai rien, ce n'est rien, ce n'est rien», «je ne dirai plus rien». La sequenza sbocca quindi in un passo che anticipa, nella ripetuta esclamazione «que ça finisse», la marca linguistica sia del monologo iniziale di Clov che del monologo finale di Hamm in *Fin de partie*:

A [...] Est-ce la fin? (*murmure de B*) Que ça finisse! (*murmure de B*) Peur de quoi? (*id.*) Que ça ne finisse? (*id.*) Que ça finisse! (*id.*) Que ça finisse! (*id.*)

Il controcanto di B è «Bien rien. Bien rien (*un temps*) Bien rien».

Parallelamente si itera anche l'invocazione «calme», «avec calme», «du calme» o «silence!». Ma l'effetto ansioso cede già occasionalmente a un registro umoristico, come in una variazione sul *rien* di B: non v'è nulla da fare, non la più piccola cosa in alcun luogo, «à droite, à gauche, en bas, en haut». Il dialogo si estingue infine in un ultimo mormorio congiunto di parole inintelligibili dei due protagonisti.

Un cenno alla "cecità" – B dichiara di non essere né sordo né cieco – e a "ieri", come espressione vana – un cenno che si espanderà in *Finale di partita* con considerazioni sull'inutilità delle parole e della lingua – aprono ancor più sui futuri sviluppi del testo. E la menzionata citazione dell'ultimo verso del sonetto 170 di Petrarca, che vistosamente segna l'abbandono del manoscritto, ritornerà indirettamente nella prima versione in due atti, in cui, secondo una didascalia, B dovrebbe recitare nel primo atto, su richiesta di A, un non meglio specificato sonetto (pp. 10-11) in 12 versi (sonetto inglese). Questo non può essere il sonetto di Petrarca, in 14 versi, e potrebbe rinviare all'unico sonetto scritto da Beckett e mai pubblicato, menzionato nella bibliografia di Federman e Fletcher[36] (datato intorno al 1930). Rimane tuttavia comune ai due testi l'associazione con un sonetto.

Quello che si potrebbe definire il "*tragic core*" del dramma, il lutto ossessivo della perdita e del nulla, della fine e della solitudine, espresso nel dialogo di un padrone/servo collocati in uno spazio deserto, incapaci di pregare e tesi a un "arrivo" indeterminato e risolutivo, è tutto delineato fin da ora. I due testi del *Notebook* rappresentano un doppio tentativo – un doppio *Avant Fin de partie* – uno troppo emotivo e tronco, l'altro più distaccato nel suo *divertissement* dada e nei tratti farseschi, ampliati nelle versioni in due atti, ma destinati a esaurirsi dopo il recupero della materia del primo testo, ormai sufficientemente distanziata: recupero parziale e nascosto da intenzioni "miste" già nella seconda versione in due atti, e completo nella prima stesura in un atto unico. Su questo nucleo d'origine si andranno saldando altri elementi e registri, ma se la scena si arricchirà di oggetti, giochi di relazione e allusioni, dopo aver tentato altre vie, *Finale di partita* si compirà solo con il pieno rientro dei tratti "canonici" del primo manoscritto, che va dunque integrato all'elenco di Gontarski ad apertura di lista.

Tra le caratteristiche destinate a mantenersi in tutte le versioni del testo, spicca nel manoscritto del '50 una funzione di particolare rilievo: la *ripetizione*. Alla ripetizione Beckett stesso ha dato risalto nel suo *Notebook* per la regia berlinese di *Finale di partita* nel '67, annotando il numero di ogni recursività; e Michael Haerdter, il curatore dei *Materialen zu Endspiel*, non ha mancato di sottolineare come tipico dell'opera quello che egli chiama l'*Echo-Prinzip* voluto dall'autore.

Nel manoscritto del '50 la ripetizione di serie di battute, martellate quasi uguali, con piccole variazioni come modulazioni musicali, è principio istitutivo, scoperto e iperbolico in uno spazio troppo ridotto per incroci a distanza tra recursività diverse, su cui il più lungo e complesso testo finale potrà contare:

A pitié, par pitié, par pitié, par...
A }(*inintelligibles*)
B
A fait, j'ai fait de moi, rien fait de bien, rien fait, rien que faire, rien que faire, de mal, de bien, rien que faire, rien fait, rien fait de mal, rien fait de bien, rien...
B (*à tue tête*) Répondez!
A faire, rien que faire, de mal. Pitié...
B Répondez!
A pitié! par pitié, par pitié, par pi, tié, [*sic*], par pitié, par pi...
A }(*inintelligibles*)
B
A calme, du calme.
(*silence*)

Ripetizione e "litania" – «litany of words», già "ammessa" fin dalla *Proclamazione* di «transition» nel '29 all'ottavo punto[37] – entrano fin da ora in *Finale di partita*, mentre il black humour si aggiungerà solo in seguito, risolvendo il nodo depressivo che qui blocca il testo alla quindicesima pagina.

La funzione della ripetizione in Beckett è stata bene sottolineata da Steven Connor, in *S. Beckett, Repetition, Theory and Text*[38]. Più centrale che in Joyce o Gertrude Stein, in Bataille o Robbe-Grillet, la ripetizione in Beckett viene interpretata alla luce di *Différence et Répétition* di Gilles Deleuze e *L'écriture et la Différence* di Jacques Derrida, sottolineandone il significato teorico che investe l'uso e riuso della lingua, a sua volta sempre "equivalente" a una traduzione: di qui in Beckett l'ansia di tradurre egli stesso – ripetere nella *différence*[39] – i suoi originali in inglese o francese, ogni volta introducendo delle varianti.

Pensare la lingua come ripetizione e insieme "differenza", per la specifica e diversa relazionalità che si instaura, anche tra le stesse parole o suoni nello stesso testo, per lo scorrervi del tempo, significa rivederne la concezione. La parola non è più stabile, "diviene" come tutto: "qualcosa avanza" è espressione recursiva in *Finale di partita*, dal primo manoscritto di 15 fogli – «Ça vient» o «Ça commence» – alla versione tedesca «Es geht voran», su cui Beckett insiste nella regia berlinese del '67. Il rapporto platonico tra originale e copia, tra copia autentica e falsa, perde senso, in questa prospettiva, come nell'analisi – del '67 – di Gilles Deleuze in *Simulacro e filosofia antica*[40].

Ma con la parola e il senso, è l'identità stessa, l'io, che scivola nell'effetto-fuga della ripetizione/differenza: in Beckett l'io è discontinuità che non si riconosce, come nell'*Ultimo nastro di Krapp* o in *Non io*, e insieme ascolto, registrazione, ritorno estraniato su di sé, schizofrenia della differenza, ripetizione impossibile, e tuttavia recursività.

La ripetizione in Beckett non è quindi senso di una continuità e di un "centro", come qualche critico ha ritenuto[41]: per Beckett il senso sfugge in continuazione e si "ripredica" nella differenza, mai presente *hic et nunc*, in un inevitabile «pas encore». Nel primo dattiloscritto in due atti di *Finale di partita* i protagonisti si ostinano, in uno scambio di battute di mezza pagina, apparentemente comico, a negare la possibilità dell'*hic et nunc*, finché A conclude che l'affermazione di B, «hic mais pas nunc!», «c'est la seule solution!»[42]. E nel testo finale, francese e inglese, il «pas encore» è il tempo della vita di Hamm: a Clov che gli chiede «Do you believe in the life to come?» Hamm ironicamente risponde «Mine was always that», e si congratula con se stesso per la battuta («Got him that time!»). La sua vita è scivolata senza mai fermarsi come presente, sempre ignara di sé, sottratta al dominio del suo stesso soggetto. Analogamente poco dopo nel testo anche Dio, che i due non possono pregare, viene coinvolto in questo tempo del «pas encore»: a Hamm, che rinunciando a invocarlo proclama «He doesn't exist!», Clov fa eco «Not yet!».

Ma già le serie di battute ripetitive nel manoscritto del '50 "predicano" un sottrarsi dell'esserci del soggetto, una dissoluzione di relazioni semantiche e affettive spesso imperniata su una singola parola o un breve sintagma – *rien, personne*, *calme*, *pitié*, *aux cieux* ecc. – riproposti ossessivamente nel dialogo, come variazioni su un tema musicale, ripresi oltre nel testo, in altre serie, risolti nell'elaborazione del lutto che li origina.

L'ansia della stabilità *versus* la differenza sembra suggerire a Beckett, secondo Connor, molteplici tecniche di difesa/controllo dei suoi testi: dalla traduzione di sé alla regia di sé, dalla duttilità per i linguaggi del cinema e della televisione (seguendo di persona i suoi spettacoli), all'ostilità per la critica. Beckett amava recitare (insegnare) agli attori con la sua voce le parti dei suoi personaggi, o pensare/scrivere i suoi testi secondo la voce di un attore o attrice a lui cari[43], con intensa sensibilità musicale su cui ha più volte insistito, mentre attori e registi diventavano spesso suoi amici, quasi per assicurargli il controllo autoriale. Ma il manoscritto del '50 bene rivela la necessità di queste "tecniche", non tanto nella sua parte scritta quanto in quella non scritta, "coperta" dalla citazione del sonetto di Petrarca: confessione esplicita della sofferenza che ha alimentato il difficile equilibrio della poetica di *Finale di partita*, attraverso lunghe riscritture per distanziare il "foco" che preclude la parola, la cui precarietà si ripropone ad ogni riattualizzazione sulla scena, che dunque occorre controllare.

Che, in questo senso, il rapporto ripetizione/differenza sia centrale nella scrittura di Beckett, e che esso pervada anche i comportamenti dell'intellettuale inserito nella vicenda della (ri)produzione culturale, è evidente. Deleuze stenta a distinguere tra le due forme di ripetizione che pure egli teorizza in *Différence et répétition,* la ripetizione meccanica o "nuda" (ripetizione di uguaglianza) e la ripetizione "vestita" o eccedente, che aggiunge all'originale: ripetere nella differenza è lavoro di precisione, paradossalmente in un contesto che sa impossibile proprio quella precisione e la stabilità che essa implicherebbe. La precisione è qui senso della relazione, di un esserci là – un *Da-sein* – o un essere qui, ma non qui adesso (*hic mais pas nunc*), in uno "scorrimento di attesa". L'attesa è l'unico tempo coniugabile in Beckett, prima e insieme dopo, al di qua e oltre, presente, passato e futuro, nella differenza di un costante «ça avance», senza inizio e senza fine. La fine è in questa prospettiva irraggiungibile: fin dal manoscritto del '50 Clov (qui ancora B) lamenta caratteristicamente «Jamais fini» (foglio 1), e Hamm (A) gli fa eco verso la fine (foglio 14), con le già citate battute «Que ça finisse? Que ça finisse! Que ça finisse!», dove l'accento è sul dubbio che la fine non sia possibile e insieme sul desiderio di essa.

Il manoscritto di *Avant Fin de partie*, che fa seguito nello stesso quaderno al testo con la data del 15 settembre '50, separato solo da due fogli sul pittore americano Sam Francis e da un foglio bianco, è senza data, ma la collocazione suggerisce una prossimità al testo precedente: potrebbe quindi anch'esso rinviare alla fine del '50 o all'inizio del '51, piuttosto che al '52/'53 come ipotizzato da Gontarski, che disponeva solo del dattiloscritto, essendo il manoscritto ancora ignoto. Rispetto al dattiloscritto il testo sul quaderno si discosta per piccole differenze: si tratta per lo più di scelte di parole, cui si aggiunge l'oscillazione del nome attribuito al futuro Clov, indicato con F ma chiamato nel dialogo non solo, come nel dattiloscritto, Donald, Lucien o Albert, ma anche Roger. L'unica differenza di rilievo consiste in un passo in più del manoscritto, già cancellato con un tratto a penna.

Questo testo inoltre termina prima della recita di F come madre di X (appena accennata) e del riferimento a una vecchia morta di sete, presenti invece nel frammento manoscritto di Dublino che apre la lista di Gontarski (MS4662), e che può ora essere identificato: esso prosegue di quattro pagine il manoscritto del *Notebook* del '50, a partire dall'ultima battuta di X, che riprende di poco modificata. Il dattiloscritto copre la somma dei due manoscritti, meno l'ultima pagina e mezza del frammento dublinese.

Per la prima volta sono asserite, in questo stadio del testo, fin dalle prime righe, la cecità e la paralisi del futuro Hamm, qui indicato con X, ma entrambe sono messe in forse come possibile menzogna o effetto di follia. Come per F, il nome di X è labile – F gli si rivolge chiamandolo Jeannot, ma riceve la risposta «Ce fut moi» – e il personaggio dichiara di accettare qualsiasi nome «sauf Arthur»[44]. Il servo si rivolge spesso al padrone come «Votre Honneur» o «Monsieur» o «Patron», nonostante i dinieghi dello stesso X, che ironicamente gli chiede di apostrofarlo piuttosto «vieux con», una proposta che al servo sembra impossibile da attuare, perché, egli dice, X ha «trop souffert».

Il rapporto padrone/servo è comicamente accentuato: X insiste persino perché F entri in ginocchio quando chiamato, e con le mani giunte, e usa per chiamarlo un tamburo con mazza. Lo spazio – una stanza con due finestre (cieche), e la cucina in cui si ritira il servo, fuori scena, è già quello di *Finale di partita.* Per giustificare un paesaggio deserto e di rovine si indica qui una collocazione precisa: la Piccardia, in cui, in circostanze non chiarite, è avvenuta una distruzione tra il 1914 e il 1918. L'allusione alla prima guerra mondiale verrà poi cancellata, per essere sostituita con un'allusione al biblico diluvio universale, a sua volta eliminata nel testo finale.

La Bibbia è tuttavia già presente: F ne legge pagine a X da un salmo di Davide, dai Profeti, da Geremia, ma senza che si riportino i passi, non specificati, e alla fine X getta via la Bibbia esclamando «Saloperie!». Non mancano oggetti che torneranno nella prima versione completa: oltre alla sedia a rotelle di X, e al tamburo con mazza, anche un termometro con cui misurare la temperatura di X (inutile perché i due non sanno valutare i gradi Fahrenheit), mentre un telescopio, desiderato dal servo, rinvia anche al padrone che, interrogandosi su un mestiere per sé, si pensa dapprima «horticulteur», nonostante la supposta desertificazione del mondo, e si chiede poi, con anche maggior effetto comico per la sua supposta cecità, «Pourquoi pas astronome?».

Vi sono anche un cucchiaio per il porridge di X, già usato per il suo battesimo, e una siringa – da riempire di "droga" (calmante), poi di acqua e infine superflua perché non usata – che rinvia alle tre iniezioni nel *Mime du rêveur*. È menzionato (ma non introdotto in scena) un cane, un pechinese a pelo lungo, che X desidera preferendolo a un gatto, per poi cambiare ancora idea: «plutôt ma femme» esclama, correggendosi subito con «ma mère plutôt».

F si traveste allora per tale ruolo. Chiama X «Mon Jesus» (come Alice chiama Ernest «Mon petit Jesus») e introduce una strana storia sul personaggio della madre che poi recita: una vicenda definita «conte d'hiver», in inglese «winter's tale», titolo di un'opera di Shakespeare, come si vedrà allusione "sintomatica". Resa a lungo invalida da uno strano incidente, la vecchia madre è nuovamente in piedi e ha raggiunto un'età così avanzata grazie a una quotidiana dose di «12 côtelettes de mouton», non senza probabili ironie "alla Duchamp"[45]. Se il *Notebook* cessa qui, il dattiloscritto espande la recita di X, ma rimane poi sospeso sulla figura di un'altra vecchia, morta di sete, cui il frammento nel quaderno di Dublino (MS 4662) dà come accennato più spazio, allungando di una pagina e mezza il corrispondente dattiloscritto, che dunque riporta solo in parte l'ossessiva memoria della vecchia assetata, che gridava invano «une goutte d'eau!», inascoltata da X.

Come poi Clov, F cammina già senza mai sedersi: X ironicamente spiega «C'est le principe péripathétique» e, come poi Hamm, esige di essere collocato al centro. Mancano tuttavia ancora molti degli elementi di rilievo di *Fin de partie*, mentre alcuni particolari rinviano al pezzo Ernest/Alice[46].

L'identificazione geografica della scena – sono citati, oltre alla Piccardia, il Boulonnais, la località di Wissant e *les falaises d'Albion* (nel manoscritto *falaises d'Angleterre*) – ricorda la familiarità di Beckett con la regione. Alle non lontane località di Saint-Lô e Dieppe sono legate due poesie, *Dieppe*, del '37, in francese, e la già citata *Saint-Lô*, del '46, in inglese. È del '47 anche una poesia pubblicata solo nel '55, *Mort de A.D.* , dedicata all'amico Dr Arthur Darley, morto a Saint-Lô di tubercolosi: di qui forse l'esclusione del nome Arthur per F, l'elaborazione di quel lutto non essendo ancora possibile. Gontarski sottolinea la radice biografica e storica della scena di *Finale di partita*, e ritiene che i riferimenti al mare e alle maree possano connettersi alla poesia *Dieppe*[47].

L'attenzione socio-storica di Beckett in questa fase è confermata anche dall'unica differenza di rilievo tra il manoscritto e il dattiloscritto, un passo cancellato, che occupa un terzo di pagina. In esso X descrive il suo ricco palazzo e i suoi ampi saloni, arredati con mobili di antiquariato, di cui egli vende ogni tanto un pezzo dei meno pregiati, per mantenere il tenore di vita pur in una situazione di crisi economica da dopoguerra. Il discorso si fa comicamente tecnico, alludendo alla «faiblesse de la monnaie» a «pensions, titres, ventes» e infine al «déficit du commerce extérieur». Di X, Hamm manterrà il passato di ricco proprietario o nobile, nelle cui terre Clov un giorno faceva visita ai poveri in nome del padrone; analogamente in *Aspettando Godot* non manca un passo sulla probabile consistenza economica e sul conto in banca che Vladimir e Estragon attribuiscono al misterioso Godot.

Con *Avant Fin de partie* termina la fase preliminare; successivamente compaiono le prime stesure complete: due in due atti e due in un atto, prima del *Finale di partita* pubblicato da Minuit nel '57. Il gioco dei testi, di quelli "affini" – indicati sotto a, b, c, precedenti o contemporanei alle prime versioni del dramma – e delle prime scritture, nella fase *Avant Fin de Partie* (indicate sotto d), può essere così riepilogato:

a) *Eleuthería* (1947, pp. 133)
b) frammento *Mime du rêveur* (pp. 4)
c) frammento Ernest/Alice (pp. 9)
d) 1 - Manoscritto A/B del settembre '50, di Reading (pp. 15), in MS2926
   2 - Manoscritto F/X di Reading (pp. 19), in MS2926 ('50/'51?)
   3 - Manoscritto delle ultime pagine del precedente, a Dublino (pp. 4), in MS4662 ('50/'51?)
   4 - *Avant Fin de partie*, trascrizione dattiloscritta dei precedenti 2 e 3 (eccetto un foglio e mezzo, presente solo in MS4662), conservata a Reading (pp. 21), come MS1227/7/16/7 ('50/'51?)

3. *Dramma in due atti*

È con le due versioni in due atti che la stesura di *Finale di partita* si avvia alla fase decisiva. A questi testi, conservati il primo a Reading (MS1660) e il secondo presso la biblioteca della Ohio State University, si farà riferimento rispettivamente con le sigle RE e Ohio I, o più semplicemente I. RE raccoglie, ampliandoli e organizzandoli, molti dei materiali fin qui emersi, ma manca ancora di parti essenziali; ed è solo con I che compaiono, con i genitori di Hamm, tutti i personaggi in scena. I è dunque da considerare la prima versione completa di *Finale di partita*, dalla quale deriva, per riduzione, il dattiloscritto in un solo atto, versione quasi definitiva (Ohio II), prossima al testo pubblicato da Minuit. Se il passaggio decisivo per la versione a stampa è da I a II, è nei passaggi precedenti, da *Avant Fin de partie* ai due testi in due atti, RE e I, che si determina la confluenza dei materiali sui quali viene poi operata la selezione.

Nel primo testo in due atti (RE) i protagonisti sono chiamati A e B. A, cieco e paralizzato, con occhiali neri e viso rosso, usa tamburo e mazza per chiamare B, ma anche per "suonare" la marcia funebre di Chopin; esige di essere collocato al centro della stanza e desidera un cane di pezza, ora definito non più pechinese ma «le genre loulou» (in ovvia rima comica con il suo nome Zoulou), e per la prima volta descritto con sole tre zampe. Compaiono altri due riferimenti ad animali: a una pulce e a un topo, sui quali si imperniano giochi di parole. Il topo è dadaisticamente un grosso giocattolo meccanico, che attraversa di corsa la scena con effetto a sorpresa (ma la sua apparizione viene negata da B due volte), e prefigura il topo vero cui Clov darà la caccia in cucina. Il *divertissement* della sua apparizione (poi cancellato in I) è completato da un'esplosione immediatamente successiva, e da un gioco di battute sull'assonanza tra *radeau*, zattera (desiderata da A), e *rat-d'eau*, o topo d'acqua.

Il rapporto tra i protagonisti è ancora comicamente tirannico, ma non esibisce più né titoli onorifici per il padrone né richieste al servo perché si presenti in ginocchio come in *Avant Fin de partie*. Il vecchio elenco delle 5 proprietà del padrone è ora sostituito con un elenco di 4 "cose sacre" per A, che poi diventeranno in I "4 ordini" perentori che B dovrà rispettare. La rispondenza tra i due personaggi è accentuata e una canzone, cantata all'inizio del testo all'unisono, lo sottolinea insieme al principio dell'iterazione: «tutti i giorni diciamo e facciamo le stesse cose», intonano padrone e servo.

La scena della preghiera del *Padre nostro*, assente sia nel manoscritto che nel dattiloscritto di *Avant Fin de partie*, ma già così rilevante nel testo del settembre '50, riemerge in RE in una formula già vicina a quella finale, sebbene ora si faccia generico riferimento a una preghiera a Dio e non specificamente al *Padre nostro*, peraltro la preghiera per antonomasia.

Il riferimento alla calma, così gridato nel testo del '50, si sdoppia in RE nella vana ripetuta richiesta di un sedativo (calmante), e di una consolazione attraverso la lettura della Bibbia, poi rifiutata con rabbia come inutile. Tra le scene comiche spicca all'inizio la sequenza in cui A si applica una gran barba rossa finta, alla quale tiene molto, mentre B, qui chiamato da A Aristide, si mette una gran parrucca bionda che A, cieco, s'immagina invece di un nero tendente al blu, "di tipo spagnolo". Compare più volte un orologio di A, mentre i nomi di B nel dialogo oscillano tra Aristide nel primo atto e Bonnet nel secondo. Si ripete la scena del termometro, ma senza le battute sulla misura in Fahrenheit, e B è ora invitato a recitare un sonetto, come già anticipato forse eco del sonetto con cui si era troncato il manoscritto del '50.

Non mancano un paio di ironie riferibili alle due patrie di Beckett: A vuole voltare nettamente le spalle all'Irlanda nella sua collocazione nella stanza, e rifiuta bruscamente di consultare il Petit Larousse per controllare i termini nel gioco di battute *radeau/rat d'eau*. L'ironia sull'Irlanda, sconosciuta a B, che ne scambia dapprima il nome con quello dell'Olanda, è prolungata: per accontentare il padrone il servo deve consultare la carta geografica.

Se i due bidoni con i genitori di A (in uno morirà la madre) compariranno solo in I, qui se ne predispone un'anticipazione. Una bara (*coffre*) si apre durante un monologo di A per lasciar spuntare una testa (non meglio identificata); nel testo finale, nel desiderio espresso da Hamm di una bara per la sua morte, ne rimarrà un'altra traccia.

B si traveste ora per recitare una parte diversa, non più una sola volta come in *Avant Fin de partie*, dove impersonava la madre di A, ma ben tre volte: due come moglie di A, con il nome di Sophie, e una come *garçon* alla fine del testo. Viene descritto infatti per la prima volta nell'ultima scena «un garçon» fuori dalla casa-rifugio, dapprima appoggiato a una pietra e poi, nella finzione recitata da B, dentro la stanza del padrone.

La recita di B nella parte di Sophie consente non poche ironie, nella rappresentazione del personaggio come dell'approccio sessuale di lei con A, che dopo averla sollecitata all'amplesso si sottrae tergiversando. Quando la donna, delusa, "si dà" fuori scena a B, si produce l'effetto di una seconda esplosione. Lo spunto alla scena sessuale viene fornito dalla lettura di un passo della Bibbia sulla longevità e prolificità dei patriarchi, che ha sostituito l'allusione in *Avant Fin de partie* alla longevità della madre di A grazie alle «dodici cotolette di montone». Se i riferimenti erotici possono rinviare ancora a Duchamp, la preoccupazione manifestata da A, verso la fine, di tenere i piedi "incrociati", ricorda Ernest sulla croce[48], ripetendone per A il gioco di identificazione con il Cristo.

Quasi tutti gli episodi di rilievo appaiono duplicati: la preghiera a Dio si sdoppia con una breve invocazione di B a Thanatos, B legge due testi, la Bibbia e il sonetto (entrambi menzionati ma non riportati), recita due ruoli a lui estranei (di moglie e bambino) e, come s'è visto, simula due volte la parte di Sophie. Il sipario gioca un peculiare ruolo che duplica inizio e fine: A apre la scena con tono autobiografico («Né en...»), ma si blocca per gli sbadigli, "provocando" la discesa del sipario, che si rialza dopo 30 secondi su un nuovo attacco identico. Analogamente si sdoppia il finale: alla prospettata sostituzione di B, chiamato Bonnet nel dialogo, con il ragazzo apparso fuori, il sipario cala a metà, per poi tornare indietro alzandosi su un nuovo finale, in cui è B a recitare come ragazzo, ora entrato all'interno, con il nome di

Edouard. All'invito di A perché rimanga, il ragazzo invece esce, lasciando solo il padrone, che chiude con la battuta «N'en parlons plus».

Si sdoppia anche "l'attività narrativa" di A: alla breve invenzione della vicenda di un padre che chiede invano del pane per il suo bambino affamato (ampliata nelle versioni successive), segue una seconda lunga storia "biografica" introdotta da «J'ai connu un homme», collocata in una remota «belle époque», che evoca un compagno di bordello e discussioni letterarie di A. Ritrovato l'amico anni dopo, A dichiara di non averne più tollerato lo sguardo. La storia a questo punto si tronca e A dichiara di aver sbagliato racconto.

Nel testo successivo (Ohio I), scomparsa la figura dell'amico rivisto anni dopo, le parole «J'ai connu un homme» diventeranno «J'ai connu un fou qui croyait que la fin du monde était arrivée»: in II questo cenno si svilupperà saldando il riferimento alla follia con il ricordo di un'amicizia, collocata come in RE in una «belle époque», tra Hamm e un artista pazzo ormai morto. Questa versione, ampliata, rimarrà nel testo finale. In I verrà soppressa anche la lunga sequenza di RE in cui A si getta per terra per raccogliere i suoi oggetti caduti, e B fatica con sforzi penosi e grotteschi per rimetterlo sulla sedia. Ma in RE, B usa già la scala per guardare dalle finestre, si rifugia in una cucina di m. 3 × 3, fa riferimento a una sveglia, e A già s'interroga sul giudizio di un eventuale «essere intelligente» che li osservi con occhio estraniato rispetto alla loro condizione terrestre. Alla fine, o a un gioco della fine, non si fa, in questo primo testo in due atti, alcun diretto riferimento (né lo si faceva in *Avant Fin de partie*), ma l'ora segnata dall'orologio di A, le cui lancette, impigliatesi – «coincées l'une sur l'autre» – sono ferme sulle 11,59, rinvia a un tempo simbolico "quasi zero" o "quasi la fine".

Con RE si può considerare conclusa la vicenda di accumulazione dei possibili del dramma, in cui sono emerse, disperse nelle varie scritture, le linee di forza che confluiranno nel futuro testo di *Finale di partita*. Fa seguito il primo manoscritto, e poi dattiloscritto, ancora in due atti ma *completo con quattro personaggi*.

Alla fase di RE potrebbero riferirsi anche le due pagine manoscritte conservate a Dublino (MS4663, pp. 42-43), ritenute incollocabili e poste fuori lista da Gontarski, e non descritte (forse anche per la difficile grafia): si tratta di un dialogo tra A e B, che inizia, come *Finale di partita*, con il risveglio di A. Egli si chiede ansioso «Où suis-je?» e «Qui suis-je?», bisticcia con B sulla data del giorno con un gioco di numeri, ed estende lo spaesamento delle coordinate spazio-temporali alle parole che non trova per esprimersi, concludendo con la consapevolezza della sua probabile follia:

A Un qui nous écouterait il se demanderait si nous avons toute notre tête.
B Il aurait raison.

Il frammento finisce con questo scambio, dopo un cenno di A alla vita nell'aldilà, cui B replica con la domanda «Quelle vie?». A questi materiali, che entreranno rielaborati in *Finale di partita*, si aggiungono poi, in evidenza e con chiara grafia, due appunti, uno all'inizio del primo foglio e uno del secondo: «Chien anagramme de niche» e «Le Christ est venu tard». I due appunti alludono rispettivamente all'idea del cane connessa con Clov (la cui cucina è in *Finale di partita* una *niche* di m. 3 × 3), e alla delusione religiosa che dal *Padre Nostro* del testo del '50 giunge fino alla versione finale del dramma. Nel testo del '50 ricorre due volte una frase cui «Le Christ est venu tard» sembra poter rinviare: «C'est peut-être le Christ venu me délivrer» dice prima A (foglio 3), e più oltre B riecheggia «Serait-ce le Christ venu me délivrer?» (foglio 7), per poi accusare «Tu n'as pas que des pensées divines!». Nell'evoluzione del testo queste frasi sono destinate a scomparire, mentre subentrerà l'allusione all'olio da lampada che Hamm ha negato ad una vecchia facendola morire, con probabile rinvio alla parabola in *Matteo* 25, delle vergini sagge e delle vergini stolte che attendevano lo sposo (Cristo). Ironicamente Hamm sembra poter "riprendere" da questi appunti l'attesa (vana) di Cristo, negando, come le vergini sagge, l'olio a chi l'ha consumato nell'attesa.

Il manoscritto dublinese – una pagina e alcune righe – pur in buona parte dialogo, sembra piuttosto di annotazioni che elaborano in particolare il nesso (Clov)-cane-cucina, presente da RE.

Per visualizzare la seconda fase della lunga genesi del testo, tra il '52 e il '56, è opportuno completare il primo elenco di 4 voci proposto, riprendendo la lista aggiornata di Gontarski, già integrata con i due manoscritti di MS2926:

5 - RE, o dattiloscritto della prima versione in 2 atti di Reading (pp. 58)
6 - MS4663, pp. 42-43, Trinity College di Dublino
7 - *Ohio outlines* (appunti vari)
8 - *Ohio notes* (appunti per la revisione di RE, in vista di I)
9 - Manoscritto del primo atto della seconda versione in 2 atti, Ohio University Library
10 - Manoscritto del secondo atto della seconda versione in 2 atti, Trinity College di Dublino
11 - *Ohio I*, o dattiloscritto completo della seconda versione in 2 atti (pp. 66)
12 - Manoscritto di Sotheby's
13 - *Ohio II* (pp. 38)
14 - *Ohio III* (pp. 38)
15 - Appunti *Eté '56*
16 - Barzelletta del sarto
17 - *Fin de partie* (edizione Minuit)

Passando ora alla fase delle versioni complete con 4 personaggi, si concentrerà l'attenzione sui tre dattiloscritti conservati all'Università dell'Ohio. Tra il manoscritto della seconda versione in 2 atti – nella tipica difficile grafia di Beckett, spesso corredata da piccoli disegni e motivi circolari simili alla giduglia patafisica di Jarry[49] – e il dattiloscritto Ohio I, le differenze sono infatti minime: anche se non infrequenti, sono di entità sufficientemente esigua da consentire qui il ricorso diretto al dattiloscritto già indicato come I.

L'evoluzione da I a II, invece, non solo produce un'ampia selezione dei materiali, riducendo le pagine da 66 a 38 e i due atti ad atto unico. Essa modifica in profondità registro e ritmi di I, compenetrando insieme fino in fondo, con un nuovo equilibrio, i due "rami" del testo, il primo manoscritto del '50 e il secondo, denominato *Avant Fin de partie*, portando a termine un processo di "riassorbimento" che può essere così sintetizzato:

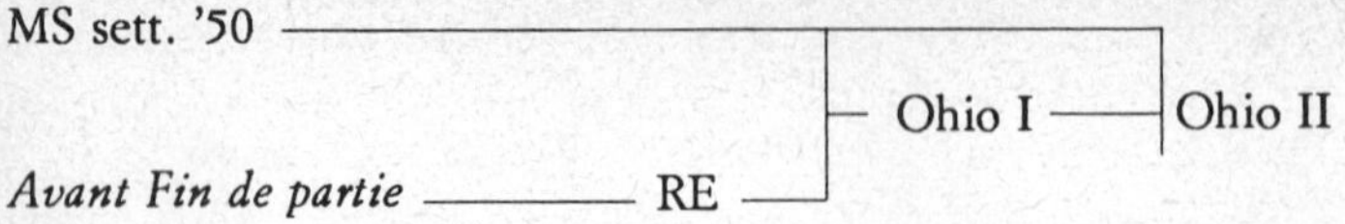

MS sett. ’50 ——————————┐
├ Ohio I ——— Ohio II
Avant Fin de partie ———— RE ———┘

A spingere Beckett a recuperare, prima in I e ancor più in II, il nucleo più emotivo e “disturbante” del testo, il *tragic core* del ’50, a trovare un nuovo equilibrio tra l’eccesso patetico e il troppo divertito filone dadaista/clownesco, sviluppatosi in *Avant Fin de partie*, in RE e perdurante in I, influì forse la parallela elaborazione, dal ’50 al ’56, del pensiero kleiniano di Bion.

Probabilmente fin dall’inizio basato su una reciproca influenza, il rapporto coinvolse due intellettuali che nel ’34 avevano esordito insieme – Bion iniziando la sua carriera di analista, Beckett scrivendo il primo romanzo, *Murphy*, dopo un avvio poetico rimasto minore nella sua produzione – mentre tra il ’50 e il ’56 si apriva per entrambi una fase decisiva. Se Bion definiva in questo periodo la sua identità di analista, attingendo alle teorie della Klein, Beckett rinveniva nel teatro la formula del successo. La “conferma” tra Bion e Beckett fu probabilmente reciproca: se a Bion si era offerta l’occasione di un paziente d’eccezione, già cosciente del problema del “legame” (o “libertà”) vissuto personalmente, a Beckett si era aperta una dimensione di riflessione teorica per uscire dalla sua sofferta singolarità individuale.

Certo la componente comico-dadaista cala nettamente tra I e II: da una “clownerie” ancor prossima ad *Aspettando Godot*, da un gioco di alternanze di *plays in the play* e intermezzi, di sdoppiamenti di ruoli e voci, si passa a un secco *wit*, di monotona quanto sconcertante intensità.

Ancora privi di nome, i personaggi di I sono indicati con A e B, M e P (per Memè e Pepè, genitori di A), lettere che li designano anche in II, dove tuttavia sono già segnati a penna, all’inizio, i nomi definitivi di Hamm e Clov, come di Nagg e Nell. Ma A e B in I si chiamano talvolta tra loro Guillaume e James, mentre P è anche chiamato Walther. Questo nome – attribuito alla figura paterna – rinvia al più famoso dei trovatori tedeschi medievali, Walther von der

Vogelweide, ed era già stato usato da Beckett per firmare una sua poesia di *Echo's Bones*, *Da Tagte Es*[50], scritta nel 1934.

Scomparso poi da *Finale di partita*, il nome di Walther ritorna nell'ultimo testo di Beckett, *Stirrings Still* (1989), evocando la più nota rappresentazione del poeta tedesco, che lo ritrae in una miniatura del *Codex Manesse*[51] seduto su una pietra in melanconica riflessione, a illustrazione di una sua poesia sulla condizione paradossale della vita. Onore, beni terreni e grazia di Dio appaiono nella poesia tra loro incompatibili: nella realtà quotidiana infatti «pace e giustizia sono ferite a morte»[52], dominano tradimento e sopraffazione. Su quest'immagine di Walther, topos della rappresentazione melanconica, si tornerà più oltre, per rilevarne l'incidenza nella storia di *Finale di partita*, come poi in *Stirrings Still*.

Dell'uso delle lettere A e B, da Beckett ripetuto in alcuni testi definitivi (*Acte sans paroles II*, *That Time* o *Theatre II* e *Ends and Odds*, scritto durante la traduzione di *Fin de partie* in inglese), va rilevato che è tipico per designare i giocatori nella trascrizione delle partite a scacchi.

Sulla decifrabilità delle sue scelte Beckett ha sempre mantenuto un atteggiamento ambiguo. Egli ha mostrato di calcolare ogni dettaglio con gelosa precisione, affermando ad esempio, in occasione della regia berlinese di *Finale di partita*, che «No, there are no accidents in *Endgame*, it is all built upon analogies and repetitions»[53]; ma ha anche spesso sottolineato, come regista, che suoni e musicalità del testo e della recitazione – quindi anche dei nomi – hanno per lui importanza preminente, magari al punto di prevaricare sul senso[54]. Al regista e amico Alan Schneider, che gli aveva elencato un centinaio di diversi sensi per il nome di Godot, Beckett sembra aver risposto con un divertito sorriso di accettazione di tutti[55].

Sulla scelta dei nomi Beckett ha dunque evitato di avallare ipotesi, opponendo spesso motivi fonici e onomatopeici a connessioni letterarie e semantiche suggerite dalla critica. Sigfried Unseld, il curatore tedesco di Beckett, riporta in proposito quest'episodio:

Unforgettable was his objection during a lunch the three of us had, when Theodor W. Adorno expounded his philosophical and historical theories on the names Nell, Nagg, Hamm and Clov. Nell, according to him, referred to Dickens' *Old Curiosity Shop*, Nagg was derived from "nagging"; Hamm of course was an abbreviation of Hamlet, while Clov, Hamlet's counterpart, was the clown. Beckett objected, for the first time quite forcefully, that none of these associations were valid for him, that he had chosen the names for their onomatopoeiac value, that the names had no meaning other than their sound, that he had not wanted to instruct or to enlighten, but to bring a poetry, which had measured the void, to a new beginning[56].

Ma la difesa di Beckett dall'assalto interpretativo dei critici non elimina il problema della selezione dei nomi, tra i molti onomatopeicamente possibili. La componente fonica, certamente importante, non esclude quella semantica, magari iperdeterminata o incosciamente motivata, e perciò non facilmente riconducibile a una causa precisa, ma più probabilmente a un ventaglio di possibili suggestioni, dimenticate o celate dall'autore, su molte delle quali la critica può aver facilmente trasceso, data la difficoltà di decifrarle. In realtà la scelta delle parole come dei nomi in Beckett, per il quale «in the beginning was the pun» secondo il motto di Murphy, appare tutt'altro che casuale, come rileva Ruby Cohn. La gamma dei nomi in *Finale di partita* rimane dunque questione aperta, su cui tornare durante l'analisi del testo.

Occorre comunque rilevare che quando fa riferimento ai suoni e alla musica, Beckett ha in mente la teoria della musica di Schopenhauer, che egli stesso aveva descritto nel suo saggio giovanile su Proust. Nel primo volume del *Mondo come volontà e rappresentazione* la musica non è, come le altre arti, una copia delle Idee, ma una copia immediata di quella stessa Volontà, «Abbild des Willens Selbst» che si oggettiva nel mondo e nelle Idee. Essa non esprime un singolo fenomeno individuale, un particolare piacere, dolore, emozione o stato psichico, ma l'essenza («das innere Wesen»), senza causa né teleologismo o finalità specifica, delle emozioni o stati psichici. Essa è, come le figure geometriche e i numeri, che costituiscono le forme universali di tutti gli oggetti d'esperienza possibili, un a priori applicabile a tutti gli oggetti e tuttavia non astratta, ma percepibile e definibile. Nella terminologia della scolastica la musica fornisce gli *universalia ante rem*, laddove la realtà specifica offre gli *universalia in re* e i concetti gli *universalia post rem*; ed essendo *sine materia* rimane ineffabile, intelligibile ma non esplicabile. Riproduce le più intime emozioni, ma mantenendosi lontana dal dolore della realtà: «ganz ohne Wirklichkeit und fern von ihrer Qual»[57].

Rilevando l'influenza di Schopenhauer su Proust, Beckett stesso così riassume questa concezione:

> Schopenhauer rejects the Leibnitzian view of music as "occult arithmetic", and in his aesthetics separates it from the other arts, which can only produce the Idea with its concomitant phenomena, whereas music is the Idea itself, unaware of the world of phenomena, existing ideally outside the universe, apprehended not in Space but in Time only, and consequently untouched by the teleological hypothesis[58].

4. *Cinque sequenze*

Il dattiloscritto I, che per la prima volta introduce accanto ai due protagonisti anche i genitori di Hamm, fa perno su una "matrice parentale", sottolineata dalla presenza di cinque eventi o "macrosequenze", che spezzano la routine del dialogo tra i protagonisti, costantemente rimandando al rapporto generazionale. Di queste cinque sequenze, quattro riprendono, potenziandole e modificandole, scene di RE, e una investe il nuovo personaggio di P, il padre di A, messo alla gogna per aver generato un figlio ora paralitico e cieco.

Il risalto assunto dalle cinque sequenze costituisce lo "specifico" di I, in cui esse si alternano a brevi unità di dialogo, che più rapidamente mutano oggetto. Nella versione successiva del dramma esse subiscono un comune destino: in II, mentre i due atti si restringono in un atto unico, le cinque sequenze scompaiono integralmente. Il restante testo, modificandosi, andrà invece a costituire una versione molto prossima a quella finale. Il *setting* è del resto ormai definitivo: un padrone, cieco e paralitico su una sedia a rotelle, vive in una stanza-rifugio che appare circondata dal deserto, insieme ai vecchi genitori amputati delle gambe e collocati in due bidoni per la spazzatura, e con un servo-figlio in perpetuo movimento.

Mentre per la parte più stabile del testo sarà utile un'analisi comparata con II, per segmenti corrispondenti, che meglio consentano di studiare la trasformazione decisiva da cui emergerà il materiale finale, le cinque sequenze poi cadute possono essere considerate nel loro insieme come l'ultima sperimentazione, legata a un registro poi accantonato, di qualità umoristica omogenea e più clownesca rispetto alle scelte finali.

Nella prima delle cinque sequenze il padrone A, come già nel testo precedente, si fa misurare la febbre dal servitore B: il termometro, ora più vistoso («un grand thermomètre») e messo in bocca, più spiccatamente suggerisce un gioco di regressione infantile, in cui B deve intrattenere A durante la misurazione, raccontando qualcosa come una mamma con un bambino, anche se lo stesso A dichiara che, con un impedimento in bocca, non può parlare né ascoltare. Secondo una didascalia B recita un sonetto, già menzionato in RE, ma non riportato in RE né in I, salutato alla fine con applausi preregistrati «par voie de disque».

La seconda sequenza riprende da RE, prolungandola, la lettura di un passo dalla *Genesi*, in cui si esaltano, dopo il diluvio universale, le prolifiche stirpi dei patriarchi. Il successivo desiderio del padrone di accoppiarsi e generare per emulare l'esempio biblico, è ancora una volta seguito dalla finzione del servitore, che recita la parte di moglie del padrone (terza sequenza), modificando sia aspetto che voce, e ricorrendo a una parrucca bionda. Questo duplice passo poi soppresso si rivela come uno dei più importanti sintomi del testo e delle sue fasi di sviluppo.

La "scena della Bibbia" organizza in una più vasta rete di implicazioni il corrispondente episodio di RE. Su ordine di A, B va a prendere la Bibbia, che colloca ora su un vistoso leggio, segno immediato del nuovo risalto della scena. A chiede dapprima a B di leggere un brano qualsiasi della Bibbia, B suggerisce il *Pentateuco*, comicamente sbagliandone la pronuncia, e A indica infine il diluvio universale:

B revient avec un pupitre qu'il installe à l'avant-scène, face à la salle. Il resort et revient titubant sous le poids d'une énorme bible.

B (*titubant*). Me revoilà, avec la parole divine. (*Il installe la bible sur le pupitre*) Alors? Qu'est-ce qui te chante? Un psaume?

A N'importe.

B Un peu de *Pentatuque*?

A De quoi?

B *Pentatuque*.

A Tatuque! Tateuque. *Pentateuque*.

B Comment?

A Ta*teuque*. Penta*teuque*. Pentatuque!

B Teuque ou tuque, tu en veux, oui ou merde?

A N'importe quoi, je te dis! Le Déluge.

B cherche l'endroit, le trouve, pose les mains sur le pupitre, toussote, lit, d'une voix très ___ [sic]

Et toute chose qui se trouvait sur la terre expira, tant des oiseaux que du bétail, des bêtes à quatre pattes et de tous les reptiles qui se traînent sur la terre, et tous les hommes. Toutes les choses qui étaient sur le sec, ayant respiration et vie en leurs narines, moururent. Tout ce qui –

A Ça va, ça va, on a compris. Après.

B tourne les pages, lit.

B Et Sélah, après qu'il eut engendré Héber, vécut 403 ans et engendra –

A Combien?

B 403. (*Un temps*) 403 ans et engendra des fils et des filles. Et Héber, ayant vécu trente-quatre ans, engendra Péleg. Et Héber, après qu'il eut engendré Péleg, vécut 430 ans, et engendra des fils et des filles. Et Péleg, ayant vécu trente ans, engendra Réhu. Et Péleg, après qu'il eut engendré Réhu, vécut 209 ans, –

A Ça se gâte.

B – et engendra des fils et des filles. Et Réhu –[59]

Esprimendo la stessa distruzione della vita sulla terra presupposta nel testo di Beckett, il passo sul diluvio da *Genesi* 7, di cui A interrompe la lettura, si rivela *analogon* mitico e archetipo della vicenda psichica dei protagonisti. È A che fissa in scena la convenzione della fine dell'umanità e chiede insieme la lettura del passo sul diluvio, al quale la sua regia sembra ispirarsi. La sua stanza-rifugio diviene l'equivalente ribaltato dell'arca di Noè, e egli stesso la parodia del "patriarca giusto" cui dovrebbe essere concessa la salvezza.

La maniacale ansia che i due protagonisti rivelano di

uccidere animali ancora presenti (compare una pulce, e il topo non è più, come in RE, giocattolo meccanico) corrisponde con ironico rovesciamento alla missione di Noè salvatore delle specie animali. Inoltre, nel *Pentateuco* la storia del popolo ebreo inizia con il diluvio – qui oggetto di comica lettura con conseguenze grottesche – finisce con Mosè morente che guarda da lontano la terra promessa, cui solo i discendenti potranno pervenire: e anche in *Fin de partie* si alluderà – non in questa versione ma nella successiva, dove il passo sulla Bibbia nel frattempo scompare – proprio agli «occhi di Mosè morente», attribuiti al bambino che d'improvviso appare all'esterno del rifugio.

L'esperienza di Hamm, già connessa in *Avant Fin de partie* a una Piccardia distrutta tra il 1914 e il 1918, cioè alle rovine della Grande Guerra, rinviene dunque in I, nel diluvio biblico, un più arcaico rispecchiamento: una procedura mitica "joyciana", destinata, forse anche per questo suo tratto imitativo, alla cancellazione, ma non senza "compensazioni". La duplice soppressione dei riferimenti espliciti alla guerra mondiale come alla Bibbia, lascerà aperta al lettore ogni suggestione di analogia, senza imporne una a scapito dell'altra: la maggiore astrazione rientra nel canone "proustiano" di Beckett, «less is more».

Sotto lo stimolo degli elenchi genealogici della Bibbia e della straordinaria longevità dei discendenti di Noè dopo la nascita di un figlio, in I, come già in RE, A chiede a B di procurargli una donna per procedere all'atto della fecondazione, peraltro problematico a causa della paresi che lo inchioda alla sedia a rotelle. B recita ancora la parte della donna che si offre, e A nuovamente rinvia, o meglio rinuncia, ma non senza aver ampliato il gioco edipico della sua richiesta. Ingiunge infatti perentorio a B «Va me chercher ma mère, je vais engendrer», e B ribatte stupito «ta mère? Ta femme, tu veux dire». Le battute che seguono sono un concentrato di ironia:

A Et qu'est-ce que j'ai dit?
B Ta mère.
A Mère, femme, soeur, fille, putain, ca m'est égal. Une femme.

Deux mammelles et une vulve. Va me chercher ça. (*B dégage l'énorme signet lourdement brodé, le ramène sur sa page, ferme la bible)* Vite, ou il sera trop tard! (*B s'éloigne*) Tu la tiendras. (*B sort*) Qu'est-ce que je vais lui mettre! (*Il commence à défaire sa couverture, s'arrête)* Ce n'est pas sûr.

B (*en coulisse*) Mélanie! Mélanie!
P (*jaillissant*) On m'appelle?
A Tu ne ferais pas l'affaire.
P (*déçu*) Oh!
A Une autre fois.
P Quand tu voudras.
Il rentre dans la poubelle, rabat le couvercle. (I: 26)

La confusione madre/moglie e l'intervento di P (per la prima volta presente in scena) che, sebbene anch'egli invalido, si affaccia a contendere al figlio "l'affaire" con la donna, potenziano il gioco delle relazioni edipiche: il triangolo padre/madre/figlio è ora completo. Ma se madre e moglie di A possono coincidere, forse anche B, sui cui genitori nulla è affermato con certezza, è figlio incestuoso di A. Non manca infatti un'allusione a una possibile paternità di A: mentre a p. 25 A dice a B di averlo «ramassé» all'età di circa sette anni, a p. 54, in un monologo, A immagina le sue ultime parole prima della fine, in cui invocare suo padre e suo «figlio».

Ma se B fosse così figlio di A, la madre di A coinciderebbe con la madre di B. In tal modo A avrebbe chiuso il gruppo su di sé, evitando legami esterni. Una duplice pulsione autoctona – generando con la propria madre, il figlio verrebbe a coincidere, in quanto marito della madre, con il proprio padre – sarebbe allora il sottinteso nella generica irrisione del qualunquismo sessuale di A, sulle cui velleità, stimolate dal testo biblico, sembra innestarsi un intero spaccato antropologico. Ma l'eccesso edipico può anche fare da commento all'iperbole generativa dei patriarchi biblici, alle loro straordinarie misure di anni e di figli.

Mentre A sembra apprestarsi voglioso alla sua impresa sessuale, B finge di chiamare fuori-scena («en coulisse») la supposta moglie di A: ma questa non si chiama più, come nel testo precedente, Sophie (Sofia o sapienza, come in uno dei giochi erotico-sapienziali di Duchamp). Il duplice richiamo di Clov, «Mélanie! Mélanie!» – un nome poco consueto e senza alcun riscontro altrove in I, scomparso in II – sembra ora rinviare alla Klein, seguendo le cui teorie Bion aveva avviato negli anni '50 la propria riflessione, accentrata sui rapporti madre/figlio. In una lista a mano di elementi o riferimenti da inserire nel passaggio dalla prima versione in due atti alla seconda (già indicata nell'elenco dei manoscritti come «Ohio notes») Beckett riporta con evidenza per le pp. 40-41 di RE appunto il nome di Bion: a vent'anni dall'analisi lo stesso autore ne prova l'incidenza registrando la sua intenzione testuale.

Alla madre, morta nell'agosto del '50, Beckett si era sempre sentito inestricabilmente legato da un rapporto di odio-amore, tornando continuamente a lei anche nel periodo di analisi con Bion, che pure gli sconsigliava di ricadere nel contesto familiare. Nel pezzo su Ernest e Alice, come in *Avant Fin de partie*, il rapporto con la madre aveva il predominio su quello con la moglie: nel primo l'arrivo della madre di Ernest provocava l'ansia più intensa, su cui il testo si bloccava, nel secondo esso decideva del ruolo recitato da F come madre del padrone. Riassorbito poi nelle figure di Sophie e Mélanie, equivocamente chiamate entrambe anche "mère", questo rapporto si attenua, mentre viene esibita la morte di M (poi Nell), oltre all'allusione alla morte di un'altra generica "mère", causa di rimorso per Hamm.

Al riferimento edipico nella scena citata si aggiunge più oltre in I un manifesto maltrattamento del padre da parte di A: P viene crudelmente assoggettato alla gogna per ordine di A, che lo batte ripetutamente sul capo con una mazza di tamburo, per costringerlo a "confessare" la propria vita. Oltre al desiderio sessuale per la madre, anche l'ostilità per il padre è dunque esibita in questa prima versione a quattro personaggi. Se in II la sequenza edipica così ampliata viene soppressa, insieme all'intera recita di B come donna, viene tuttavia lasciato posto ad altri più sottili e non farseschi motivi edipici, sui quali si tornerà più oltre.

La recita di B a due voci alternate – quella maschile propria di B, a commento dell'azione, e quella femminile richiesta dal ruolo di moglie di A – si prolunga per più di due pagine, i cui effetti di ambigua e facile comicità si commentano da sé:

[...] *Entre B. Longs cheveux platine, faux seins, jupon pardessus son pantalon.*

B La voilà. A point.
A (*affolé*). A poil! Déjà?
B A *point*. Toute chaude. (*Voix de femme*) Alors, mon gros, c'est pour la bagatelle?
A Attends! (*Un temps*) Ça avance, le radeau?
A (*Voix de femme*). Le radeau? (*Voix normale*) Il va partir sur un radeau. (*Battant des mains, voix de femme*) Oh c'est magnifique! Comme un naufragé! Est-ce qu'il y aura des requins? (*Voix normale*) Je ne sais pas s'il y aura des requins. S'il y en a, en aura.
A Il avance?
B (*Voix de femme*) Oui, mon ché – (*Il se reprend. Voix normale*) Oui.
A Qu'est-ce que tu as fait toute la journée?
B (*voix normale*) J'ai regardé –
A Pas toi. Elle.
B (*voix de femme*). J'ai regardé par la fenêtre.
A Tu as vu quelque chose?
B (*voix de femme*). Rien.
A Rien? Pas même un oiseau? (*Un temps*) Une mouche? (*Un temps*) Rien que le ciel? Des nuages?
B (*voix de femme*) Je n'ai pas regardé le ciel.
Un temps.
A Est-ce que tu penses quelque fois à moi?
B (*voix normale*). Mais tout le temps, tout –
A (*agacé*) Pas toi! Elle!
B (*voix de femme*). Moi? Jamais. (*Un temps. Voix normale*) Il ne faut pas t'en formaliser, tu sais bien que c'est une émotive. (*Voix de femme*) C'est vrai, je suis une émotive, je ne pense jamais à rien, je regarde par la fenêtre.
A Je me demande pourquoi tu m'as épousé?
B (*voix de femme*). Mais par amour, mon trésor, par amour, je t'ai épousé par amour. (*Voix normale*) C'est une émotive.
Un temps.
A Laisse-moi maintenant, tu reviendras. (*I*: 278)

Quando, dopo qualche esitazione, la donna si accinge ad andarsene, come richiesto da A, egli la ferma e sembra infine decidersi dopo tante divagazioni, ma solo per rimandare ancora una volta:

A Attendez! (*Un temps*) Elle est belle?
B (*voix normale*). Belle? Une reine! Des cuisses! (*Se cambrant*) Une avant-scène! (*Se tapant sur les fesses*) Des miches! Allez, sois un homme, déboutonne-toi, je vais chercher la vaseline.
A Attends! (*Un temps*) Et si je lui faisais un enfant?
B (*voix de femme*). Mais nous le noyerions, mon chéri, nou le noyerions, tu n'aurais pas le temps de souffrir.
A Et bien, je t'en ferai un demain.
B (*voix de femme*). Je vais me donner à James! Tout de suite! Sous ton nez! (*Modestement*) S'il veut de moi. (*I*: 28)

Recitando insieme la parte di se stesso e della moglie di A, che si offre a lui per dispetto al marito, B ripete a sua volta la dilazione/diniego del padrone. L'episodio si chiude, come già nel testo precedente, in perfetto stile dadaista, con l'esplosione fuori scena di «quelque chose qui n'avait pas encore sauté».

La quarta – unica completamente nuova – delle cinque sequenze di spicco in I, imperniata sui maltrattamenti del padre di A e destinata a lasciare di sé in II solo lo scambio iniziale «tu crois à la vie future?»/«La mienne l'a toujours été», esibisce dapprima un *play in the play* gestito come sempre da A:

B Tu crois à la vie future?
A La vie future? La mienne l'a toujours été. (*B sort en claquant la porte*) Pan! dans les gencives. (*Petit rire complaisant*) Oh de l'esprit j'en ai, jusqu'au bout des ongles. (*Un temps*) On serait fous que cela ne m'étonnerait pas outre mesure. Cela expliquerait tout, (*véhément*) toute cette mort et passion! (*A Pépé*) Je te conseille de faire attention tout à l'heure, je vais t'interroger. (*Voix de professeur*) Elève Pépé (*Voix d'élève*) Oui Monsieur. (*Professeur*) Quelles sont les causes principales de cet...cet...(*véhément*)...cet océan de mort et passion? (*Elève*) La folie, Monsieur. (*Professeur*) Quelle folie? (*Elève*) La grande folie, Monsieur. (*Professeur*) La tienne? (*Elève*) Oui, Monsieur. (*Professeur*) La mienne? (*Elève*) Oui Monsieur. (*Professeur*) La leur? (*Elève*) Oui Monsieur. (*Professeur*) Celle des choses? (*Elève*) Oui Monsieur. (*Professeur*) Des temps et lieux. (*Elève*) Oui Monsieur. (*Professeur*) Autres causes? (*Un temps, plus fort*) Autres causes?
P Nombreuses et variées. (*I*: 44)

L'ansia esistenziale di questa interrogazione parodica, in cui A svolge con voci diverse entrambi i ruoli, di se stesso professore che interroga e di P allievo che risponde, prepara la successiva violenza dell'imposizione della gogna a P, colpevole di aver rifiutato al figlio l'ascolto, ma più ancora di avergli dato la vita. Imponendogli una confessione autobiografica (sessualità e *Weltanschauung* incluse) e persuadendolo a ciò con colpi di mazza sulla testa, A denuncia la "logica della generazione" e della vita stessa, che collega lui al padre ma anche al "figlio Clov", a sua volta occasionalmente pronto a inserirsi nel gioco delle risposte. Questo implicitamente pone A nella stessa posizione di P, provocando un ironico momentaneo scambio di teste, sottolineato dalla domanda sull'effettiva identità della testa:

A [...] Raconte ta vie.
B Né en –
A Pas toi! (*Coup sur le crâne de A*) Toi. Raconte! (*Un temps. Coup plus fort*) Raconte! (*Un temps. Ponctuant chaque syllabe des coups de plus en plus forts)* Veux-tu-ra-con-ter-ta-vie? (*Un temps. A à B*) C'est bien son crâne, ça? *Coup sur le crâne.*
B Oui.
A Alors va chercher le marteau. (*I*: 45)

Le risposte del padre sulla sua vita evidenziano la recursività di situazioni equivalenti, che coinvolge lo stesso Beckett:

P Je naquis
A (*à B*) Tu vois. Je te l'ai déjà dit. Il faut naquir d'abord. Après ça roule tout seul. (*Coup sur le crâne*) Vas-y.
P Je naquis d'abord, avant terme. Bien avant. Je n'ai jamais rattrapé cette avance. C'est pourquoi –
A (*coup sur le crâne*). Pas de psychologie. Des faits. (*I*:46)

Queste battute sono infatti una diretta allusione alla conferenza di K.G. Jung ascoltata da Beckett alla Tavistock Clinic di Londra su casi analoghi di "prenascita", in cui lo scrittore credette di riconoscersi, convincendosi di essere venuto al mondo anzi tempo («avant terme, bien avant»), con una conseguente sfasatura tra la sua nascita fisica e la sua nascita psicologica («je n'ai jamais rattrapé cette avance»):

ancora una volta I è più biografico, esplicito e scoperto, mentre il testo definitivo piuttosto occulta o elimina.

La scena della gogna termina quindi con una duplice "pretesa parallela" di A e P (i due padri), decisi a impartire ordini a B. Incapace di decidere a chi obbedire, B rimane comicamente «figé» e chiude l'imbarazzante situazione con una citazione da *Une saison en enfer* di Rimbaud, «O saisons, o châteaux!» (I, 49), da Beckett già utilizzata nel suo goliardico esordio *Le Kid*, ma poi soppressa in Ohio II, dove i "segni del dominio" si fanno meno grotteschi.

Nella quinta sequenza infine, come già in RE, A promette a B, che recita la parte di bambino in un *play in the play*, del cioccolato perché lo aiuti a rovesciare la sedia a rotelle e a suicidarsi. La scena fa così eco a due episodi di *Murphy*: il capovolgimento della sedia a dondolo su cui è legato Murphy (nel capitolo 3) e il "suicidio" finale del protagonista, che muore sulla stessa sedia a dondolo, quando il gas della stufa satura la stanza e si incendia. Se il bambino frustra le attese di A, questi al posto del cioccolato gli offre ora non più il suo tamburo (come in RE), ma la vista di M morta nel bidone (ovvero intrappolata nella sua funzione bioniana di madre-contenitore).

La cancellazione delle cinque sequenze di I appare motivata da cause diverse: da una censura di elementi autobiografici – evidenti ad esempio nella quarta sequenza – ma ben più dalla generale mutazione di registri e dal diverso ritmo spezzato infine prescelto. Il piacere della punizione del padre ricorda in I le ludiche bastonate dell'*Ubu* di Jarry: come già l'esplosione alla fine della "scena della coppia", esso suggerisce un'irrisione "patafisica" oltre che una nota dadaista. In II Beckett sostituisce in tutto il testo un registro dell'assurdo, in cui il black humour si dissocia dal *divertissement* ludico, per congiungersi piuttosto con il paradosso e il "riso dianoetico". Di qui la scomparsa delle altre sequenze lunghe di I, caratterizzate da una comicità da circo o dada: la scena della febbre, che esprime il gusto stesso della regressione infantile cui il dadaismo deve il suo nome, e i giochi dissacranti imperniati sulla Bibbia.

Nella scena della gogna, al piacere ludico per la violenza

fisica dell'*Ubu* si unisce il piacere del rovesciamento del costume corrente e delle attese perbenistiche: lo stesso che induceva Duchamp a esibire come opera d'arte un colabottiglie o un orinatoio. A questi registri non più nuovi, ma utili per distanziarsi dall'angoscia del primo manoscritto del '50, Beckett attinge la mediazione verso un linguaggio inedito che li oltrepassa.

5. *Verso l'atto unico*

Le cinque sequenze – tre nel primo atto, due nel secondo – spezzano e organizzano in I il fluire di un dialogo che al di fuori di esse si disperde in scambi brevi e disarticolati, seguendo un andamento così rappresentabile:

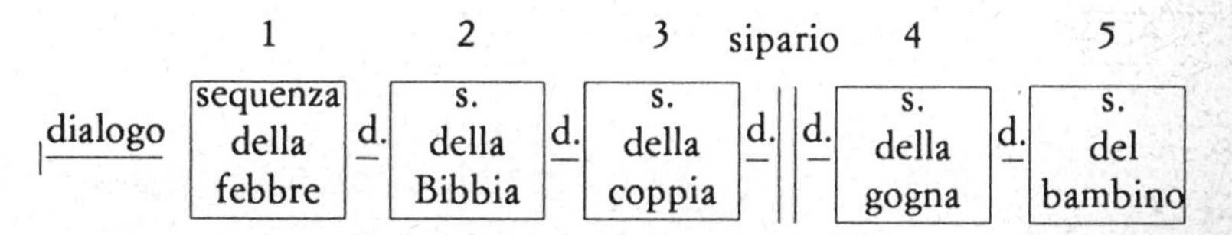

Una scena mimata e due monologhi dei protagonisti precedono l'avvio del dialogo, con il quale il testo poi termina, ancora privo del monologo di chiusura di A-Hamm, che compare solo in II.

Nella versione in un atto, mentre le cinque sequenze si dissolvono, il ritmo muta profondamente. La nuova successione lineare di microscene è ritmata dalla pausa recursiva e ossessiva della richiesta di calmante del padrone al servo:

dialogo | d. | d. | d. | | |

richiesta di calmante   r.c.   r.c.   r.c.

Il flusso drammatico è in II scandito dai *rounds* di uno scontro dialogico che non si addensa più nelle cinque macrosequenze di I, ma si spezza in continue mosse: un confronto fra i due testi potrà meglio mostrare questa fase della nascita di *Finale di partita*. Per comodità di analisi si suddivideranno I e II in un numero uguale di segmenti corrispondenti (da S1 a S14), per verificare quanto permane del testo, quanto viene modificato, soppresso, spostato, e per rilevare l'introduzione di alcuni (pochi) elementi nuovi[60]. Complessivamente la regola dominante della trasformazione è divenuta quella della riduzione: «less is more».

Con il ritmo più serrato e il registro meno clownesco, si fissa anche, nel passaggio da I a II, un altro parametro del testo, il cui pieno rilievo apparirà più oltre. Se in I le entrate e uscite di scena di B sono rispettivamente 20 e 21, più un'entrata e un'uscita cancellate, in II esse divengono rispettivamente 15 e 16, come poi in III 15 e 15, più un'uscita cancellata. Nella versione francese finale, come in quella inglese, le entrate e uscite di Clov, con più simmetrica precisione, divengono 16 e 16, mediante l'aggiunta all'inizio, nella seconda didascalia, di un'entrata e un'uscita di Clov per prendere una scala. È dunque nel passaggio da I a II che i movimenti di Clov si "stabilizzano", e con essi la nuova scansione in un atto dell'azione.

6. *Dominio e fine*

Tolte le cinque macrosequenze di I, tutte espulse in II, l'analisi per segmentazione di I più immediatamente rivela la presenza del testo finale, sia pure con scarti anche notevoli.

Nel più completo silenzio il servo apre le tende delle due finestre, che deve raggiungere salendo su una scala, guarda fuori, scende, toglie il drappo che copre A addormentato e quello che copre i due bidoni "abitati" da P e M, come a marcare un risveglio mattutino. La scena mimata d'apertura ha acquistato per la prima volta consistenza in I: in RE era già presente ma più breve, e mancava nel testo del '50 come in *Avant Fin de partie*. Inoltre la prima battuta del dialogo è passata definitivamente da A a B. Nei due lunghi monologhi che completano la nuova struttura dell'incipit, ognuno dei protagonisti spiega e commenta la situazione prima che si avvii lo scambio dialogico.

Passando da Ohio I a Ohio II e III, questi tre momenti (la scena mimata e i due monologhi, raggruppabili sotto S1) rivelano differenze significative, ma conservano una lunghezza pressoché uguale e una stessa funzione introduttiva. Fino alla prima cesura fonica del testo – un colpo di tamburo in I, o di fischietto in II e III, del padrone per chiamare il servo – il tono è quello di un prologo, in cui emerge un leit-motif, la situazione centrale. In I tuttavia siamo lontani dalla versione finale. Ecco il monologo d'avvio pronunciato dal servo:

C'est mon maître. Il dort, ou fait semblant de dormir. Tout à l'heure il se réveillera, ou fera semblant de se réveiller. Il est, ou fait semblant d'être, aveugle et impotent, je veux dire paralysé du bas. Personellement je ne l'ai jamais surpris à voir clair ou à se déplacer par ses propres moyens. Mais cela ne prouve rien, il reste souvent seul. Il m'entend peut-être et souffre, pour ce que je dis. Mais il ne pourra pas m'en reprocher, puisqu'il a l'air de dormir. Car je pourrais lui répondre, on n'écoute pas par les portes, mais il m'en punira peut-être. Non, il ne peut pas me punir, je ne peux pas être plus malheureux que je ne le suis. Je pourrais naturellement aller penser dans ma cuisine, mais cela aussi aurait ses inconvénients. (*Il fait un petit tour par le fond, revient à sa place*) Mort lente, mort rapide, vais-je rester, vais-je le quitter, pour de bon, ou rester pour de bon, pour la vie, jusqu'à ce qu'il meure, ou jusqu'à ce que moi je meure? C'est tout. Depuis toujours. Rester, comme je suis resté, ce n'est pas rester, ce n'est pas rester comme ce serait rester si je disais je ne le quitterai jamais, je resterai jusqu'au bout, jusqu'à ce qu'il meure, ou jusqu'à ce que moi je meure. C'est fini, je ne peux plus continuer à n'être nulle part, ni ici, ni ailleurs, ça va finir. (*Il fait un petit tour par le fond, revient à sa place*) Je m'en vais dans ma cuisine, trois mètres sur trois mètres sur trois mètres, attendre le tambour. Je m'appuierai à la table et je regarderai mon mure, je regarderai ma lumière, en attendant le tambour. (*I*: 1-2)

Con la prima battuta, B esordisce dunque definendo con chiarezza un rapporto di dominato a dominatore con A. Padrone cieco e impotente, «paralysé du bas», A può punirlo, ma B, che non potrebbe essere più infelice che con lui, si chiede sgomento se lasciarlo o rimanere. Egli sente la sua subordinazione come psichicamente costrittiva: è inspiegabilmente incapace di rompere un legame che pure potrebbe essere rescisso.

Nel successivo a solo, è A che definisce a sua volta i

propri rapporti, menzionando il padre, la madre, la moglie e infine il domestico, che egli chiama James ed eguaglia a un figlio. Confermata la dipendenza di B come servitore (ma quasi figlio) egli la "traduce" come somiglianza di B a se stesso: «nous nous ressemblons, mais seulement peut-être à force d'avoir vécu ensemble».

La somiglianza viene consolidata da un successivo gioco mimico in cui B fa da specchio ad A; i due piangono con gli stessi gesti e con un comico uso in parallelo del fazzoletto del taschino, esibendo una comune pateticità:

A Nous avons pleuré! Nous ne sommes pas des hommes.
B Tous les jours nous pleurons. (*I*: 4)

Queste somiglianze, esplicite e farsesche, cancellate a penna in I per non più ricomparire, sono residuo di una comicità già rilevante in RE, una comicità dell'assimilazione tra padrone e servo che, diminuita in I, recede nettamente in II, in cui la formula "dominio e ripetizione" si subordina al nucleo della fine, così rilevante nel manoscritto del '50.

In II infatti i protagonisti, ora indicati in un'aggiunta a penna come Hamm e Clov, e come tali qui indicati d'ora in poi, mutano le mosse del loro dialogo. Clov esordisce non più in funzione del dominio, del rapporto con il padrone, ma della fine, che spicca subito in primo piano: «fini, c'est fini, ça va finir, ça va peut-être finir».

Queste parole, ripresa del passo «Que ça finisse» del '50, sono già quelle dell'ultima versione del testo, seguite da una metafora dell'accadere catastrofico del tempo (assente in I e qui con correzioni a penna), il paradosso dei grani che sommandosi creano d'un tratto il mucchio "impossibile": «Les graines, s'ajoutent aux graines, une à une, et un jour, ~~tout d'un coup~~, sans raison, c'est un tas, un petit tas, ~~mais un tas~~». Meccanismo a orologeria, come la sabbia di una clessidra, il mucchio di grani anticipa la sveglia che più oltre apparirà in scena, appesa a un muro del rifugio.

Nelle parole di Hamm, insieme alla somiglianza con Clov, scompare in II il riferimento al "domestico James", e con esso anche il riferimento alla moglie, caduto in concomitanza con la cancellazione della lunga recita di Clov come tale. Hamm menziona il padre, la madre e il cane, e si rivela apertamente sadico nei loro confronti: «che soffrano» egli esclama. Con parallelo masochismo indugia a dichiarare che il deserto circonda la sua casa, ma si rifugia subito dopo in un sogno di foreste: il passo, aggiunto a penna in II, esprime un contrasto di paesaggi/desideri, un possibile orizzonte di commutazione rispetto al fondale di deserto asserito.

Compare inoltre in II, al terzo rigo della didascalia iniziale, una novità di rilievo: un quadro rivolto contro la parete, che sembra duplicare la cecità fisica e psichica di Hamm. Negazione di rappresentazione, icona di desemiotizzazione, esso anzitutto rafforza il nuovo nucleo della fine che il titolo del dramma esibisce.

Parallelamente, da I a II mutano anche suoni e colori. La "colonna sonora" perde in facile teatralità con la sostituzione del tamburo con un fischietto per gli ordini di A a B, e acquista il mistero di una serie di brevi, iterate risate di Clov ad apertura di scena. Con le connotazioni sonore della regalità di Hamm, si attenuano le connotazioni cromatiche: il rosso, che in I colora il viso, la vestaglia, la coperta sulle ginocchia, il fazzoletto e la cuffia da notte di A, si riduce in II al solo volto di A. Ma insieme al sistema cromatico si definisce in I ed evolve in II anche un sistema dei copricapi.

Il primo riferimento a un copricapo era in RE, dove B già indossava «une casquette rouge» nel ruolo di Edouard, il bambino apparso alla fine, con una blusa grigia e i pantaloni arrotolati sopra le ginocchia. Inoltre nello stesso testo, all'inizio dell'azione, come s'è visto, B indossava una clownesca parrucca bionda, e il padrone, che per l'occasione si metteva una barba finta «rouge vif», manteneva il viso rosso fino alla sua caduta dalla sedia a rotelle, dopo la quale appariva «lividamente pallido». Ad A venivano anche attribuiti occhiali neri, ma un sistema coordinato di copricapi e colori per tutti i protagonisti compare solo in I. Complesso ed esteso, esso si restringe poi in II, ma evolverà ancora. Beckett vi apporterà infatti modifiche a ogni dattiloscritto, in funzione di un coordinamento che include, con i due protagonisti, anche i genitori di Hamm.

In I il sistema iniziale del colore dei cappelli differenzia i tre uomini, A, B e P, dotati ognuno di un cappello diverso, rispettivamente un «bonnet de nuit» rosso, un «béret» giallo e una «calotte» grigia. Ma la morte della madre di A alla fine del primo atto impone il lutto, mutando in nero il colore dei copricapi eccetto che per P, la cui «calotte» gli viene tolta da B dopo la morte di M. Se ai tre personaggi vengono attribuiti copricapi diversi, uguale è invece il colore del viso: nel primo atto hanno tutti il viso rosso, in opposizione al viso «très blanc» di M, destinata a morire, mentre nel secondo atto, dopo la sua morte, il viso dei tre diviene uniformemente bianco.

In II, alla privazione di copricapo di Clov corrisponde la perdita cromatica dei copricapi di Hamm e Nagg, descritti solo per la foggia. Nagg ha ancora una «calotte», mentre per Hamm la vecchia cuffia da notte cede a «une petite casquette sans visière», destinata a irrigidirsi in III in una «calotte rigide», «stiff toque» nella versione inglese: il copricapo di Hamm si fa più autorevole proprio mentre Clov perde il berretto che aveva in I. Il colore del viso è in II scandito per coppie – rosso per Hamm e Clov, bianco per Nagg e Nell – e questa distribuzione generazionale permane fino al testo finale. Dei copricapi si specifica d'ora in poi sempre solo la forma, non più il colore.

Estendendo lo sguardo ai testi successivi al II, il quadro globale dei mutamenti nella rappresentazione cromatico-simbolica del capo in *Finale di partita* è così riassumibile:

TESTO		HAMM	CLOV	NAGG	NELL
I	colore	viso *trés rouge* poi bianco; vestaglia, coperta, fazzoletto rossi;	viso *trés rouge* poi bianco*; camicia grigia (come bambino)	viso *trés rouge* poi bianco**	viso bianco
	cappello	*bonnet de nuit* rosso poi nero	*béret* giallo poi nero*; *casquette* (bambino)	*calotte* grigia, poi nera, infine tolta	*petit bonnet de coton et jabot de dentelle*

TESTO		HAMM	CLOV	NAGG	NELL
II	colore	viso *trés rouge*, occhiali neri, fazzoletto bianco	viso *trés rouge*	viso bianco	viso bianco
	cappello	*petite casquette sans visière*		*calotte*	*bonnet et jabot de dentelle*
III	colore	viso *trés rouge*, occhiali neri, fazzoletto bianco	viso *trés rouge*	viso bianco	viso bianco
	cappello	*calotte rigide****		*bonnet de nuit*	*bonnet et jabot de dentelle*
TF	colore	viso *trés rouge*, occhiali neri, fazzoletto macchiato di sangue	viso *trés rouge*	viso bianco	viso bianco
	cappello	*calotte en feutre*		*bonnet de nuit*	*bonnet de dentelle*
TI	colore	viso *very red*, occhiali neri, fazzoletto macchiato di sangue	viso *very red*	viso bianco	viso bianco
	cappello	*stiff toque*		*nightcap*	*lacecap*

I = Ohio I
II = Ohio II
III = Ohio III
TF = testo finale francese
TI = testo inglese

* = colori non citati all'inizio, ma dopo la morte di M
** = cfr. I: 43
*** = il testo indica *casquette*, corretto in prima pagina con *calotte rigide*

Parallelamente al sistema delle corrispondenze colori/cappelli evolve anche l'identità del protagonista Hamm: mentre acquista copricapi sempre più rilevanti a scapito degli altri personaggi, egli evolve dalla tirannia di un padrone al narcisismo prevaricante di un artista-scrittore, vincolato a una "regia della fine". Il testo muta equilibri con attente dosature, non senza probabile riferimento, come apparirà in seguito, alla criptica identità di A e B in I, indicati cursoriamente come Guillaume e James, e divenuti in II definitivamente Hamm e Clov.

Tra I e II la differenza procede dopo S1 come cancellazione dei più comici segni del dominio, iniziando dal passo – in I già barrato con un tratto di penna – che elenca quattro obblighi di assoluta obbedienza, fissati da A per B e così riassumibili: se ti chiamo, vieni; se non ti chiamo, non vieni; se ordino resta, resti; se ordino va', vai. Al posto di essi si amplia l'effetto più discreto e sottile dell'allusione a una bicicletta, da Hamm in passato negata a Clov, costretto a recarsi a piedi a visitare "i poveri del padrone" (S2).

L'autorità di Hamm muta qualità ad ogni testo: in II, perdendo la perentoria lista di obblighi domestici imposta a Clov, acquista, con un più dignitoso copricapo, anche l'alone di una signoria in una passata società (nobiliare?), su un territorio un tempo sottoposto alla sua giurisdizione. Ripreso dal manoscritto di *Avant Fin de partie*, dove aveva giocato in chiave di ironia economica, questo riferimento ha ora una diversa connotazione di melanconica regalità.

Con il sollevarsi del coperchio di uno dei due bidoni collocati nella stanza, da cui emerge la testa del padre di A, si avvia quindi in I un gioco generalizzato di regressione infantile (S3), in cui il vecchio P chiede, come un bambino affamato, «ma bouille», la pappa, mentre A si fa misurare la febbre con un vistoso termometro in bocca. Ma in II il livellamento regressivo subisce una radicale metamorfosi: ora è solo Nagg a rivelarsi infantile, implorando un biscotto dal figlio, mentre Hamm assume un'autorità da genitore e da "saggio", disprezzando l'insipienza senile di Nagg: «si vieillesse savait!» esclama disgustato di fronte alle lamentele del padre, con ironico ribaltamento dei luoghi comuni sui rapporti giovani/vecchi.

In I la febbre di A e la fame di P preludono a una serie di risibili stereotipi sulla natura, di cui si asserisce che aborre il vuoto, «non facit saltus» ecc., ma anche infine, ironicamente, che non ha dimenticato i protagonisti, imponendo loro l'invecchiamento. Il comun denominatore di queste battute, la legge naturale del divenire, della trasformazione, o della menomazione senile, si diluisce nella comicità dell'infantilismo dilagante e nella serialità degli stereotipi, nello spirito del *Dictionnaire des Idèes Reçues* di Gustave Flaubert, ripreso da Joyce in un elenco di clichés inglesi in un episodio dell'*Ulisse*[61].

In II, sfrondata ogni facile comicità, è la vulnerabilità fisiologica imposta dal tempo/natura a esprimersi con incisiva icasticità. Le battute sugli effetti della natura vengono intensificate e P elenca le sue perdite: «Nous perdons nos cheveux, nos dents, notre fraîcheur, nos ideaux». Gli ultimi due termini, aggiunti a penna, mostrano un progressivo dispiegarsi del motivo, poi ripreso nell'immagine di B che nella cucina vede «la sua luce che muore». La natura equivale all'irreversibilità del tempo. Accresciuto il suo pathos, essa tuttavia è ora menzionata direttamente una sola volta, secondo il consueto principio di riduzione.

Nel segno dell'evoluzione distruttiva del corpo, la nascita e la generazione "si annerano" e vengono perciò negate: di qui ad esempio l'affermazione che i semi messi a germinare da B non sono germinati, mentre più oltre una pulce, un topo e infine un bambino, saranno visti come pericoli, simbolo di una generazione-moltiplicazione che si vuole rifiutare.

La confluenza in II del dominio e della fine, omologando l'esperienza di frustrazione del padrone con quella del servo, spiega la persistente solidarietà della pietà (già accennata nel manoscritto del '50, come nel rifiuto del servo di offendere il padrone in *Avant Fin de partie*, perché «ha troppo sofferto») e insieme la marcata sostituzione dei legami affettivi di relazione con dinamiche sadiche di attacco al legame.

7. *«Signifier quelque chose?»*

L'inserimento sulla scena della figura di M, la madre di A, che si affaccia dal bidone (S4), completa l'apparizione della coppia parentale in I, ed estende la già ampia gamma di mutilazioni fisiche. Ma la rievocazione dell'incidente di tandem, che ha privato di entrambe le gambe la donna e suo marito il giorno successivo alla notte nuziale, viene da lei stessa commentata con quella che è divenuta una delle più celebri battute black humour di *Fin de partie*: «rien n'est plus drôle que le malheur», nulla è più divertente dell'infelicità.

Questo passo e il successivo dialogo tra i genitori, la memoria del loro tempo perduto e il loro penoso tentativo di attenzioni e affetto reciproci, passano da I a II senza notevoli interventi. Essi suscitano in Hamm una reazione di fastidio e un desiderio di fuga, ironicamente espressi sul modello della battuta shakespeariana del *Riccardo III* «My kingdom for a horse!»: esclamando «Mon royaume pour un boueux!» (poi reso in inglese con «My kingdom for a nightman!»), Hamm fa chiudere i bidoni ed "evacua" la scena, chiedendo il catetere per orinare e il calmante. Negato il legame naturale "insopportabile" con e tra i genitori, Hamm sembra estendere, come nella teoria kleiniana di Bion, l'evacuazione emotiva a quella gnoseologica (–K). Cecità e desertificazione gli consentono di negare lo spazio esterno per evitare potenziali relazioni, come l'ascolto dei genitori è risolto con il diniego del legame.

È alla natura che sono imputabili i primi elementari rapporti che così modellano l'esserci del soggetto. La natura è dunque assenza, lutto, tempo: tempo dell'assenza dell'altro e di sé nella fine, come della fine del mondo e della sua insopportabile conoscibilità. Ma l'evacuazione gnoseologica non elimina, anzi esige, l'iterazione ossessiva di un rituale conoscitivo, che confermi con un esito negativo l'evacuazione stessa, in un circolo vizioso senza uscita, sul quale sia *Avant Fin de partie* che la prima versione in due atti (RE) ironizzavano apertamente. In *Avant Fin de partie*, dopo aver insistito sulla negazione di ogni senso, X chiedeva conferma a F «Ça ne risque pas d'avoir un sense?», e all'ambigua risposta «Il y a toujours un petit danger», reagiva irritato: «Veux tu me rassurer, imbecile!». Analogamente in RE, A esigeva con scoperta ironia di essere rassicurato su una realtà «nuit noire jusq'au bout»: l'ansia di verifiche negative di Hamm in I e II è la stessa.

L'esplorazione conoscitiva di Hamm (S5) si articola in tre fasi. Pur costretto sulla sedia a rotelle, A non desiste dall'esplorazione quotidiana della sua ben nota stanza, né accetta approssimazioni sulla sua collocazione al centro di essa, che perentoriamente esige dal servo. Il bisogno di sapere si rivela fisiologico quanto quello dell'affabulazione e di un narcisistico desiderio di controllo, che gli fa ossessivamente cercare il centro.

Questo bisogno si volge anche all'esterno, ma il cannocchiale con il quale B osserva, per ordine di A, il paesaggio dalle finestre – che guardano una sul mare e l'altra sulla terra – non giova a vedere più di quanto A non consenta, con la sua pretesa che si confermi la "traduzione in grigio" del mondo. I due rituali conoscitivi, dell'interno e dell'esterno, sono parimenti ciechi.

Nel passaggio da I a II Beckett fa in S5 pochi interventi. Cancella il clownesco scambio del cannocchiale con un «rouleau de patissier», che ridicolizzava lo sguardo predeterminato di Clov, e accentua la desertificazione del paesaggio marino coglibile da una finestra. Questo permane uniformemente grigio e disabitato, come dopo un cataclisma, ma in II scompare nell'acqua persino la base del faro già crollato, che in I era ancora visibile: al «tout est par terre» di I (p. 17) corrisponde in II «Tout est noyé», corretto a penna con «Il n'en reste rien» (p. 14).

La terza "tappa gnoseologica" esplora il senso del patetico bisogno di un *signifier*. In I si legge:

A James.
B (*agacé*) Qu'est-ce que c'est?
A On n'est pas en train de...de...de signifier quelque chose?
B Signifier? Nous, signifier! (*Il part d'un long rire qui peu à peu perd de sa gaîté et s'achève dans l'inquiétude*) Tu es fou!
A Ce n'est pas sûr. Une intelligence, revenue sur terre, ne seraitelle pas tentée de dire, en nous observant, Ah! je comprends ce que c'est, je comprends ce qu'ils font. (*B sursaute, laisse*

tomber le télescope et commence à se gratter le bas-ventre des deux mains) Et même sans aller jusque-là, nous-mêmes – (*avec émotion*) nous-mêmes par moments –. (*Véhément*) Dire que tout cela n'aura peut-être pas été pour rien!

B (*avec angoisse, se grattant*) J'ai attrapé une puce.
A Une puce! Il y a encore des puces?
B (*se grattant*) A moins que ce ne soit autre chose.
A (*très inquiet*) Mais à partir de là l'humanité pourrait se reconstituer! Attrape-la, pour l'amour de Dieu!
B Je vais chercher la poudre. (*I*: 18)

Nel testo inglese si ha poi:

HAMM: Clov!
CLOV: (*impatiently*) What is it?
HAMM: We're not beginning to... to... mean something?
CLOV: Mean something! You and I, mean something! (*Brief laugh*) Ah, that's a good one!
HAMM: I wonder. (*Pause*) Imagine if a rational being came back to earth, wouldn't he be liable to get ideas into his head if he observed us long enough. (*Voice of rational being*) Ah, good, now I see what it is, yes now I understand what they're at! (*Clov starts, drops the telescope and begins to scratch his belly with both hands. Normal voice*) And without going so far as that, we ourselves... (*with emotion*)... we ourselves... at certain moments... (*Vehemently*) To think perhaps it won't all have been for nothing!
CLOV: (*anguished, scratching himself*). I have a flea!
HAMM: A flea. Are there still fleas?
CLOV: On me there's one. (*Scratching*) Unless it's a crablouse.
HAMM: (*very perturbed*). But humanity might start from there all over again! Catch him, for the love of God!
CLOV: I'll go and get the powder. (*Endgame*: 26-27)

È questo uno dei pochi casi in cui il testo è già definitivamente fissato in I: la fine del senso vi è formulata con quella essenzialità oggettivata la cui ricerca detta altrove la revisione del testo. Rispetto a I si aggiunge infatti in *Endgame* solo il cambiamento di voce di A/Hamm nella parte immaginaria di «creatura razionale» («rational being»), tornata sulla terra con lo spirito di un voltairiano Micromegas, ansioso di attribuire ai terrestri sopravvissuti significati impossibili quanto disperatamente desiderati.

La pulce di B, che comicamente interrompe le considerazioni di A sul *signifier*, nuovamente ricorda la proliferazione della natura, che si riafferma nel momento stesso in cui il senso dell'esistere appare indefinibile. I segni della natura sono tuttavia soltanto perverso ammiccamento di un esserci insufficiente per il narcisismo del soggetto, che si affretta perciò a negarli. L'insetticida con il quale B cerca di uccidere la pulce vuole colpire la generazione stessa, come il gioco di parole sui termini *coite/coïte*, riferito alla pulce, conferma nel passo immediatamente successivo al precedente. Qui il testo è già espresso nella forma finale, dopo pochi ritocchi da I a II:

B Je vais chercher la poudre. *Il sort.*
A Une puce! C'est épouvantable! Quelle journée! *Entre B, un carton verseur à la main.*
B Me revoilà, avec l'insecticide!
A Flanque-lui en plein la lampe!
B dégage la chemise du pantalon, déboutonne le haut de celui-ci, l'écarte de son ventre et verse la poudre dans le trou. Il se penche, regarde, attend, tressaille, reverse frénétiquement de la poudre, se penche, attend.
B La vache!
A Tu l'as eue.
B On dirait. (*Il arrange ses vêtements*) A moins qu'elle ne se tienne coïte.
A Coïte! Coite, tu veux dire. A moins qu'elle ne se tienne coite.
B Ah. On dit coite? On ne dit pas coïte?
A Mais voyons! Si elle se tenait coïte nous serions baisés. (*II*: 15-16)

Passi come questo non sono *gags* eliminabili, ma tratti necessari della significazione beckettiana. La natura ha ucciso il senso perché identificata, per la sua soggezione al tempo, con la fine. «Un giorno siamo nati, un giorno moriremo, lo stesso giorno, lo stesso istante» dice Pozzo a Vladimir già in *Aspettando Godot*, come in I A afferma più oltre «La fin est dans le commencement». Il circuito che rende solidali natura e senso scaturisce con evidenza in *Finale di partita*: se il senso procede da un rapporto originario naturale, che si instaura nel segno negativo dell'assenza e della fine, il suo predicato si annichilisce, ritorcendosi contro la natura.

Il rifiuto della natura tuttavia non è mai definitivo, e perciò consente non il beneficio dell'atarassia, ma l'insorgere dell'ansia, non un'entropia riduttiva del soffrire, ma il prodursi di una parodia dell'utopia: così A può vaneggiare su progetti di fuga in zattera verso il Sud, lontano dalla clausura e dal deserto di cui è prigioniero. All'irrealizzabile ipotesi segue ironica la richiesta di calmante, che recursivamente scandisce il testo.

La profezia di A sulla cecità e la paralisi che colpiranno un giorno anche B, la scena del cane di pezza che A chiede a B, comodo oggetto per i suoi investimenti emotivi sadomasochisti, e il passo sull'insignificanza della distinzione temporale del termine "ieri" nell'unico presente della fine (raggruppabili in S6), coniugano in I questo stesso universo di discorso, e passano tutti in II, con qualche modifica.

Viene invece cancellata in II una significativa battuta di A:

> A Quand je t'ai ramassé tu devais avoir dans les sept ans. Tu ne faisais que des bruits i-nar-ti-cu-lés. Aucune instruction! Et te voilà maintenant à la tête d'une solide culture moderne. (*I*: 25)

Questa battuta sulla «solida cultura moderna» insegnata da A a B – nel contesto in sé paradossalmente inutile – sembra bene attagliarsi al rapporto Joyce/Beckett leggibile nella diade Pozzo/ Lucky di *Aspettando Godot*, come nella diade Hamm/ Clov di *Finale di partita*[62]: non sembra difficile collegare la cecità, l'autorevolezza e il narcisismo di narratore di Hamm, ossessionato dal desiderio di completare la sua storia "in progress", con i ben noti tratti di Joyce e il suo *Finnegans Wake*[63].

Il carattere scoperto dell'allusione sembra averne consigliato l'eliminazione in II, senza peraltro rendere impossibile il riconoscimento di questa matrice biografica del testo. Già in *Murphy* la descrizione di Mr Endon che, come s'è visto, per più tratti precede Hamm, poteva suggerire connotati di Joyce, cui sembrano bene corrispondere in Endon, con "l'indifferenza cieca", la persona minuta e raffinata, l'eleganza e il particolare delle dita piene di anelli.

Come rileva B.R. Gluck in *Beckett and Joyce*, il testo di *Finale di partita* sembra ironicamente rovesciare il rapporto padre-figlio – ossessivo in Joyce – espresso nell'*Ulisse*:

Beckett does seem to be mocking Joyce by creating a play around a situation directly opposite to that of *Ulysses*. In Joyce's book, a father (Bloom) finds a surrogate son (Stephen), but in Beckett's play a foster son (Clov) repeatedly tries to leave his foster father[64].

Ma insieme alla matrice generazionale compare in I, come s'è visto, anche un sistema di cappelli, la cui importanza già in *Godot*, secondo Gluck, «coincides with the importance headwear has in *Ulysses*»[65]. La ciclicità del mondo joyciano è poi secondo Gluck un bersaglio per Beckett, che la volge in ripetizione distruttiva anziché rigenerazione, come mostra una battuta di Hamm in *Endgame*: «Moments for nothing, now as always, time was never and time is over». Ma anche il doppio finale con doppio sipario in RE poteva già similmente alludere a Joyce: l'arrivo dall'esterno del bambino che sembrava sostituire B, suggerendo un nuovo inizio ciclico, veniva beffardamente cancellato da un altro finale sostitutivo, in cui B, recitando la parte del bambino, faceva subentrare alla ciclicità, "rinnovatrice del tempo", la ripetizione della sua recita, probabilmente quotidiana. Il testo si bloccava allora sulla battuta finale di A, «N'en parlons plus»: Ulisse non raggiungeva più né Itaca né Telemaco.

La vicenda di genesi di *Finale di partita* palesa dunque il rapporto Beckett/Joyce più esplicitamente che il testo finale, dove il gioco allusivo è più sfumato per non ancorarsi agli effetti restrittivi di un'evidenza, che nella sua plausibilità biografica avrebbe oscurato gli altri sensi nel sistema di *citazioni multiple* in atto. L'iperdeterminazione anche nell'intertestualità non solo arricchisce il testo ma, come apparirà in seguito, è espressione del fondamento teorico e gnoseologico della scrittura di Beckett.

Pur sottolineando momenti di frizione tra l'autore e Joyce, l'analisi di Gluck, del '79, non ne coglie tuttavia il significato, ripiegando sull'ipotesi di una "resa teorica" di Beckett, nonostante le sue ironie, alle concezioni di Joyce, alle «linguistic and philosophical theories underlying *Ulysses* and *Finnegans Wake*». Appare invece oggi più chiara, come si vedrà anche attraverso il dibattito sul postmoderno, una "polemica" differenziazione teorica di Beckett rispetto a *Ulysses*[66].

Un'indiretta conferma della componente biografica e joyciana di *Finale di partita* qui emersa viene dalla regia di Berlino descritta nei *Materialen zu Endspiel,* in occasione della quale Beckett tratta con distanza critica Hamm, mentre tende a una complice identificazione con Clov:

> Becketts Interesse für Nagg und Nell ist offensichtlich. Hamm gegenüber wahrt er respektvolle, aber kritische Distanz, mit Clov scheint ihn eine art Komplizenschaft zu verbinden, seine Spielphantasie ist hier am regsten, seine Identifikation im Vorspielen am überzeugendsten[67].

Nelle modifiche apportate ai passi mantenuti da I a II spicca un criterio: spezzare i giochi di accoppiamento delle battute tipici della prima versione, basati sul rovesciamento di luoghi comuni o su evidenti parallelismi. In I ad esempio P predice la decadenza della vecchiaia al figlio, fino al giorno in cui il figlio avrà bisogno della sua pietà di padre e di sentire la sua voce, e poco dopo A predice al quasi-figlio B il suo stesso destino di cecità e paralisi. La specularità, troppo ravvicinata e banalizzante, disinnesca la situazione, producendo un'omologazione delle battute di effetto troppo comico-farsesco. Per questo in II Beckett interviene allontanando tra loro i due momenti. Il dialogo si fa al tempo stesso serialità incisiva e ossessiva, lucida predicazione degli eventi, mentre alla vecchia farsa si sostituisce il genere nuovo di una consapevolezza black humour, di un pathos dell'assurdo, o sentimento della desemiotizzazione.

8. *L'intreccio «en abyme»*

Del segmento testuale che in I include la lettura della Bibbia e la recita di Clov come donna (S7), non rimane in II che la parte terminale, con il riferimento alla «luce spenta» di una donna morta insepolta (la futura "mère Clochard" e poi "mother Pegg", qui ancora senza nome), cui Hamm ha negato l'olio per la lampada: riferimento nato fra i primi, già presente in *Avant Fin de partie*, ma trasformato. Alla vecchia che chiedeva acqua si è sostituita una vecchia che chiedeva luce: il diniego a lei di Hamm riguarda dunque l'olio per la lampada, caricandosi di connotazioni evangeliche[68]. Segue poi una richiesta di calmante. Ma in II il passo biblico del diluvio è sostituito con l'accennata vicenda di un pazzo, già noto ad A, convinto della fine del mondo circostante. Già presente verso la fine di I, a p. 52, la vicenda viene in II anticipata in funzione dei nuovi equilibri, collocandosi in quello spazio – della rappresentazione del diluvio universale – che aveva fatto da specchio mitico alla vicenda psichica di Hamm.

Il riferimento in I all'amico pazzo di A è molto breve:

A Je connais – (*Un temps*) J'ai connu un fou qui croyait que la fin du monde était arrivée. Il paraît que c'est courant.
B Un fou? Quand ça?
A Il y a un temps fou. Tu n'étais pas encore de ce monde.
B Ah la belle époque.
Un temps. (*I*: 52)

Con questa allusione la desertificazione del mondo, condizione della scena di *Finale di partita* come della scena biblica del diluvio, si triplica.

In II, venuta meno la citazione del biblico «toute chose qui se trouvait sur la terre expira» (II: 57) nel brano letto da B, si amplia invece il racconto della fine del mondo di cui è protagonista l'amico pazzo di Hamm, sdoppiamento più immediato o "ripetizione" della posizione dei protagonisti di *Fin de partie*. Chiuso nella sua stanza, l'artista pazzo non sapeva vedere, al di là delle sue finestre, che cenere e deserto là dove erano campi di grano e vele sul mare:

A J'ai connu un fou qui croyait que la fin du monde était arrivée. Un peintre. Je l'amais bien. Je le prenais par la main et le traînais devant la fenêtre. Mais regarde! Là. Tout ce blé qui lève. Et là. Les voiles des sardiniers. Toute cette beauté! (*Un temps*) Il m'arrachait sa main et retournait dans son coin. Epouvanté. Il n'avait vu que des cendres. (*Un temps*) Lui seul avait été épargné. (*Un temps*) Oublié. (*Un temps*) Il paraît que le cas n'est – n'était pas si – (*il cherche*) – si rare.
B Un fou? Quand ça?
A Oh, c'est loin, loin. Tu n'étais pas encore de ce monde.
B La belle époque!
Un temps.
A Je l'aimais bien.

Un temps.
B Il y a tant de choses terribles.
A Non non, il n'y en a plus tellement. (*Un temps*)
(*II*: *Appendice*, 1)

Nel testo francese definitivo il passo è identico, ma con l'aggiunta di due dettagli nella parte finale del dialogo. Dopo l'esclamazione di Clov «la belle époque!» si legge:

Un temps. Hamm soulève sa calotte.
Hamm – Je l'aimais bien. (*Un temps. Il remet sa calotte. Un temps*) Il faisait de la peinture.

Hamm si toglie ora «sa calotte» in omaggio all'amico artista e riprende la qualifica «un peintre» attribuita all'inizio, ampliandola con «Il faisait de la peinture», che le conferisce maggior peso.

Entrambi i dettagli ritornano anche nel testo finale inglese, ma si aggiunge qui un nuovo intervento: la frase iterata «Il faisait de la peinture» diventa in entrambi i casi «He was a painter – and engraver», «Era pittore, – e incisore». La qualità di incisore aggiunta, resa importante, oltre che dall'iterazione, dall'accorgimento grafico del trattino che stacca le due qualifiche di pittore e incisore, non trova immediata spiegazione, ma potrebbe costituire, come si vedrà oltre, il segno di un'intertestualità "forte" che va progressivamente asserendosi nel testo.

In tutte le versioni del caso dell'amico pazzo di A/Hamm è comunque suggerita, con un gioco verbale, la coincidenza di questa pazzia con la condizione dei protagonisti.

In I l'effetto di sovrapposizione è ottenuto accostando il presente «Je connais» al passato «J'ai connu», per di più chiarendo al presente che «Il paraît que c'est courant».

In II il gioco dei tempi si sposta alla seconda proposizione: la narrazione è introdotta solo da «j'ai connu», e «Il paraît que c'est courant» si trasforma, più sottilmente, in «Il paraît que le cas n'est – n'était pas si (*il cherche*) si rare». Il passato in cui si colloca questo "caso esemplare" precede comunque la nascita di B/Clov, che ironicamente lo definisce «la belle époque».

Ma alla sostituzione del brano biblico con il ricordo di un artista pazzo si affianca in II, parallela, un'altra sostituzione, che completa (in S7) l'evoluzione del testo. Alla recita di B come moglie di A subentra infatti un passo, in I già contiguo al cenno sul pazzo, insieme al quale è qui spostato: l'episodio della sveglia, in cui il servo si propone di segnalare al padrone la sua eventuale partenza o morte. Solo nel primo caso la sveglia suonerebbe: «B: Tu m'appelles. Je ne viens pas. Tu attends. Le réveil sonne. Je suis parti. Il ne sonne pas. Je suis mort.»

È B a imporre fin da I l'uso della sveglia: il tempo, prorogato dai patriarchi mediante le generazioni, si riproponeva affidato a una misura meccanica che non consentiva deroghe. E A discuteva a lungo con B il funzionamento della sveglia:

A Est-ce qu'il marche?
B Le mouvement marche.
A Et la sonnerie?
B Je suppose. Je vais voir. (*Il gagne la porte, s'arrête, se retourne*) Pourquoi ne marcherait-elle pas?
Un temps.
A D'avoir trop marché.
B Mais elle n'a presque pas marché.
A Alors d'avoir trop peu marché.
Un temps. B sort. Long silence. Sonnerie du réveil en coulisse. Elle s'arrète. Silence. Entre B, le réveil à la main.
B Ça marche. (*Il s'approche de A et déclenche la sonnerie. Ils l'écoutent sonner jusq'au bout. Silence*) De quoi reveiller un mort. (*P jaillit*) Tu as entendu?
A Vaguement.
B La fin est formidable. Tu ne trouves pas?
A J'ai préféré le milieu.
B Il faut remettre ça.
Il remonte la sonnerie, la redéclenche. Tous l'écoutent sonner jusqu'au bout. Silence. B veut parler, y renonce, va à la porte, se retourne, veut parler, y renonce, hausse les épaules, sort. Un temps. P veut parler, y renonce, hausse les épaules, rentre dans la poubelle, rabat le couvercle. Un temps. A veut parler, y renonce, un temps, essaie encore, renonce encore, un temps. (I: 53-54)

Questo dialogo è quasi definitivo (non così le didascalie, con la parte mimata destinata a ridursi già a partire da II), seguito dalla narrazione della storia di Hamm. Il monologo di A sulla fine («La fin est dans le commencement et cependant on continue...»), che in I segue subito l'episodio della sveglia, è in II posticipato: fuso con un altro monologo di Hamm su ciò che egli avrebbe potuto fare della sua vita e su coloro che avrebbe potuto salvare, esso dà origine a uno dei più efficaci a solo di *Fin de partie*.

9. *Nel nome del padre*

La recursiva scansione della richiesta mai esaudita del calmante – al momento giusto A apprenderà che il calmante è finito – introduce in I una nuova fase dominata dal racconto che A, atteggiandosi ora a scrittore, va componendo (S8), ampliamento della storia del padre e del bambino già presente in RE.

Alla dichiarazione del narratore «c'est l'heure de mon histoire», B informa il padrone che, come lui, anche P non vuole ascoltare; si nega poi alla richiesta di A di un abbraccio, o anche solo di un contatto fisico con la mano.

A pensa dapprima di consolarsi con un cane di pezza, che si è fatto confezionare da B: giocattolo kleiniano con il quale iterare lo schema dei suoi legami sadici, simulando l'affetto del cane manipolabile solo per poterlo rifiutare, maltrattando l'oggetto. La maggior compensazione è tuttavia per Hamm il racconto della sua storia, che recita pur senz'altro destinatario che se stesso.

Ma tra A e B intercorre in I, prima della narrazione della storia di A, un peculiare momento, cancellato in II: B si rivolge con insolita e incongrua dolcezza ad A, chiamandolo all'improvviso Guillaume (lo farà ancora una volta più oltre). Il gioco delle battute sottolinea la sorpresa reiterando il nome e prolungando l'attenzione sul suo enigma:

A C'est l'heure de mon histoire. Tu ne veux pas écouter mon histoire?
B Non.
A Demande à Pépé s'il veut écouter mon histoire.
B claque la porte, va vers les poubelles. Il s'arrête devant A.

B (*doucement*) Guillaume (*Un temps. A peine plus fort*) Guillaume.
A C'est moi Guillaume?
B Oui, c'est toi Guillaume.
Un temps.
A (*rêveur*) Guillaume. . .
B Je vais te quitter. (*I*: 30)

A questo "Guillaume", che B sembra "donare" ad A, e A accettare con sognante trasporto, corrisponde il ben più frequente "James" usato per B. Mentre il dattiloscritto si limita a designare i due protagonisti, in quanto *dramatis personae* descritte nelle didascalie, con le prime due lettere dell'alfabeto, tra di loro essi si attribuiscono entrambi un nome instabile, possibile spia di motivazioni da esplorare. James, usato spesso nel dialogo, compare anche una volta in didascalia. Ma in II questo scambio è cancellato, mentre la richiesta di Hamm che si ascolti quello che è divenuto il suo *feuilleton* degno di un premio Goncourt, acquista maggior evidenza, pur non venendo ancora una volta esaudita.

La narrazione di Hamm ha già i suoi tratti caratteristici: nel giorno della vigilia di Natale egli nega a un padre cibo per il suo bambino che muore di fame, perché quel cibo non risolverebbe il problema della fame nel deserto esterno. Qualsiasi aiuto – inevitabilmente temporaneo – sarebbe inutile, ragiona Hamm, che tuttavia fantastica poi di salvare il bambino e vederlo crescere. Si ripete così una "negazione di generazione", un rifiuto del rapporto padre-figlio già esibito tra Hamm e Clov come tra Hamm e P, ma si predispone al tempo stesso il desiderio opposto, negazione di questa negazione, che si esprimerà più vistosamente con l'apparizione del bambino nella scena finale.

Il racconto cui Hamm dedica tanta narcisistica attenzione, e su cui torna in successive "puntate", rivela minuziosi interventi a penna, che correggono in II un testo già riveduto rispetto a I. Il dosaggio ironico delle misurazioni relative alle condizioni meteorologiche – temperatura, umidità, venti – con cui è descritto il giorno degli eventi narrati, e le connotazioni fisiche del padre del bimbo (ampliate in II) mimano una cura realistica e una comica pretesa di precisione “oggettiva”, già evidenti del resto fin da *Murphy,* dove vengono meticolosamente indicate le misure del corpo di Celia o le mosse specifiche della partita a scacchi tra Murphy e Endon.

Ma nella versione finale comparirà anche, parallelo alla storia di Hamm, un altro “racconto”: la nota barzelletta del sarto, narrata da Nagg, che confronta il lavoro per la creazione del mondo con la confezione di un abito.

In essa un cliente, scontento per i lunghi rinvii che gli impediscono di avere l’abito commissionato per la festa di Capodanno, ricorda al sarto la creazione del mondo in soli sei giorni. A giustificazione dei mesi da lui impiegati senza terminare, il sarto obietta additando sdegnato la qualità del mondo. L’allusione alla *Genesi*, scomparsa con la lettura della Bibbia, si è spostata così nella barzelletta di Nagg, mentre la cancellazione del mondo operata dal sarto nella battuta finale sulla superiorità della sua creazione rispetto a quella divina, bene riecheggia un’altra negazione: quella dell’artista pazzo che, come i protagonisti del dramma, si rifiutava di vedere la realtà all’esterno della sua stanza.

Rappresentare e cancellare appaiono due pulsioni complementari dell’artista, evidenti sia nel racconto di Hamm che nella barzelletta raccontata da Nagg: in esse si esprime la misura del linguaggio di Beckett, del suo “impedimento” o grado di desemiotizzazione, come della sua natura “compensatoria” e restaurativa.

Avviandosi a esibire la propria narrazione, in I A accenna improvvisamente, con un’unica rapida frase, a una passata fede: «J’ai cru en Dieu». Terminata la narrazione, P, angosciato, si accorge che M non risponde più, B ne constata la morte e cala il sipario. Ma in II, scomparsa questa dichiarazione di fede passata, trova spazio dapprima un ironico e rapido scambio tra Hamm e Clov sulla vita nell’aldilà – Clov: «Tu crois à la vie future?», Hamm: «La mienne l’à toujours été» – e successivamente, tra il racconto di Hamm e la morte di Nell, un più ampio episodio, che più vistosamente inscena la cancellata memoria religiosa dei protagonisti (S9). Il *Padre nostro* del primo manoscritto del settembre ’50, scomparso in *Avant Fin de partie*, divenuto breve cenno a una preghiera fallita in RE, e più eplicito riferimento in I, riacquista in II, accrescendola, la sua incidenza.

Hamm propone un *Padre nostro* a tre voci, insieme a Nagg e Clov, con effetti ironici multipli:

A (*Un temps. Il siffle. Entre B*) Prions Dieu.
P Ma dragée!
B Il y a un rat dans la cuisine.
A Un rat! Il y a encore des rats?
B Dans la cuisine il y en a un.
A Et tu ne l'a pas tué?
B Je l'ai à moitié tué. Tu nous as dérangés.
A Il ne peut pas se sauver.
B Non.
A Tu l'achèveras plus tard (*Un temps*) Prions Dieu.
B Encore?
P Ma dragée!
A Dieu d'abord. (*Un temps*) Vous y êtes?
B Allons-y.
A (*à P*). Et toi?
P (*Joignant les mains, fermant les yeux*). Notre père qui êtes aux –
A Silence. En silence. (*Silence. Attitudes de prière. S'arretant le premier*) Alors?
B (*rouvrant les yeux*). Je t'en fous! Et toi?
A Bernique! (*A P*) Et toi?
P Attends (*Un temps. Rouvrant les yeux*) Macache!
A Le salaud! Il n'existe pas!
~~B~~ ~~Toujours pas~~. B Pas encore.
P ~~Pas encore (*Un temps*)~~ Ma dragée!
A Il n'y a plus de dragées. (*II*: 21verso-23)

Il passo è insieme il più tormentato di II (metà del testo è scritta a mano sul retro della pagina precedente) e tra i suoi brani più "antichi". Di esso sono qui riportate anche le due correzioni a penna del dattiloscritto. Nell'ironia sulla preghiera non sono probabilmente estranei, oltre alla personale esperienza di Beckett, gli atteggiamenti di Joyce, adombrato come s'è visto nelle caratteristiche di A/Hamm: se Beckett ricordava il severo protestantesimo della propria madre, Joyce non poteva dimenticare la rigida educazione cattolica ricevuta in Irlanda dai Gesuiti[69].

Concluso con vivaci epiteti – *bernique*, *macache*, *salaud* – il fallito tentativo di preghiera sancisce la totale solitudine del soggetto, estendendo a Dio l'impotenza di relazione con l'altro, come del rapporto padre-figlio. Questa chiusura religiosa dell'io, ora più nettamente formulata e poi, come s'è visto, difesa nel '57 contro le reazioni della censura inglese[70] (una chiusura peraltro già definita dallo stesso Beckett, in una lettera a Thomas McGreevy dell'8 settembre 1934, come «disumanizzazione», «deantropomorphization» dell'artista[71]), costituisce un sentimento che attraversa negli anni la scrittura dell'autore. Il primo racconto pubblicato da Beckett, sul numero 16/17 di «transition» nel giugno 1929, *Assumption*, narra l'incoercibile «struggle for divinity», lotta per la divinità, di un protagonista la cui aspirazione alla trascendenza è futile e grottesca quanto tormentosa. La vicenda del racconto culmina, anziché con la gloriosa *Assunzione* in cielo suggerita dal titolo, con l'ironica *Pietà* del cadavere del protagonista, pianto dalla donna che, "comprendendolo" nelle sue aspirazioni, lo ha spinto ancor più a perdere «his essential animality», per una ricerca di "luce d'eterno" di cui è morto.

Nel '56, avviandosi alla stesura definitiva di *Fin de partie*, Beckett torna a sottrarre al soggetto l'estrema e metafisica possibilità di proiettare nella trascendenza il suo bisogno emotivo e narcisistico di amore e relazione, frustrato nell'esperienza con l'altro. Ma a differenza che nel '29 e nel '50, Beckett ha ora imparato la difficile arte umana della "resistenza sublime". La *pitiè* invocata nel manoscritto del '50 si avvia a divenire struttura di relazione tra Hamm e Clov, "teorizzata" da Hamm, e con essa la premessa assurda della *pièce* si avvia a "contestare" se stessa dal suo interno. Quello che Julia Kristeva chiama, come s'è visto, il «rigore della Morte del padre», può riesprimersi e insieme culminare, dopo una fase d'ombra, nel momento in cui Beckett perviene al "finale" controllo emotivo, teorico e formale del testo[72].

In II è significativo il gioco delle correzioni a penna riportate, in cui alla doppia replica sull'inesistenza di Dio – Clov ritorceva con un «Toujours pas», mentre Nagg correggeva con un «Pas encore» – subentra un unico «Pas encore» attribuito a Clov. Se per Nietzsche la vita di Dio è finita, per Clov essa non è ancora (mai) cominciata, secondo la logica del tempo di Beckett.

La frustrazione nei confronti di un Padre trascendente si ripete in II tra padre terreno e figlio: in un monologo (qui spostato ad hoc) Nagg ricorda il rapporto con il figlio piccolo, che lo chiamava spaventato nella notte impedendogli di dormire, come lo ha svegliato anche ora, solo per farsi ascoltare; ma verrà un giorno, egli spera, in cui sarà Hamm ad aver bisogno della sua voce.

10. *Desiderio/«pseudos»*

La morte di M giunge improvvisa ed è oggetto di una rapida constatazione. Ma, subito dopo, I marca pausa. A segnare il pathos di questo evento cala il sipario, con una cesura sottolineata, a riapertura di scena, dalla metamorfosi luttuosa dei colori: la cuffia rossa di A e il berretto giallo di P divengono, come già rilevato, neri; il viso, e con esso il fazzoletto di A, mutano dal rosso al bianco. Allo spegnersi per lutto dei colori segue la battuta «fini la rigolade», con la quale finiscono anche gli elementi farseschi, per cedere il posto a un registro meno clownesco. Non più telescopi sostituiti da «rouleaux de patissier», né uomini travestiti da bionde platinate, né false prediche dalla Bibbia, ma più raggelate transazioni, anche se improntate a costante peculiare black humour.

In II il testo diviene unitario. Scomparsa la cesura del sipario, cancellati gli elementi facilmente farseschi, la scrittura si fa uniforme dall'inizio alla fine, riducendosi da 66 a 38 pagine. La morte di Nell perde rilievo: essa non "stacca" più i due atti tra loro ed è diluita in due tempi. Dapprima Nell non risponde a Nagg che batte sul coperchio del suo bidone, e questo fa solo intuire la sua fine, che verrà constatata più tardi. Né il gesto di A e B, che in I si levano il cappello, né il sipario, né il lutto cromatico, né la scomparsa del bidone di M (in II invece presente fino alla fine), sottolineano più l'evento.

Ma con il rituale del lutto, non viene meno in II il suo sentimento, al contrario accentuato. Al pathos del contrasto farsa/lutto tipico di I, al contrappunto più volte ripetuto, del riso che si fa pianto e del pianto seguito dal riso, subentra in II un diverso registro.

Dopo la commistione tragico-farsesca di *Aspettando Godot*, in 2 atti, Beckett sembra oscillare nelle due versioni in due atti di *Finale di partita* (RE e I), tra una clownerie accentuata – teatralmente di maggiore intrattenimento – e un segno "duro" più difficile, già sperimentato nella sua narrativa e certamente più adatto alla disperazione intellettuale del "riso dianoetico" che alimenta dal profondo la logica del testo, per distillarsi infine in una paradossale autodesemiotizzazione.

In II un nuovo spartito livella le emozioni, sfronda le sequenze lunghe, sfoltisce i monologhi, riduce la distensione di passi "riflessivi", impone una retorica del discreto, dell'uniformità spezzata. Le parole si accumulano ora fino a costituire il «mucchio impossibile» del testo, come i grani del paradosso «del vecchio greco» – Sesto Empirico – menzionato nel primo monologo di Clov e nuovamente quasi alla fine, in un monologo di Hamm. La versione di Beckett del paradosso è che né un grano né due sono un mucchio, e poiché la somma di due non-mucchi non può fare un mucchio, il mucchio è impossibile; ovvero un grano *è* un mucchio[73].

Parallelamente, l'insistita descrizione dello spazio esterno come deserto, che il cieco Hamm impone a Clov (S10), accentua in II la desemiotizzazione del significante. Ne è sintomo anche il nuovo uso di una peculiare battuta, destinata nel testo inglese a rivelarsi citazione shakespeariana.

Le parole di Hamm «fini la rigolade», a commento in I della morte di M, si spostano in II dopo la rievocazione da parte di Nagg dell'infanzia del figlio, e sono rese in inglese con il verso «our revels now are ended»: le parole con cui Prospero nella *Tempesta* conclude la magica recita del *masque* in onore del matrimonio di Miranda e Ferdinando, poco dopo colti a giocare a scacchi (per altre considerazioni cfr. cap. quinto, par. 3).

L'effetto contrastivo è ironico: ai *revels* della magia utopica di Prospero vengono a corrispondere i *revels* folli della clausura di Hamm e Clov, che "desertificano"il mondo quanto Prospero lo riscattava dal suo machiavellismo, tramite un progetto ideale di armonia, fertilità e felicità di coppia. Se Prospero, re-saggio di tradizione platonica, esperto di equilibri cosmici e astrali[74], inventa l'utopia come risposta alle frustrazioni della storia, Hamm, suo rovescio speculare nel negare il sole e le stelle, impone viceversa la fine della storia. Ma la sua scelta, ironicamente, è non meno fittizia. Alla simulazione compensativa del desiderio è subentrata la simulazione "difensiva" della distruzione, alla costruzione magica di un luogo di armonia per tutti – l'isola di Prospero – la costruzione di un'invenzione narrativa di "clausura per la fine", su cui Hamm pretende, con risibile orgoglio di artista, interesse da Clov.

Ecco la descrizione del "work in progress" di A/Hamm in I (non inadatta a evocare anche le fatiche del *Finnegans Wake*), che perviene, modificata di poco, a II e al testo finale:

B Oh, à propos, ton histoire?
A Quelle histoire?
B La chronique? Celle que tu racontes depuis 70 ans.
A Ah tu veux dire mon feuilleton?
B Voilà.
Un temps.
A (*colère*) Mais pousse plus loin, bon sang, pousse plus loin.
B Tu l'as avancée, j'espère.
A Oh, pas de beaucoup, pas de beaucoup. (*Un temps. Il soupire*) Il y a des jours comme ça, on n'est pas en train. (*Un temps*) Il faut attendre que ça vienne. (*Un temps*) Jamais forcer, jamais forcer, c'est fatal. (*Un temps*) Je l'ai néanmoins avancé un peu. (*Un temps*) Lorsqu'on a du métier, n'est-ce pas...(*Un temps. Plus fort*) Je dis que je l'ai néanmoins avancé un peu.
B (*avec admiration*). Ça alors! Tu as pu quand même travailler!
A (*modestement*). Oh, tu sais, pas grand'chose, enfin, quand même, mieux que rien.
B Mieux que rien! Là alors, tu m'épates. (*I*: 36)

11. *I quesiti della fine*

Gli interventi operati nel passaggio da I a II appaiono da questo punto in poi quasi "automatici". In II infatti, dove è caduta la scena della gogna e il passo della sveglia è stato anticipato, non rimane nei corrispondenti segmenti (S11 e S12) che l'ennesima "esplorazione" – osservando il paesaggio dalla finestra o facendo il giro della stanza – o il rammarico di A per la sua vita e la previsione della fine: ironicamente echeggiata dall'ultima richiesta di calmante (esaurito, annuncia Clov), ma contrastata dall'allusione al topo che B ha tentato di uccidere. «Il c'est sauvé», dichiara Clov, a preludio dell'apparizione finale del bambino.

Nel successivo e penultimo segmento di I (S13), su ingiunzione di A, B si appresta nuovamente a guardare dalla finestra, ma con gran confusione: scambia una finestra con l'altra, dimentica la scala per raggiungerla, litiga con A sull'uso di una «*lunette* d'approche» piuttosto che del «télescope» già utilizzato. È infine interrotto dalle richieste del padrone, che vuole il suo cane di pezza. Il tono è quello di una comica, e riprende nettamente il registro antecedente alla pausa del sipario. Ma all'improvviso B grida la sua sorpresa nel vedere all'esterno un bambino, e poco dopo ne recita la parte con A, nell'ultima delle già descritte cinque sequenze dominanti in I.

In II la metamorfosi del testo, venuto meno il dialogo del bambino con A, completa l'evoluzione "assurda". Sfrondata la comicità, Clov, all'apparizione del bambino di cui non recita più la parte, afferra una gaffa[75] per ucciderlo. Hamm lo trattiene, ma con questo gesto sbaglia mossa, permettendo a Clov di "finire": se il bambino può essere vero, allora può essere vera la realtà esterna, e Clov può andarsene o pretendere di farlo, chiudendo la partita cui allude il titolo. Carica infatti la sveglia, segno convenuto della sua partenza (poi rafforzato con gli abiti da viaggio da lui indossati) e impone quella fine cui Hamm dedica un lungo monologo, già presente in I, ma in II spostato in posizione conclusiva. Al patetico-grottesco di Hamm, che ingannava ingannato un falso bambino, si sostituisce, per l'effetto di chiusura, uno dei passi di più incisivo e secco pathos del nuovo testo.

Nelle ultime necessarie mosse di trasformazione si rivelano in II tre scarti particolarmente significativi rispetto a I, il cui effetto pone quesiti retrospettivi di interpretazione globale, che la vicenda della scrittura consente ora di cogliere.

Il primo di questi scarti riguarda il monologo della fine

di Hamm, che nella formulazione originaria contiene, a breve distanza uno dall'altro, come sintagmi isolati, due termini della celebre triade di valori promossi dalla rivoluzione francese – *égalité* e *fraternité* – immediatamente riconoscibili, come le note della *Marsigliese*, dal pubblico parigino cui *Fin de partie* anzitutto si rivolgeva (i termini sono stati qui evidenziati con il neretto):

A A moi. (*Un temps*) De jouer. (*Un temps*) Vieille fin de partie perdue, finir de perdre. (*Un temps*) Jeter! (*Il jette la gaffe, veut jeter le chien, se ravise, le garde*) Pas plus haut que le cul. (*Un temps*) Je ne trouve rien. (*Un temps*) Enlèver. (*Il enlève son bonnet, le tripote*) Et remettre. (*Il le remet*) **Egalité**. (*Un temps. Il enlève ses lunettes*) Essuyer. (*Il les essuie*) Et remettre. (*Il les remet*) **Fraternité**. (*Un temps*) Ça avance. Encore deux minutes et j'appelle. (*Un temps*) Un peu de poésie. (*Il réfléchit*) Tu appelais – (*Un temps*) Tu réclamais le soir; il vient: le voici. (*Un temps*) Instants nuls, toujours nuls, mais qui font le compte, que le compte y est, et l'histoire close. (*Un temps*) S'il pouvait prendre son petit avec lui...C'était le moment que j'attendais. (*Un temps*) Vous ne voulez pas l'abandonner? (*Un temps*) Vous voulez qu'il grandisse pendant que vous, vous rapetissez? (*Un temps*) Qu'il vous adoucisse le dernier quart de siècle? (*Un temps*) Lui ne se rend pas compte, il ne connaît que la faim, le froid et la mort au bout. Mais vous. Vous devez savoir ce que c'est. La terre. A présent. (*Un temps*) Oh je l'ai mis devant ses responsabilités. (*Un temps*) Potable. De l'eau de larme, mais rougie. (*Un temps*) Eh bien, je crois que ça suffit. (*Il lève la baguette*) A moins que – (*Un temps*) Non, vraiment ça suffit. (*Il frappe sur le tambour. Un temps. Plus fort. Un temps*) Père! (*Un temps. Plus fort*) Père! (*Un temps*) Pépé! (*Un temps*) Bon...(*Il sort son mouchoir*)...puisque ça se joue comme ça...(*il déplie son mouchoir*)...jouons ça comme ça...(*il déplie*)...et n'en parlons plus...(*il déplie*)...ne parlons plus. (*Il tient le mouchoir déplié devant sa poitrine*) Je vais pouvoir éteindre...aller dans les bois...aller jouer dans les bois. (*Entre B sommairement déguisé en garçon: casquette rouge, blouse grise, pantalon roulé au-dessus des genoux. Il avance timidement, s'arrête près du fauteuil*) (I: 62-63)

In II – come in III e nel testo finale francese – scomparsa la *fraternité*, la parola *égalité* rimane isolata ed enigmatica.

Nell'edizione inglese Beckett cancella anche questo termine (mantenuto invece nell'edizione italiana tradotta dal francese), perdendo ogni traccia della citazione iniziale. La prima parte del passo, molto mutata, è divenuta meno ironica e più drammatica, interrotta dall'apparizione di Clov pronto a partire:

HAMM: Me to play. (*Pause. Wearily*) Old endgame lost of old, play and lose and have done with losing. (*Pause. More animated*) Let me see. (*Pause*) Ah yes! (*He tries to move the chair, using the gaff as before. Enter Clov, dressed for the road. Panama hat, tweed coat, raincoat over his arm, umbrella, bag. He halts by the door and stands there, impassive and motionless, his eyes fixed on Hamm, till the end. Hamm gives up*) Good (*Pause*) Discard. (*He throws away the gaff, makes to throw away the dog, thinks better of it*) Take it easy. (*Pause*) And now? (*Pause*) Raise hat. (*He raises his toque*) Peace to our...arses. (*Pause*) And put on again. (*He puts on his toque*) Deuce. (*Pause. He takes off his glasses*) Wipe. (*He takes out his handkerchief and, without unfolding it, wipes his glasses*) And put on again. (*He puts on his glasses, puts back the handkerchief in his pocket*) We're coming. A few more squirms like that and I'll call. (*Pause*) A little poetry. (*Pause*). (*Endgame*: 51-2)

Il pubblico inglese non avrebbe potuto cogliere un'allusione ovvia invece per il pubblico francese, ma rimane il problema della presenza prima e riduzione poi, già nel testo francese finale, di questa citazione, che si rivelerà segno di un'intertestualità di rilievo.

Il secondo "scarto" che emerge dal confronto con I riguarda la scena del bambino. In I, come già in RE, il bambino («un garçon») è seduto per terra, appoggiato a una pietra. A ritiene che guardi la casa, B risponde invece che guarda «la montagna»; in II il bambino è divenuto «un môme», un marmocchio di sesso indeterminato, e la pietra cui è appoggiato è divenuta «la pierre levée», mentre «la montagne» cui si volgono i suoi occhi è corretta a penna con «son nombril», l'ombelico. In III, solitamente uguale a II, il passo subisce invece notevoli modifiche. Lo sguardo del bambino, ancora oggetto di discussione tra i protagonisti, si fa sempre più misterioso. Nell'ipotesi di Hamm, appoggiato alla «pierre levée», egli guarda la casa «avec les yeux de Moïse mourant»; nella risposta di Clov guarda invece ancora «son nombril».

Nel testo definitivo di *Fin de partie*, con ulteriori piccole modifiche, si ha:

Clov rapproche l'escabeau de la fenêtre, monte dessus, braque la lunette. Un temps.

CLOV: Aïeaïeaïe!
HAMM: C'est une feuille? Une fleur? Une toma – (*il bâille*) – te?
CLOV: (*regardant*). – Je t'en foutrai des tomates! Quelqu'un! C'est quelqu'un!
HAMM: Eh bien, va l'exterminer. (*Clov descend de l'escabeau*) Quelqu'un! (*Vibrant*) Fais ton devoir! (*Clov se précipite vers la porte*) Non, pas la peine. (*Clov s'arrête*) Quelle distance?

Clov retourne à l'escabeau, monte dessus, braque la lunette.

CLOV: Soixante...quatorze mètres.
HAMM: Approchant? S'éloignant?
CLOV: (*regardant toujours*). – Immobile.
HAMM: Sexe?
CLOV: Quelle importance? (*Il ouvre la fenêtre, se penche dehors. Un temps. Il se redresse, baisse la lunette, se tourne vers Hamm. Avec effroi*) Un dirait un môme.
HAMM: Occupation?
CLOV: Quoi?
HAMM: (*avec violence*). – Qu'est-ce qu'il fait?
CLOV: (*de même*). – Je ne sais pas ce qu'il fait! Ce que faisaient les mômes. (*Il braque la lunette. Un temps. Il baisse la lunette, se tourne vers Hamm*) Il a l'air assis par terre, adossé à quelque chose.
HAMM: La pierre levée. (*Un temps*) Ta vue s'améliore. (*Un temps*) Il regarde la maison sans doute, avec les yeux de Moïse mourant.
CLOV: Non.
HAMM: Quest-ce qu'il regarde?
CLOV: (*avec violence*). – Je ne sais pas ce qu'il regarde! (*Il braque la lunette. Un temps. Il baisse la lunette, se tourne vers Hamm*) Son nombril. Enfin par là. (*Un temps*) Pourquoi tout cet interrogatoire?
HAMM: Il est peut-être mort.
CLOV: Je vais y aller. (*Il descend de l'escabeau, jette la lunette, va vers la porte, s'arrête*) Je prends la gaffe.

Il cherche la gaffe, la ramasse, va vers la porte.

HAMM: Pas la peine.
Clov s'arrête
CLOV: Pas la peine? Un procréateur en puissance?
HAMM: S'il existe il viendra ici ou il mourra là. Et s'il n'existe pas ce n'est pas la peine.
Un temps.

CLOV: Tu ne me crois pas? Tu crois que j'invente?
Un temps.
HAMM: C'est fini, Clov, nous avons fini. Je n'ai plus besoin de toi. (*Fin de partie*: 103-5)

Ma nella versione inglese ogni riferimento allo sguardo del bambino e alla pietra cui è appoggiato scompare, e l'episodio viene sorprendentemente ridotto a circa un terzo:

Clov moves ladder nearer window, gets up on it, turns telescope on the without.

CLOV: (*dismayed*). – Looks like a small boy!
HAMM: (*sarcastic*). – A small...boy!
CLOV: I'll go and see. (*He gets down, drops the telescope, goes towards door, turns*) I'll take the gaff.
He looks for the gaff, sees it, picks it up, hastens towards door.
HAMM: No!
Clov halts.
CLOV: No? A potential procreator?
HAMM: If he exists he'll die there or he'll come here. And if he doesn't...
Pause.
CLOV: You don't believe me? You think I'm inventing?
Pause.
HAMM: It's the end, Clov, we've come to the end. I don't need you any more. (*Endgame*: 49-50)

Perché gli occhi del bambino divengono in III quelli del biblico legislatore del decalogo? Perché questo senso, mantenuto nella versione finale francese, viene meno in quella inglese? Quest'allusione rimanda forse a una citazione figurativa, come già il bambino del Bellini in *Murphy*, suo antecedente?

Un nuovo quesito è posto dalla mossa finale di B. In I B non accenna ancora a una partenza: ad andarsene è solo il bambino da lui recitato. In II è Hamm a suggerire un commiato, dichiarando di non aver più bisogno di Clov, che esce dalla stanza. In III il testo inserisce una mossa a sorpresa. Clov appare d'improvviso vestito per la partenza: «*entre Clov. Châpeau floche, parapluie, valise, gants beurre frais*» recita la didascalia, corretta a penna in «*Panama, veston de travail, imperméable sur les bras*», cui corrisponde sia il testo finale francese che il testo inglese successivo. Perché queste variazioni?

Ma prima di tentare risposte occorre completare il quadro dei confronti testuali e del processo genetico del dramma.

12. *Da «Fin de partie» a «Endgame»*

Tra II e *Fin de partie* le rimanenti differenze salienti sono ormai ben poche. Si è già fatto riferimento alla barzelletta del sarto (aggiunta) e alle modifiche nella scena del bambino o nel vestiario di Clov. Occorre ancora rilevare che il ruolo di Nagg e Nell si arricchisce per la descrizione di una gita sul lago di Como, in cui per la prima volta Nagg aveva intrattenuto Nell con la barzelletta del sarto. E all'accennato narcisismo di Nagg corrisponde un'accentuata "ansia del centro" di Hamm.

Si aggiunge anche una breve canzoncina di Clov, cui Hamm aveva già impedito di cantare, fin da II, dopo la scena della sveglia. Dei quattro versi della canzone Beckett, nella traduzione, tentò dapprima un equivalente inglese, poi accantonato al momento della pubblicazione[76]. Connesso al proverbio francese «Tutto finisce con una canzone», nella versione pubblicata da Minuit il canto di Clov anticipa la fine, come implicito in queste battute rimaste anche in *Endgame*, e in particolare nella domanda di Clov «Then how can it end?»:

Clov goes, humming, towards window right, halts before it, looks up at it.

HAMM: Don't sing.
CLOV: (*turning towards Hamm*). – One hasn't the right to sing any more?
HAMM: No.
CLOV: Then how can it end?
HAMM: You want it to end?
CLOV: I want to sing.
HAMM: I can't prevent you. (*Endgame*: 46)

Adattando il testo a lingue diverse Beckett fissa differenze inevitabili, mentre riferimenti e citazioni divengono più criptici.

Anche nel monologo finale di Hamm intervengono cambiamenti da II a *Fin de partie* come a *Endgame*. Riferendosi al calar della sera e alla fine, Hamm assume in *Fin de partie* un tono più lirico, evocando con più evidenza una citazione da *Recueillement* di Baudelaire[77]. Il passo «Tu appelais (*Un temps*) Tu réclamais le soir; il descend: le voici» (II, p. 35) diviene in *Fin de partie* (p. 111), con un gioco di iterazioni e evidenziazioni grafiche:

> Tu appelais – (*Un temps. Il se corrige*). Tu RÉCLAMAIS le soir; il vient – (*Un temps. Il se corrige*) Il DESCEND: le voici. (*Il reprend, très chantant*) Tu réclamais le soir; Il descend: le voici. (*Un temps*) Joli ça. (*Un temps*) Et puis?

Ma nella traduzione inglese si insinua un'altra allusione, da *The Hollow Men* di T.S. Eliot, che verrà rilevata e discussa più oltre[78], e che conferma la tendenza di Beckett a adattare il testo all'ambiente culturale, offrendo possibili differenziati.

Le principali modificazioni tra *Fin de partie* e *Endgame* sono così sintetizzabili in grafico (il segno X indica soppressione):

Fin de partie	*Endgame*
Modificazioni	
prima scena: Clov appare accanto alla poltrona di Hamm (p. 13)	Clov appare presso la porta (p. 11)
il cappello di Hamm è «une calotte en feutre» (p. 15)	il cappello di Hamm è «a stiff toque» (p. 12)
Nagg ha un biscotto in mano (p. 27)	Nagg ha un biscotto in bocca (p. 17)
Hamm usa il fazzoletto per pulirsi il viso e lo rimette in tasca (p. 57)	X
al paesaggio che Clov vede dalla finestra si fa riferimento come mare/oceano, canale (con un	il paesaggio comprende mare/oceano (p. 25) e un golfo (*gulf*, p. 36)

gioco fonico *fanal/canal*, pp. 46-47) e *détroit* (p. 72)	
il cane di pezza di Hamm è così definito: «C'est le genre loulou» (p. 57)	il cane di pezza è così definito: «He is a kind of Pomeranian» (p. 30)
l'artista pazzo amico di Hamm era *pittore* (pp. 62-3)	l'artista pazzo amico di Hamm era *pittore* e *incisore* (p. 32)
«fini la rigolade» (p. 78)	«our revels now are ended» (p. 39)
poco prima che Clov reciti la fuga Hamm esclama «Alors que ça finisse! et que ça saute! D'obscurité!» (p. 102), preludendo al monologo in cui cita *Recueillement* di Baudelaire: «Tu appelais. Tu RÉCLAMAIS le soir; il vient. Il DESCEND: le voici»	l'esclamazione di Hamm diviene «Then let it end! With a *bang*! Of darkness!» (p. 49), preludendo al monologo finale in cui a Baudelaire subentra T.S. Eliot (cfr. qui capitolo quinto, par. 3)
episodio dell'apparizione del bambino: domande di Hamm, riferimento al bambino come *môme* con gli occhi di Mosè morente (pp. 103-105), che si guarda l'ombelico	i primi due terzi dell'episodio sono tagliati e l'apparizione, definita «a small boy», perde tutte le specificazioni del testo francese
canzone di Clov (p. 107)	X
nel monologo finale di Hamm compare la parola *égalité* (p. 110)	X
passo ispirato a *Recueillement* di Baudelaire nel monologo finale di Hamm (v. sopra)	passo «now cry in darkness» (p. 52), ispirato a T.S. Eliot (v. sopra)

Da *Fin de partie* a *Endgame* gli interventi di spicco, tra quelli evidenziati nel grafico, sono costituiti dalla qualifica di incisore aggiunta a quella di pittore per l'artista pazzo già amico di Hamm, e dalla notevole riduzione della scena dell'apparizione del bambino davanti al rifugio, in cui scompaiono i riferimenti agli occhi di Mosè morente, alla «pierre levée» e allo sguardo del bambino all'ombelico. La traduzione inglese offre inoltre l'occasione per aggiungere o rendere palesi due intertestualità di rilievo: una citazione dalla *Tempesta* di Shakespeare, di cui si è già parlato, e l'accennata allusione a *The Hollow Men* di T.S. Eliot.

Può essere ora utile, prima di procedere all'analisi del testo finale costituitosi con così lungo percorso, riassumere, in ausilio alla memoria e sinteticamente, il *montaggio globale d'arrivo* del testo nella versione inglese, ricorrendo alla scansione in 16 fasi utilizzata dallo stesso autore per la sua regia berlinese:

1. Scena mimata d'apertura, in cui Clov apre le tende delle finestre, rimuove il lenzuolo che copre i bidoni di Nagg e Nell e quello che copre Hamm sulla sua sedia a rotelle, marcando un "risveglio del mattino"; monologo di Clov «Finished ecc.» e cenno alla sua cucina.
2. Risveglio e monologo di Hamm sulla sua infelicità e sui suoi sogni, al cui termine egli chiama Clov con il fischietto; dialogo Hamm/Clov: gli occhi ciechi di Hamm, il movimento coatto di Clov che non può sedersi, il rapporto "nec tecum nec sine te" tra i due. Dialogo tra Hamm e Nagg, che ha fame. Ripresa del dialogo Hamm/Clov: sulla natura, la consunzione del tempo, ecc.
3. Dialogo Nagg/Nell: le menomazioni progressive della loro vecchiaia, il ricordo dell'incidente di tandem in cui hanno perso le gambe sulla strada di Sedan, osservazioni sui loro bidoni, e tentativi di tenerezze tra loro. Nell dichiara che nulla è più divertente, comico, dell'infelicità. Nagg ricorda la gita sul lago di Como durante la quale aveva raccontato per la prima volta a Nell la barzelletta del sarto, che quindi ripete; Hamm ordina a Clov di chiudere i bidoni.
4. Dialogo Hamm/Clov mentre Clov fa fare a Hamm il richiesto giro esplorativo per la stanza sulla sedia a rotelle. Hamm vuole essere ricollocato al centro esatto, mentre Clov sospira «Se potessi ucciderlo».
5. Hamm ordina a Clov di guardare dalle finestre, con il cannocchiale, il mare, la terra, la riva su cui il faro è stato abbattuto, il cielo grigio: «All is corpsed ecc.»

6. Passo su un ipotetico osservatore extra-terrestre della vita dei protagonisti, e scena della pulce.

7. Desiderio di Hamm di una zattera per fuggire a sud; Hamm profetizza a Clov cecità e morte e gli ricorda di avergli fatto da padre e avergli dato una casa; scena del cane di pezza non finito che Hamm si fa dare da Clov;

8. Ribellione di Clov; accusa a Hamm di aver provocato la morte di "Mamma Pegg" e passo sulla vanità delle parole (come "ieri") apprese da Hamm; ricordo di un amico pazzo di Hamm, pittore e incisore. Alla minaccia di Clov di andarsene, Hamm si accorda con lui sull'uso della sveglia perché dalla suoneria Hamm possa apprendere la partenza di Clov.

9. Mentre Clov e Nagg si rifiutano di ascoltarlo, Hamm recita con orgoglio di artista la storia che va componendo, ironicamente collocata alla vigilia di Natale.

10. Scena del topo da sterminare, scena della preghiera, ricordi di Hamm bambino da parte di Nagg e "maledizione" di Nagg al figlio.

11. Citazione della *Tempesta*; Hamm ricorre nuovamente al cane di pezza che maltratta, Clov cerca di mettere inutilmente ordine, Hamm si fa interrogare sulla sua storia da Clov, e riprende a narrarla; è verificata la morte di Nell.

12. Hamm si fa portare sotto le finestre per sentire la luce sul viso e la voce del mare, ma non sente nulla (secondo giro).

13. Clov rifiuta a Hamm un bacio e ogni contatto fisico.

14. Hamm rimpiange l'aiuto non dato ad altri in passato («All those I might have helped ecc.»); passo sulla fine in cui immagina la sua morte.

15. "Emancipazione" di Clov: egli dichiara esaurito il calmante chiesto più volte inutilmente da Hamm e appende la sveglia sul muro. Nuova osservazione dell'esterno, con gesti confusi; Hamm spiega a Clov perché gli obbedisce: considerazioni sulla «compassion» o pietà per l'altro. Hamm chiede nuovamente il cane di pezza, con cui Clov lo colpisce violentemente, recita il passo del calar della sera e pretende un'ultima osservazione dalla finestra; Clov dichiara di vedere il bambino e scena relativa. Hamm chiede un addio a Clov che vuole andarsene; passo di Clov che riflette sui valori della vita (amore, amicizia ecc.).

16. Monologo conclusivo di Hamm sulla fine, mentre Clov rientra vestito per uscire, ma si ferma immobile in un angolo.

In questa scansione, elaborata nel *Notebook* berlinese, Beckett suggerisce una struttura simmetrica e speculare del testo, con un centro costituito dalla fase 9, preceduta da due gruppi di 3 e 5 fasi e seguita da due gruppi di 4 e 3 fasi, distinti con tratti di penna in uno schema di sintesi.

La traduzione inglese di *Finale di partita* non fu facile per il suo autore, che dopo *Godot*, *Fin de partie*, *Actes sans paroles*, ha rovesciato il rapporto tra le due lingue, scrivendo il suo teatro in inglese, per poi tradurlo in francese. Nel giugno del '56, come scrive a Alan Schneider, Beckett preferisce rinviare di almeno un anno la traduzione di *Fin de partie*[79], che alla fine dell'aprile '57 non ha ancora iniziato. Confessa di temere che il testo inglese «will inevitably be a poor substitute for the original (the loss will be much greater than from the French to the English *Godot*)». Il 2 agosto, terminata la traduzione, Beckett informa per lettera George Devine di aver tagliato di una pagina e mezza la scena dell'apparizione finale del bambino, senza spiegare perché[80]. Ma traducendo in inglese i suoi testi francesi Beckett ha sempre abbreviato, omesso particolari, con una perdita media del 12% per la narrativa[81]. Anche per *Finale di partita* si è ripetuta, pur se in misura minore, la regola «Beckett omits in the English», probabilmente per una doppia pulsione a ripercorrere e insieme rigettare il testo, ripeterlo nell'impazienza e reinventarlo nella "differenza". E tuttavia in inglese non vi sono solo perdite, ma anche aggiunte: se la citazione da Eliot, sovrapponendosi a quella di Baudelaire, in pratica la sostituisce, quella dalla *Tempesta* introduce un riferimento a Shakespeare non riconoscibile precedentemente, mentre il pittore pazzo amico di Hamm diviene *anche* incisore. Come bene commenta Connor, «with Beckett as both originator and translator, the two versions of his text both have an equal claim to be "definitive"»[82]. E come le citazioni, sempre multiple in Beckett, anche i suoi testi sono dunque multipli. La traduzione è per lui rivisitazione autoriale, e questo necessarily abolishes the precedence of original over copy, since the English text is not only a "mutilation" of the original, but also in some senses, an improvement upon it, so that the French might be considered in some respects as an inferior, derived version of the English[83].

Recatosi in Germania per la regia di *Finale di partita* a Berlino nel '67, Beckett – che si è impegnato come regista a pieno titolo per sette delle sue opere: *Finale di partita*, *L'ultimo nastro di Krapp* ('69), *Giorni felici* ('71), *Aspettando Godot* ('75), *Passi* e *Quella volta* ('76), *Play* ('78) – ha proceduto, come già accennato, alla revisione della traduzione tedesca di E. Tophoven a partire dal testo inglese anziché da quello francese, usato invece dal traduttore tedesco, come anche dai traduttori italiani Fruttero e Lucentini.

La meticolosa revisione, che ha condotto l'editore Suhrkamp ad una seconda edizione tedesca nel '76, a sostituzione di quella del '57, comporta nuove modifiche anche rispetto all'edizione inglese, tanto che Ruby Cohn ha suggerito l'ipotesi di usarla come base per una nuova edizione di *Endgame*[84]. Per la regia berlinese Beckett ha infatti rimeditato il testo, componendo (come poi sempre per le sue regie) il già citato "quaderno di lavoro", ma anche correggendo e annotando la sua copia dell'edizione bilingue francese/tedesco del '57 pubblicata da Suhrkamp, poi depositata presso la Washington University di St. Louis[85]. Gli interventi, in realtà limitati, sono riduttivi, e la versione tedesca risulta la più breve delle tre. Spicca la cancellazione dell'attributo di incisore («engraver») dell'artista pazzo, tornato come nella versione francese alla sola condizione di pittore («Er malte Bilder»), ma il quadro voltato contro la parete riceve maggior risalto con un'aggiunta mimata: Clov lo lascia cadere prima di riattaccarlo alla parete insieme alla sveglia, attirando su di esso l'attenzione. Si conferma la cancellazione "inglese" degli occhi di Mosè attribuiti al bambino nella scena finale, ma viene aggiunta una risata a commento della storia di Hamm sul bambino affamato da lui non soccorso. La parola «égalité» del monologo conclusivo di Hamm in francese è sostituita con «Null zu null». Inoltre, mentre di Nagg e Nell si specifica il netto biancore del viso («Sehr weiße Gesichtsfarbe»), di Hamm e Clov non si menziona più il rosso del viso, presente invece nell'indicazione «very red face» di *Endgame*: questa precisazione viene poi soppressa dallo stesso Beckett anche in una rappresentazione di *Endgame* da lui diretta a Londra nel 1980, e la modifica viene riportata a mano, con altre, su una copia annotata dell'edizione Faber, poi depositata presso l'archivio di Reading. Beckett tuttavia non ha modificato l'edizione a stampa inglese, come aveva "imposto" per la versione tedesca.

A parte la sostituzione dei movimenti di Clov verso la porta, gli interventi principali nella regia londinese del 1980 sono tre tagli, alle pp. 25, 46 e 48. Essi cancellano: il gioco comico/metariflessivo di Clov che volge il cannocchiale verso il pubblico anziché fuori dalla finestra; un cenno a cantare di Clov, che Hamm cerca di impedire; e la scena in cui Clov cerca affannosamente e stenta a trovare il cannocchiale, mentre Hamm insiste ancora una volta sulla sua collocazione al centro. Dal manoscritto del 1950 alla regia del 1980 Beckett ha riveduto il testo per circa trent'anni!

La storia del testo è dunque lunga e "aperta". Se alcune modifiche nell'edizione tedesca sono ovviamente dettate dall'attenzione al pubblico tedesco (i biscotti «Spratt's medium» diventano ad esempio «klassische Zwieback»), e si potrebbe fare riferimento alla versione inglese come versione pilota perché scritta nella lingua nativa dell'autore e da lui utilizzata per la successiva traduzione tedesca, tuttavia la versione francese è stata lasciata immutata da Beckett, che ha continuato a vivere a Parigi. La versione tedesca è d'altra parte l'ultima in ordine cronologico, ma Beckett vi lavora con un testo trilingue sottomano: per lui i tre testi sembrano poter/dover convivere differenziati con e per la lingua. Una versione *definitiva* non è propriamente determinabile: a seconda delle questioni testuali si farà pertanto ricorso, nella fase interpretativa, all'edizione utile e/o a un confronto fra i tre testi finali firmati dall'autore, anche se la versione inglese sarà considerata tendenzialmente "prioritaria", perché cronologicamente l'ultima scritta da Beckett con piena "authorship", e non come collaboratore di un traduttore.

Ciononostante sarà sempre necessario mantenere il rinvio non solo alle tre versioni pubblicate in diverse lingue con l'apporto dell'autore, ma anche alla storia dei testi antecedenti, nella consapevolezza del *carattere aleatorio del concetto di originale* che la vicenda di *Finale di partita* suggerisce[86]. Se da I in poi lo sviluppo dei testi sembra imboccare una scelta unitaria sufficientemente coerente, pur lasciando spazio a rilevanti oscillazioni e alla riattualizzazione del testo per specifiche platee e ambiti linguistico-culturali diversi, tutta la fase antecedente di elaborazione testuale, dal manoscritto del '50 a *Avant Fin de partie*, RE, I, e ancora testi precedenti inediti (come *Eleuthería*, *Le mime du rêveur*, il testo Alice/Ernest) appare come una serie di "tagli sincronici"[87] non riconducibili a uno sviluppo lineare, o un insieme di testi "abbandonati" piuttosto che "corretti": Beckett stesso ricorre per altre opere alla dicitura «abandoned work» per certe fasi di elaborazione. Qui *l'avantesto* oscilla, sperimenta, rinviene, scarta, recupera, tenta nuovi equilibri: in questo esso esprime una storia non riassorbibile nel testo finale, ma rivelatoria e insostituibile, che al testo finale si aggiunge, arricchendone il senso con i suoi possibili. Di qui la necessità o l'utilità critica della sua esperienza, prima e durante il lavoro interpretativo di *Finale di partita*.

13. *Un'ipotesi di trasformazione: Leopardi e Beckett*

La più rilevante delle differenze nel passaggio da *Fin de partie* a *Endgame*, che anche nella versione tedesca modifica l'apparizione finale del bambino, potrebbe gettare una luce preliminare sui motivi di trasformazione del testo, insieme rinviando ad una matrice culturale che, qualunque ne sia l'incidenza, risale alla prima fase di formazione dell'artista: ad essa Beckett potrebbe aver fatto ritorno, attraverso il "filtro" dell'esperienza analitica con Bion, dopo registri più "dadaisti".

Esordendo come intellettuale nel saggio su Proust del 1930, Beckett, rispecchiando se stesso, sottolinea nell'autore francese la consapevolezza che il desiderio, anziché esaudito, vada soppresso, e definisce questa consapevolezza «comune a tutti i sapienti, da Brahma a Leopardi». A conferma, cita in italiano due versi da *A se stesso*:

> In noi di cari inganni,
> Non che la speme, il desiderio è spento.

In un articolo del 1989 sulla fortuna di Leopardi in Irlanda, John Barnes sottolinea l'interesse di Beckett per Leopardi – studiato al terzo anno di Università a Dublino – e pur riconoscendo la molteplicità delle fonti del "pessimismo" di Beckett, con particolare riferimento a Geulincx e Schopenhauer, egli ritiene significativa l'unica specifica scelta, nel saggio su Proust, del passo di Leopardi[88].

Beckett non evoca esplicitamente Leopardi altrove, ma alcuni critici hanno rilevato il suo influsso, in particolare nell'acedia che caratterizza le poesie di Beckett del 1937-39, come molti protagonisti dei suoi romanzi, da Murphy a Watt o Molloy. A *Malone muore* bene si addice, secondo M. Robinson, il famoso passo, sempre da *A se stesso*, «Al gener nostro il fato/ non donò che il morire»[89], e proprio in *Endgame* Robinson avverte echi dalle *Operette morali*, con particolare riferimento al passo finale del *Cantico del gallo silvestre*, che chiude anche l'intera raccolta:

> Tempo verrà, che esso universo, e la natura medesima, sarà spenta,[...] del mondo intero, e delle infinite vicende e calamità delle cose create, non rimarrà pure un vestigio; ma un silenzio nudo, e una quiete altissima, empieranno lo spazio immenso. Così questo arcano mirabile e spaventoso dell'esistenza universale, innanzi di essere dichiarato né inteso, si dileguerà e perderassi.

In un recente volume su Leopardi, *Il nulla e la poesia*, Emanuele Severino addita la dimensione filosofica di Leopardi pensatore, apprezzato da Schopenhauer e Nietzsche, e vi rintraccia, con un'attenta analisi dei *Pensieri* e della poesia dell'autore, un punto di svolta decisivo per la cultura occidentale. Per Nietzsche in particolare Leopardi fu una fonte più importante di quanto il rinvio leopardiano in apertura della seconda Inattuale, *Sull'utilità e il danno della storia per la vita* (1875), non lasci intuire[90]. Poeta *philosophe*, tra il 1817 e il 1837 Leopardi elabora, dissociandosi dal romanticismo, gli esiti del pensiero illuminista, e avvia quel nichilismo cui secondo Severino fa da soglia.

Centrale nella riflessione di Leopardi è la concezione della natura, evoluzione della critica illuminista, divenuta ormai "filosofia della disillusione" e della "morte di Dio", il cui trauma culturale Leopardi denuncia prima di Nietzsche. Espressa nelle *Operette morali* fin dal 1824, ad esempio nel *Dialogo della Natura e di un Islandese*, o nella *Palinodia* del 1835, si esplica nell'immagine, spesso resa con concrete personificazioni, di una natura matrigna, indifferente al destino, alle sofferenze e alla pretesa antropocentrica degli uomini. Di qui il dovere dell'artista di rifiutare i puerili inganni con cui la specie umana ama consolarsi, per affrontare con vigore intellettuale la privazione delle speranze imposta dalla natura, «mirare intrepidamente il deserto della vita», come afferma nel *Dialogo di Tristano con un amico*, senza dissimulare «nessuna parte dell'infelicità umana», accettando «tutte le conseguenze di una filosofia dolorosa ma vera». Nella *Palinodia* in particolare Leopardi oppone a certo dissennato ottimismo del suo secolo un'immagine di icastica efficacia, in cui l'essere assume i tratti di una «natura crudel, fanciullo invitto» che «il suo capriccio adempie e senza posa/ Distruggendo e formando si trastulla» (vv. 170-172). La coincidenza di queste scelte con il compito dell'artista per Beckett, come coscienza del lutto imposto dalla natura, è evidente: e se il fanciullo di *Endgame* coincidesse con il senso del «fanciullo invitto» di Leopardi, esso si adeguerebbe bene, arricchendolo, al proprio contesto, denso di probabili echi, non solo del *Cantico del gallo silvestre* citato da Robinson, ma di altre *Operette morali*, di cui rispecchia la concezione della natura.

Quest'analogia appare ancor più evidente se posta in rapporto alla genesi di *Finale di partita*: in Ohio I i protagonisti, come s'è visto, discutono della natura più ampiamente che nel testo finale, e in termini simili a quelli del dialogo dell'Islandese con la Natura. Come nello sviluppo negativo dell'utopia illuminista di Leopardi, per Hamm e Clov la natura significa la consunzione che il tempo impone a corpo e mente: nelle sintetiche parole di *Endgame*, «We lose our hair, our teeth! Our bloom! Our ideals!».

La passione per il centro di Hamm sembra a sua volta teatralizzare uno dei più efficaci dialoghi delle *Operette* leopardiane, il *Dialogo di un folletto e di uno gnomo*, dove l'antropocentrismo, avvertito come "diritto naturale" a occupare il centro nel mondo e nella natura, è irriso nel contesto di un'ipotetica estinzione del genere umano, di una fine del mondo appena compiutasi e commentata dai due protagonisti del titolo: una situazione assai simile alla scena di *Finale di partita*.

Ma a Leopardi Beckett sembra anche attingere scelte di fondo della sua poetica che per vari aspetti lo "oppongono" a Joyce; ovunque, e in particolare nella *Palinodia* come nella *Ginestra*, Leopardi disprezza il «fetido orgoglio» degli esaltatori della specie, ma anche l'autocompiacenza dell'artista, cui assegna il dovere di una lucida dianoia:

> Nobil natura è quella
> Che a sollevar s'ardisce
> Gli occhi mortali incontra
> Al comun fato, e che con franca lingua,
> Nulla al ver detraendo,
> Confessa il mal che ci fu dato in sorte,
> E il basso stato e frale. (vv. 111-117)

In questi versi sembra bene condensarsi il compito stesso dell'opera di Beckett.

Con Leopardi poi Beckett sembra condividere anche quella "oggettificazione" concreta, o "poesia dell'oggetto" che Salvatore Battaglia sottolinea nel poeta italiano, teso a insistere, nei suoi *Pensieri*, sull'arte di scegliere oggetti capaci, «per loro propria forza», di esprimere il messaggio estetico, per tal via anticipando, in opposizione al romanticismo, l'*objective correlative* di T.S. Eliot, che l'uso degli oggetti sulla scena di Beckett a sua volta riprende[91].

In questa luce, il fanciullo del finale di *Endgame* può apparire, meglio che in *Fin de partie* – dove il gioco allusivo è più complesso per i rinvii alla figura di Mosè, collegabile come si vedrà all'influsso di Duchamp – una drammatica trascrizione del rapporto dei protagonisti con la natura. In termini leopardiani, il «fanciullo invitto» rappresenta la natura inestinguibile in contrasto con il destino di distruzione dei singoli individui o mondi. Attraverso questo filtro il fanciullo di Beckett può apparire come un commento e un complemento filosofico all'atteggiamento di Hamm e Clov di fronte alla morte, che essi pretendono, nel loro *pseudos*, di estendere alla natura stessa.

Come sottolinea Severino, il «fanciullo invitto» di Leopardi rispecchia infatti la sua "scoperta", molto prima di Nietzsche, di Eraclito e del pensiero presocratico, da cui il poeta ricava una doppia definizione della natura: come forme determinate dell'essere, individui o mondi specifici, destinati a finire; e come kosmos, indeterminato, informe, continuo divenire, il «fuoco semprevivo» del frammento 30 di Eraclito, *assolutamente* perpetuo, «che con misura s'accende e con misura si spegne»[92]. Lo stesso Leopardi commenta la chiusa già citata del *Cantico del gallo silvestre* (che coincide con quella delle *Operette*), definendola «conclusione poetica, non filosofica», perché «parlando filosoficamente l'esistenza che non è cominciata non avrà mai fine»[93]. È forse anche in tal senso che *Endgame* apre con il passo «Finished, it's finished, nearly finished, it must be nearly finished», dove la fine è insieme certa e impossibile e, come nei *Pensieri* di Leopardi, la «volontà di non esistere è volontà di esistere»[94]. La volontà assoluta (la natura assoluta), vedendo la nullità dell'essere specifico, vuole non esistere, ma nemmeno la visione della verità riesce a sopprimere la volontà di esistere, che si esprime in ciò che Leopardi chiama l'illusione. Questa «contraddizione formale», questo "corrotto" coesistere di volontà di non esistere e di esistere, impedisce il suicidio. Ed essa descrive perfettamente l'incapacità al suicidio dei personaggi di Beckett.

Sottraendo al bambino di *Endgame* il riferimento a Mosè, così "depurandolo" da altre allusioni di rilievo nel testo francese, Beckett vi evidenzia quasi letteralmente la raffigurazione della «nuda natura» di Leopardi, d'altra parte invece sottolineata in *Fin de partie* dallo sguardo all'ombelico, nesso con un processo di nascita-riproduzione indifferente alla vicenda del singolo: di qui la speculare indifferenza ai bisogni degli altri di Hamm. Per Leopardi, che bene Sebastiano Timpanaro definisce interamente nella tradizione dell'illuminismo[95], la filosofia nella sua epoca non può che essere «scelleraggine ragionata»[96], immorale egoismo.

Erede del materialismo di d'Holbach come del pensiero di Voltaire e di Rousseau, Leopardi, raccogliendo la tradizione illuminista del *philosophe*, teorizza il ruolo, più complesso e superiore, del *poeta-filosofo*, un ruolo duplice: di consapevolezza della condizione umana da una parte, e dall'altra di sviluppo di una *ultra-filosofia*, capace di recuperare l'illusione, utile all'individuo nella sua attesa della fine, e fonte di quel senso sublime della "resistenza" e della solidarietà che sono espressi nell'ultima poesia di Leopardi, *La ginestra*. Se alla prima funzione del poeta-filosofo corrisponde la dianoia di Beckett, alla seconda corrisponde il futuro nodo centrale della prospettiva postmoderna.

L'iperdeterminazione del bambino di *Finale di partita* sembra dunque subire "per riduzione" spostamenti di rilievo nel passaggio dal francese all'inglese, probabilmente per attuare un "ritorno", ristabilire un dialogo con un'importante radice della poetica in atto. Citazione multipla comunque, in francese, appoggiandosi maggiormente al richiamo biblico, rinvia per suo tramite, come più oltre analizzato, a Marcel Duchamp, a James Joyce e ad altri nessi ancora; in inglese sembra invece meglio isolare il ricordo di Leopardi, modello di formazione giovanile sottostante alla concezione stessa del testo.

La critica illuminista, che oppone il naturale al sociale ma diviene in Leopardi, come s'è visto, critica alla stessa natura, non più positiva, ma paradossale – perché impone al soggetto un "naturale" desiderio di piacere e insieme l'impossibilità a realizzarlo – entra con Beckett nell'intimo dell'io, ne spezza l'unità e scopre le patologie, ne inficia la capacità gnoseologica e spalanca il problema epistemologico, sempre per uno stesso tramite: la progressiva radicalizzazione della propria logica. Se riflettendo sugli esiti del secolo dei lumi Leopardi precorre Nietzsche e il "nichilismo" desemiotizzante del Novecento (insieme già accennando a una via d'uscita), Beckett ne elabora le conseguenze, pervenendo in *Finale di partita* alle difficili soglie del postmoderno.

Note al capitolo secondo

[1] Cfr. D. Bair, *op. cit.*

[2] R. Cohn, *Just Play: Beckett's Theatre*, Princeton University Press, 1980.

[3] R.L. Admussen, *The Samuel Beckett Manuscripts, a Study*, Boston, G.K. Hall & Co., 1979.

[4] S.E. Gontarski, *The Intent of Undoing*, Bloomington, Indiana University Press, 1985, pp. 25-51.

[5] Cfr. il catalogo di Sotheby's del luglio 1973 alla voce 657.

[6] Cfr. R. Cohn, *op. cit.*, p. 173.

[7] S.E. Gontarski, *op. cit.*, p. 42.

[8] *Ibidem*, pp. 44-45.

[9] Questo manoscritto è conservato, insieme al Typescript I e III, presso la Division of Special Collections, Ohio State University Library.

[10] MS 46663, ff. 42-43.

[11] MS 1227/7/16/2.

[12] Questo film di Beckett, con Buster Keaton unico attore e regia di Alan Schneider (sceneggiatura 1963), fu girato a New York nel 1964 e proiettato per la prima volta nel 1965.

[13] Cfr. capitolo terzo, par. 3.

[14] Cfr. p. 3 del manoscritto.

[15] *Eleuthería* viene dopo *Le Kid*, ma questo testo, andato perduto, venne scritto insieme a Georges Pelorson. Di *Eleuthería* è stata pubblicata una parte su un numero speciale interamente dedicato a Beckett di «Revue d'Esthétique», 1986. Il manoscritto autografo completo è depositato presso l'Università del Texas a Austin, e una copia del dattiloscritto (qui utilizzata) è rinvenibile presso l'Archivio Beckett di Reading (MS 1227/7/4/1).

[16] Cfr. Knowlson e Pilling, *Frescoes of the Skull*, London, John Calder, 1979, pp. 23-38.

[17] Cfr. 1.1. In Aristotele e fino al I secolo a.C. il termine *eleuthería* non designa libertà psicologica, libero arbitrio, concetti allora estranei, ma solo la condizione giuridica di libero, non schiavo: il suo uso in Beckett è dunque ironico e polemico.

[18] Knowlson e Pilling, *op. cit.*, p. 35.

[19] MS 1227/7/4/1, cit., p. 115.

[20] *Ibidem*, p. 128.

[21] Knowlson e Pilling, *op. cit.*, p. 25.

[22] Cfr. D. McMillan e M. Fehsenfeld, *op. cit.*, p. 31.

[23] L. Pirandello, *L'umorismo*, in *Saggi, Poesie, Scritti varii*, Milano, Mondadori, 1965². Il protagonista di *Eleuthería* riprende un modello di identità pirandelliano. Narrativamente le sue scelte di fondo ricordano da vicino la logica di Mattia Pascal (1921) che, come poi Victor, rifiuta le due istituzioni sociali della famiglia/matrimonio e del lavoro, per evitarne le catene, la codificazione vincolante, illudendosi di vivere una libertà rivelatasi poi anche più oppressiva e nullificante. La riflessione in scena su come condurre la finzione scenica stessa, rinvia invece ai *Sei personaggi in cerca d'autore* (1921).

[24] Cfr. capitolo terzo, par. 5.

[25] I suoi interessi avevano spaziato dal cattolicesimo al protestantesimo, da Swedenborg al socialismo.

[26] Cfr. capitolo secondo, par. 2.

[27] MS 4662, di ff. 4.

[28] Cfr. la trascrizione dattiloscritta di G. Restivo presso l'Archivio di Reading. Il *Notebook* comprende un totale di 53 fogli (di cui uno staccato e uno in bianco) ed è così composto, nell'ordine: ff. 5, termini spagnoli e vari; ff. 15, testo del settembre 1950; ff. 2, su Sam Francis; ff. 1, bianco; ff. 25, manoscritto di *Avant Fin de partie*; ff. 5, vari. Dei 53 fogli, dunque, ben 40 sono dedicati alla nascita di *Finale di partita*.

[29] I mormorii sono recursivi in Beckett – compaiono ad esempio in *Molloy* e in *Mercier et Camier* – e possono essere considerati «A Beckettian convention signifying the inability of that subject to be himself» (cfr. Eric P. Levy, *"Mercier and Camier": Narration, Dante and the Couple*, in S.E. Gontarski, (a cura di), *On Beckett: Essays and Criticism*, New York, Grove Press, 1986, p. 129).

[30] Cfr. C. Lake, *No Symbols Where None Intended*, Austin, The University of Texas, 1984, p. 98.

[31] *Ibidem*.

[32] *Ibidem*.

[33] *Ibidem*, p. 99. A irrisione della censura irlandese, Beckett aveva scritto nel 1935 una breve satira, *Censorship in the Saorstat* (in S. Beckett, *Disjecta*, cit., pp. 84-88).

[34] D. McMillan, *op. cit.*, p. 152.

[35] J. Kristeva, *Le Père, l'amour, l'exil*, in «L'Herne», numero dedicato a Beckett, 1976.

[36] Federman e Fletcher, *S. Beckett: His Works and Critics, An Essay in Bibliography 1929-1967*, Berkeley, University of California Press, 1970.

[37] In D. McMillan, *op. cit.*, p. 49.

[38] S. Connor, *S. Beckett, Repetition, Theory and Text*, Oxford, Blackwell, 1988.

[39] Cfr. J. Derrida, *L'écriture et la différence*, Paris, Seuil, 1967, trad. it. *La scrittura e la differenza*, Torino, Einaudi, 1971.

[40] In G. Deleuze, *Logique du sens*, Paris, Minuit, 1969, trad. it. *Logica del senso*, Milano, Feltrinelli, 1975. La definizione degli originali è in Platone fondata nell'asserimento di un mito, il mito dell'iperuranio, dove l'anima percepisce le verità d'origine: ma il mito è un atto di invenzione poetica, che non può autofondarsi per dare origine a una distinzione tra copie legittime e copie inautentiche. Né il tempo in divenire concede al mito la stabilità in cui solo potrebbe avere senso: presente e passato, scivolando nel gioco di "mutazione continuativa" di ripetizione e differenza, svuotano l'originale, sostituendovi la migrazione della differenza. La ripetizione d'altra parte è percepibile in quanto preceduta da un originale, tuttavia irraggiungibile (infondabile), mentre ogni ripetizione, rinnovandosi, è altrettanto "originale". La presenza del senso sfugge dunque ogni volta, presenza di un'assenza, ripetizione di un'origine che non può precederla, né identificarsi con essa.

[41] Cfr. R. Rabinowitz, *The Development of S. Beckett's Fiction*, University of Illinois Press, 1984, p. 71; R. Cohn, *Just Play*, cit., p. 115; e i commenti su queste tesi di S. Connor, *op. cit.*, p. 12, convergenti con le tesi affini di Gontarski (cfr. *Molloy and the Reiterated Novel*, in *As No Other Dare Fail*, cit., pp. 57-66), che vede nella ripetizione un tipico tratto di attacco al moderno.

[42] MS 1660 di Reading, p. 38.

[43] Cfr. D. McMillan e M. Fehsenfeld, *op. cit.*, e S. Connor, *op. cit.*

[44] Cfr. anche capitolo terzo, par. 4.

[45] Sono impliciti, nel solito nesso con Duchamp, anche divertiti rinvii alchemici.

[46] Non manca ad esempio qualche commistione linguistica franco-inglese (a «le bacon» nel pezzo Ernest/Alice corrisponde «a soupe» in *Avant Fin de partie*) o un comune riferimento a una salsiccia.

[47] Cfr. S.E. Gontarski, *op. cit.*, p. 33.

[48] Le connotazioni cristologiche, che torneranno numerose in Hamm, sono tra le più persistenti di *Finale di partita*, e fanno binomio con il nucleo della preghiera.

[49] La giduglia caratterizza il personaggio di Ubu. In una lettera a G. Devine del 5 marzo '58, Beckett dichiara il suo apprezzamento per l'*Ubu* realizzato da Vild, e certamente conosceva da tempo il testo di Jarry.

[50] Cfr. D. Bair, *op. cit.*, p. 187.

[51] *Codex Manesse, Die Miniaturen der Grossen Heidelberger Liederhandschrift*, a cura di Ingo F. Walther, Frankfurt a. M., Insel Verlag, 1988.

[52] Per il testo della poesia in tedesco moderno e italiano cfr. Walther von der Vogelweide, *Canti*, scelti da G. Dolfini, trad. it. e note a cura di Maria Grazia Andreotti Saibene, Milano, Verba edizioni, 1977, p. 17.

[53] D. Bair, *op. cit.*, p. 467.

[54] Cfr. D. McMillan e M. Fehsenfeld, *op. cit.*, p. 238.

[55] *Ibidem*, p. 60.

[56] S. Unseld, *To the Utmost*, in *As No Other Dare Fail*, cit., p. 93.

[57] A. Schopenhauer, *Sämtliche Werke*, Stuttgart/Frankfurt a. M., Cotta-Insel, 1965, I, p. 368.

[58] S. Beckett, *Proust, A la recherche du temps perdu*, New York, Grove Press, 1957, pp. 70-71.

[59] *Ohio Typescript I* (qui indicato con I), pp. 25-26.

[60] Per la segmentazione di un testo teatrale ai fini dell'analisi cfr. A. Serpieri, *Ipotesi teorica di segmentazione del testo teatrale*, in Canziani, Elam *et alii*, *Come comunica il teatro: dal testo alla scena*, Milano, Il Formichiere, 1978.

[61] «James Joyce followed Flaubert in working a whole encyclopedia of English clichés into the Gertie McDowell-Nausikaa episode of *Ulysses*» (M. Esslin, *The Theatre of the Absurd*, cit., p. 338). Beckett tuttavia spesso utilizza lo stereotipo cambiandone qualche elemento per rovesciarne il senso, con intensi effetti ironici.

[62] Cfr. L. Abel, in *Il Metateatro*, Milano, Rizzoli, 1973 (I ed. ingl. 1965).

[63] Nei suoi anni di sodalizio con Joyce, Beckett seguì il farsi del *work in progress* di *Finnegans Wake*.

[64] B.R. Gluck, *Beckett and Joyce: Friendship and Fiction*, Lewisburg, Bucknell University Press, 1979, p. 156.

[65] *Ibidem*, p. 157.

[66] Cfr. capitolo quarto, par. 6 e capitolo quinto, par. 5.

[67] M. Haerdter, *Materialen zu Endspiel*, Frankfurt a. M., Suhrkamp, 1968, p. 49.

[68] Le connotazioni evangeliche dell'olio da lampada tuttavia si sovrappongono a quelle alchemiche già evidenti in *Eleuthería* e di pari "pretesa soteriologica": cfr. insieme capitolo secondo, par. 1 e capitolo secondo, par. 3.

[69] Come testimoniano *Portrait of an Artist as a Young Man*, *Dubliners* e non poche pagine di *Ulysses*. Quest'ultimo si apre con una parodia della messa recitata da Buck Mulligan, avviata con un blasfemo «Introibo ad altare Dei», che accompagna i preparativi per farsi la barba.

[70] Cfr. capitolo secondo, par. 2.

[71] D. Bair, *op. cit.*, p. 191.

[72] È questo – reso da Julia Kristeva a livello psicoanalitico-antropologico – lo stesso concetto postnietzschiano e postheideggeriano che motiva, come si vedrà oltre, la riflessione filosofica contemporanea, facendo del testo di Beckett un testo-soglia.

[73] La spiegazione dello stesso Beckett riportata da Michael Haerdter

nei *Materialen zu Endspiel* (giovedì 7 settembre) in risposta alla domanda sul mucchio di grani rinviava a Zenone: «Those are the sophist Zeno's grains, a logical test [...] What is a heap? It can't possibly exist, since one grain isn't a heap, and two aren't either: one no-heap plus one no-heap can't produce any heap, and so on, on...Ergo: the grain must be the heap.» (tradotto in inglese in D. McMillan e M. Fehsenfeld, *op. cit.*, pp. 227-8). Come nota Haerdter, Beckett, se a Berlino menziona Zenone, in una lettera lo nega. Si tratta in effetti di Sesto Empirico, come molti critici hanno riconosciuto: H. Kenner (*A Reader's Guide to Beckett*, 1973), A. e K. Hamilton (*Condemned to Life: The World of S. Beckett*, 1976), J. Fletcher e J. Spurling (*Beckett the Playwright*, 1978), S. Connor (*op. cit.*).

[74] Cfr. Platone, *Leggi* e *Timeo*. Beckett a sua volta aveva ironicamente ripreso tale tradizione in *Murphy*.

[75] Gaffa è termine tecnico marinaro, che designa un'asta di legno munita di gancio d'accosto, usata dalle imbarcazioni per attraccare. Questo strumento è "coerente" con l'ordine di Hamm a Clov di costruirgli una zattera; Hamm lo usa anche nel tentativo di rovesciare la sedia a rotelle.

[76] Il testo francese della canzone è:

Joli oiseau, quitte ta cage,
vole vers ma bien-aimée,
Niche-toi dans son corsage,
Dis-lui combien je suis emmerdé.

Cfr. anche D. McMillan e M. Fehsenfeld, *op. cit.*, p. 175, per il proverbio francese sulla fine.

[77] La citazione è stata segnalata in *Fin de partie* da Ruby Cohn: cfr. R. Cohn, *The Comic Gamut*, New Brunswick, Rutgers University Press, 1962, pp. 271 e 327. La differenza tra francese e inglese viene qui avvertita, ma solo come «attenuazione» nella versione inglese, e non come interferenza sostitutiva con Eliot.

[78] Cfr. capitolo quinto, par. 3.

[79] Cfr. S. Beckett, *Disjecta*, cit., p. 107.

[80] *Ibidem*: «The passage towards the end of the boy seen from window has been cut by about a page and a half (the way we play it here now), and Clov's song. I think it should play about an hour and twenty minutes».

[81] Cfr. S. Connor, *op. cit.*, p. 90.

[82] *Ibidem*, p. 112.

[83] *Ibidem*.

[84] R. Cohn, *Just Play*, cit., p. 238.

[85] Cfr. p. 16 del catalogo *The S. Beckett Collection at Washington*, a cura di S. Bangert, University Libraries, St. Louis, 1986.

[86] Cfr. D'A.S. Avalle, *Principi di critica testuale*, Padova, Antenore, 1972, p. 33.

[87] Cfr. C. Segre, *op. cit.*, p. 382.

[88] J. Barnes, *La fortuna di Leopardi in Irlanda*, in *Leopardi e la critica europea*, a cura di Musarra, Vanvolsem, Guglielmone Lamberti, Atti del convegno dell'Università di Lovanio 10-12 dicembre 1987, Leuven University Press e Roma, Bulzoni, 1989, p. 45.

[89] M. Robinson, *The Long Sonata of the Dead: a Study of Samuel Beckett*, London, Hart-Davis, 1969, p. 45.

[90] E. Severino, *Il nulla e la poesia*, Milano, Rizzoli, 1990, p. 20.

[91] Cfr. S. Battaglia, *L'ideologia letteraria di Giacomo Leopardi*, Napoli, Liguori, 1968, pp. 199-201. Per l'uso degli oggetti in Beckett, alieno dal simbolismo romantico, si veda R. Oliva, *Samuel Beckett prima del silenzio*, Milano, Mursia, 1967.

[92] E. Severino, *op. cit.*, p. 31.

[93] G. Leopardi, *Opere*, a cura di S. Solmi, Milano-Napoli, Ricciardi, 1956, pp. 677-78.

[94] G. Leopardi, *Pensieri di varia filosofia e di bella letteratura* (lo *Zibaldone*), Firenze, Le Monnier, 1930-32, p. 216.

[95] S. Timpanaro, *Classicismo e Neoclassicismo nell'Ottocento italiano*, Pisa, Nistri-Lischi, 1965 (cfr. in particolare «Introduzione» e «Alcune osservazioni sul pensiero del Leopardi»).

[96] G. Leopardi, *Pensieri*, cit., p. 125.

CAPITOLO TERZO

LA SELEZIONE DEL CODICE

1. *L'epoché illuminista*

La destituzione del senso, o desemiotizzazione, è tratto caratteristico di *Finale di partita* fin dal primo manoscritto del '50.

Recensendo un amico pittore, Bram van Velde, Beckett scrive nel '48 che «l'object de la représentation resiste toujours à la représentation». Alla domanda «que reste-t-il de représentable si l'essence de l'objet est de se dérober à la représentation?» Beckett risponde che compito dell'arte è esprimere appunto questa deprivazione. Van Velde appartiene ai «peintres de l'empêchement», nelle cui opere «est peint ce qui empêche de peindre»[1]. In questo senso il quadro voltato contro la parete di *Finale di partita* è soluzione estrema ma coerente del fare estetico, dichiarazione programmatica. Nella relazione tra soggetto e oggetto estetico non si danno più i frutti di un'acquisizione, ma gli esiti della difficoltà che sottrae all'io l'autorevolezza su cui fondare l'acquisizione. La desemiotizzazione beckettiana non apre nuovi spazi all'intenzionalità del soggetto, come l'epoché di Husserl, che opera a vantaggio di un rinnovato diritto all'esperienza. La cesoia di Beckett colpisce la fonte stessa dell'intenzionalità: soggetto e oggetto si sono dissolti nella loro reciproca compromissione o impedimento. Una follia quotidiana dell'indistinzione deforma giudizio ed esperienza, risucchia la cartesiana opposizione tra *res cogitans* e *res extensa.* Al soggetto non rimane altro orizzonte che quello dell'impedimento.

Alla desemiotizzazione beckettiana non si sottrae che la naturalità, iscritta nel corpo, nel corredo di mutilazioni – paresi, cecità, motilità coatta, amputazione delle gambe, perdita di denti – e nei segni respinti della generazione: il topo, la pulce, i semi messi a germinare, il bambino. E all'equazione natura=fine corrisponde un'economia del minimo, che cancella ogni "sintagma", ogni nesso con lo spazio esterno al rifugio. Attacco al legame ed estensione dell'assenza/lutto fino alla cancellazione della durata (del corpo e del soggetto), i due poli della destituzione conoscitiva descritta da Bion come –K(nowledge), sembrano coincidere con le strutture stesse della scena di Beckett.

Ma in *Finale di partita* confluiscono molteplici prospettive, in un complesso disegno, la cui coerenza sostanziale sorprende non meno della molteplicità degli elementi.

Dell'illuminismo di Leopardi si è già detto, e si è già visto il riferimento ai valori illuministi della *égalité* e *fraternité* presenti in I, prima versione completa con quattro personaggi. La *liberté*, il terzo termine della celebre triade di valori illuministi in cui si inseriscono l'*égalité* e la *fraternité*, se non appartiene alla storia delle versioni del testo, in nessuna delle quali è reperibile, appartiene tuttavia alla fase preparatoria: essa era contenuta nella "eleutheromania" di Murphy e aveva dato titolo al dramma inedito *Eleuthería*, non privo come s'è visto di affinità con *Finale di partita*. Il riferimento esplicito all'eguaglianza e alla fraternità può allora essere in prospettiva integrato con la "libertà".

Ricorrendo alla parola greca, Beckett insieme ne riduce (nega) il senso (cfr. nota 17 al cap. II), e riecheggia sia l'ellenismo di Joyce, sia la cultura classica di un autore illuminista da lui prediletto, Samuel Johnson: l'iperdeterminazione letteraria è regola costante della scrittura beckettiana.

Paradossalmente, i due valori illuministi *égalité* e *fraternité* sono funzionali al cosmo minimale di *Finale di partita* che, realizzando la più radicale espressione dei due celebri principi della rivoluzione francese, ironicamente ne ribalta gli esiti su un versante assurdo. Al rifiuto della gerarchia a favore dell'uguaglianza corrisponde infatti, evidente sopratutto in I, l'assimilazione tra A e B, padrone e servo, dominatore e dominato. Ma è proprio l'assimilazione, l'omologazione tra i due, a produrre tra loro il massimo della dipendenza e della coazione, il minimo di libertà: B non può lasciare A, non tanto per la discutibile proprietà della dispensa, quanto per eccesso di somiglianza con A, per bisogno di identità e di affabulazione speculare. La fraternità si muta allora in patto di reciproca sofferenza, gioco incrociato di doppi legami.

Ma "l'assurdizzazione" dei valori utopici dell'illuminismo non è estranea allo stesso illuminismo settecentesco, ai suoi autori più scettici, tra i quali spiccano due scrittori che hanno influito su Beckett: Nicholas de Chamfort e Samuel Johnson.

L'interesse di Beckett per Chamfort è più ampio e documentato di quanto lasciasse intuire l'articolo di Cioran del 1986[2] accennando alle massime di Chamfort tradotte da Beckett e incluse in *Collected Poems in French and English*[3] (1977).

Complessivamente le massime di Chamfort riportate o tradotte da Beckett in diverse occasioni, in un arco di tempo che va dal '57 al '77, sono una quindicina; e ad esse altre se ne potrebbero probabilmente aggiungere come oggetto di "memoria rielaborata" nei suoi testi. Una, la n. 93, è stata da Beckett utilizzata tre volte, di cui due in connessione con *Finale di partita.*

Proprio questa citazione usata per *Finale di partita* offre la prima prova dell'attenzione di Beckett per Chamfort, gran giocatore di scacchi e sarcastico osservatore dei costumi, autore a lungo trascurato a causa delle critiche di Chateaubriand e Sainte-Beuve, ma più recentemente apprezzato da Camus in un'entusiastica prefazione alle sue *Maximes, Pensèes, Caractères* nel 1944, come da Nietzsche nella *Gaia Scienza.* La prima di 50 copie di una tiratura numerata di *Finale di partita* nell'edizione Minuit del '57, conservata presso la biblioteca della Washington University di St. Louis, reca infatti, scritta di pugno da Beckett a epigrafe del dramma, sotto il titolo in occhiello, in forma di quartine, la massima 93:

> L'espoir est un charlatan
> qui nous trompe sans cesse.
> Et pour ma part je n'ai trouvé
> le bonheur que lorsque je l'ai eu
> perdue. Je mettrais volontiers

sur la porte du Paradis les vers
que le Dante a mis sur celle
de l'Enfer: Lasciate ogni speranza...

La citazione sembra riportata a memoria: essa infatti sostituisce "l'espoir" a "l'espérance", "des Enfers" a "de l'Enfer"[4].

Su questa stessa massima Beckett ritorna nel '69, traducendola in inglese e nuovamente riportandola a mano sul frontespizio di una copia di *Finale di partita*, questa volta della Grove Press (1958), con una dedica a John e Evelyn Kobler:

Hope is a fraud that fools us evermore
Which till I lost no happiness was mine
I take from Hell's and write on Heaven's door
All hope abandon ye who enter in[5].

Alla traduzione un po' libera segue tra parentesi la notazione *Apologies to Chamfort*. La stessa massima torna infine insistentemente nel '72, quando Beckett, rispondendo all'invito di mandare qualcosa alla rivista «Hermathena» dell'Università di Dublino per il numero speciale del suo centenario, offre alla sua *alma mater* una traduzione riveduta:

Hope is a knave befools us evermore,
Which till I lost no happiness was mine.
I strike from Hell's to grave on Heaven's door:
All hope abandon ye who enter in[6].

Pubblicata su «Hermathena», insieme al testo originale francese e a un breve scambio epistolare su particolari linguistici con la redazione della rivista, la traduzione di Beckett occupa una pagina intera, cui è apposto il non facile titolo di *Kottabista*. Il termine, dal greco *kottabos*=gioco del cottabo e *kottabizo*=gioco al cottabo, sembra indicare il giocatore di cottabo, un gioco greco di origine siciliana. L'adattamento linguistico italiano nella terminazione -ista appare non disdicevole rispetto al participio aoristo del verbo, *kottabisas* (colui che gioca al cottabo), anche in rapporto al commento di Nietzsche, che nella *Gaia Scienza*, con riferimento agli ascendenti materni di Chamfort, definisce lo scrittore «un italiano dello stesso sangue di Dante e Leopardi», con un accostamento certo tra i più graditi a Beckett. Il gioco del cottabo viene così definito dal Rocci:

gioco di origine siciliana consistente nel gettare con destrezza il resto del vino dalla coppa contro un vaso posto a certa distanza, e in modo da produrre un suono nel cadere; ovvero contro dei gusci nuotanti in un vaso d'acqua, in modo da farli affondare; ovvero contro un dischetto o altro oggettino, posto nella sommità di una verga, sostenuta da apposita base e avente nel mezzo una specie di piatto metallico, su cui il dischetto cadendo, colpito dal vino lanciato, doveva risonare; la riuscita del gioco pare fosse voluta come indizio di corrispondenza in amore[7].

Esso dunque suggerisce un "far risonare con il vino": con la sua citazione Beckett fa infatti risuonare un testo altrui, stabilendo una "corrispondenza d'amore", oltre che con l'*alma mater* dublinese, con un autore da lui apprezzato, a sua volta "cottabista" nei confronti di Dante, mentre la doppia "risonanza" cattura altre sottintese intertestualità.

Alla persistenza della massima 93 nella memoria di Beckett hanno probabilmente contribuito più cortocircuiti: tra Chamfort e Beckett stesso, come tra Chamfort e Dante e tra Beckett e Dante, ma anche la mediazione di Camus (che aveva isolato la massima citandola per intero nella sua prefazione) e di Nietzsche: di qui l'uso in Beckett a epigrafe della sua *pièce* teatrale preferita, per due volte a distanza di anni, in francese e in inglese, come a riconoscervi una peculiare affinità.

Ma l'interesse di Beckett per Chamfort non si ferma alla massima 93. Esso si estende anzitutto, come s'è visto, alle altre massime apparse, insieme alla 93, in *Collected Poems* nel '77, numeri 54, 79, 155, 172, 29, 113, peraltro già oggetto di pubblicazione (eccetto la 113) nel '75, sulla rivista (italiana) dell'Università di Messina «The Blue Guitar»[8], con il titolo *Long After Chamfort* e con il testo francese a fronte. Una di esse, la 172, era stata già citata in una lettera a George Reavey del 9 agosto '72. Altre 7 massime, di cui una sola tradotta in inglese, compaiono poi riportate a mano da Beckett su un cartoncino conservato presso l'Archivio Beckett di Reading[9]. Tutte sono singolarmente in sintonia con *Finale di partita*:

La plus perdue de toutes les journées est celle où l'on n'a pas ri (n. 80).

Ce que j'ai appris, je ne le sais plus. Le peu que je sais encore, je l'ai deviné (n. 336).

L'Ecriture a dit que le commencement de la sagesse était la crainte de Dieu; moi, je crois que c'est la crainte des hommes (n. 116).

In fear
Not of God
But of man
wisdom began

Il y a des redites pour l'oreille et pour l'esprit; il n'y en a point pour le coeur (n. 376).

L'enfer: l'endroit où il pue et où l'on n'aime point (n. 496).

Seule l'inutilité du premier déluge empêche Dieu d'en envoyer un second (n. 1013).

En voyant les hommes, il faut que le coeur se brise ou se bronze (n. 771).

L'importanza del riso, centrale nella poetica di Beckett, si accompagna in questa scelta di massime alla "smemoratezza", non meno tipica in Beckett, alla diffidenza per i meccanismi della psiche o «fear of man», a una definizione dell'Inferno che perfettamente corrisponde al contesto di *Finale di partita*, dove si insiste sulla puzza cadaverica di Clov come del rifugio, e sulla totale negazione di amore come condizione di fondo nel rapporto Hamm-Clov; colpisce inoltre il riferimento al diluvio e il commento finale contenuto nella massima n. 771, che bene corrisponde all'universo di Beckett. La gamma delle citazioni è complessivamente così ampia da attestare una lettura integrale del testo di Chamfort.

Personaggio peculiare, segnato dalla nascita come figlio illegittimo di una nobildonna, sempre in bilico tra il successo sociale e letterario riportato a Parigi e un disgustato rifiuto della società dell'Ancien Régime, Chamfort abbracciò con entusiasmo la causa della rivoluzione francese, scrivendo discorsi per Mirabeau e Talleyrand e coniando celebri battute come «Guerre aux châteaux et paix aux chiminières». Ma con la fase del terrore il suo spirito critico non poté astenersi dal rifiuto di Marat e dell'eccesso di violenza. La sua ironia sulla degradazione dei valori rivoluzionari si fece caustica, come nella sua "illustrazione" del nuovo senso della *fraternité*: «Sois mon frère ou je te tue»[10]. *Fraternité, liberté, égalité* divennero per lui occasione di uno scontro polemico e mortale con la realtà della storia: arrestato due volte, temendo una nuova detenzione, ricorse al suicidio, dichiarando di preferire la morte alla privazione di libertà.

L'ironia sui valori della rivoluzione francese in *Finale di partita* sembra dunque far "risonare" l'esperienza biografica e letteraria di Chamfort, da Beckett riconosciuta come s'è visto nell'epigrafe manoscritta apposta non solo all'edizione francese, che ancora evoca la rivoluzione, ma anche all'edizione inglese, in cui il residuo termine *égalité* è pur stato, per i motivi già suggeriti, cancellato. Il debito e l'intenzione di Beckett permangono, pur nell'approfondirsi di un processo di cancellazione delle tracce d'origine.

Se il Beckett dei primi racconti di *More Pricks than Kicks* esibiva citazioni con fittissima densità per pagina, vicina a quella di certi passi di *Finnegans Wake*, il Beckett di *Finale di partita*, pur ricorrendo a una molteplicità di riferimenti e intertestualità, ne cancella l'esibizione e l'immediato sapore di *collage*, per un più classico, "discreto" spaccato di cultura occidentale. Una "poetica dell'intertestualità" consente a Beckett di accostare gli esempi della *Divina Commedia*, di Joyce o Eliot, e di attraversare con la letteratura anche le arti figurative e la musica, la filosofia e la logica. Le sue principali dichiarazioni di poetica sono infatti espresse sotto forma di recensioni alla pittura di Bram van Velde e spaziano su secoli di tradizione, mentre un quaderno di appunti recentemente depositato a Reading[11] documenta la sua tipica tecnica di composizione, riportando ad esempio, con l'esplicita indicazione «FOR INTERPOLATION», passi copiati a mano in tedesco, dalla logica di Mauthner[12] o dalla *Critica della ragion pura* di Kant[13].

Tra gli scrittori, oltre a Nicholas de Chamfort, spicca un altro autore del Settecento, ma in senso più ampio anche se meno immediatamente documentabile per *Finale di partita*: l'irlandese Samuel Johnson. Per lui Beckett, negli stessi anni in cui scrive *Murphy* e si sottopone all'analisi con Bion, sembra nutrire una peculiare passione proiettiva e quasi identificazione.

Lo testimonia anche Deirdre Bair, che, nonostante qualche sovratono sottolineato da Ruby Cohn[14], coglie un reale interesse di Beckett, ampiamente attestato da tre *Notebooks* su Johnson come dalle lettere:

> Beckett takes perverse delight in listening to scholars place him squarely in the tradition of Fielding and Sterne. "They can put me wherever they want, but it's Johnson, always Johnson, who is with me. And if I follow any tradition, it is his", he replies. Johnson's life as well as his work has appealed to Beckett. Johnson had psychological problems of his own, and like Beckett, he was a late bloomer. Beckett may have identified his physical afflictions with Johnson's – i.e., his boils, with Johnson's scrofula. Most importantly, in both men there is a love of theory and abstraction, and an incredible erudition, leading at times to an astonishing similarity of style[15].

È questa passione per Johnson che presiede al già menzionato primo tentativo drammatico di Beckett, antecedente a *Eleutherìa*:

> Beckett's original idea was to write a play in four acts, called *Human Wishes*, after Johnson's poem *The Vanity of Human Wishes*. He intended to explain Johnson's esteem for "the imbecile Mr Thrale" by concentrating on Mrs Thrale's relationship to the mature Johnson, and his obsessive, unspoken love for her. At their first meeting in 1764, Johnson was fifty-five and Mrs Thrale twenty-three, married and pregnant. Mr Thrale, whom she respected but did not love, died in 1781, when she was forty and Johnson seventy-two. There followed a four-year-long flirtation between Mrs Thrale and Dr. Johnson, which ended abruptly when she married Gabriel Piozzi [...] Beckett wished to fashion a play from these few biographical details, with one act devoted to each of the four years between Thrale's death and Mrs Thrale's marriage to Piozzi[16].

Colpisce lo studio psicologico dell'amore di Johnson per Mrs Thrale, l'analisi di un lungo desiderio di anni che, di fronte all'inattesa disponibilità della donna, prima irraggiungibile, rivela d'un tratto la propria ambigua natura ormai sadomasochista. Mentre lui si tira indietro, lei, delusa, sceglie un altro. Questo mette a nudo la vera pulsione di lui, turbato non dalla perdita della donna in sé, ma dall'estinguersi di un rapporto che gli consentiva di negarsi a un desiderio di cui era oggetto. Ecco il commento dello stesso Beckett sulla situazione di Johnson in una lettera a McGreevy:

> I have been working [...] on the Johnson thing [...] It seems now quite certain that he was rather absurdly in love with her all the fifteen years he was at Streatham, though there is no text for the impotence. It becomes more interesting, the false rage to cover his retreat from her, than the real rage when he realizes that no retreat was necessary, and, beneath all, the despair of the lover with nothing to love with, and much more difficult[17].

Se D. Bair non sottolinea analogie biografiche tra Beckett e Johnson, le notizie da lei fornite altrove nello stesso testo suggeriscono qualche analogia psicologica, se non anagrafica, tra il caso Johnson e comportamenti del giovane Beckett: con la cugina Peggy Sinclair, ma anche, parzialmente, con Peggy Guggenheim.

Al di là tuttavia di eventuali parallelismi biografici, spicca l'esercizio stilistico di Beckett, che per scrivere *Human Wishes* tentò di ripetere con fedeltà filologica, rivelatasi poi impossibile, la lingua di Johnson:

> he decided to make Johnson speak only the words which were actually found in Boswell, but he could not extend this veracity to the speech of the other characters. Finally, he was unable to concentrate on eighteenth-century attitudes and conversations. He found it impossible to remove himself, with his twentieth-century sensitivities, from the manuscript. Too much irony, if not outright sarcasm, were in this play, and he did not want to impose his sensitivities on "The Great Cham"[18].

L'eccesso di ironia, se non sarcasmo, cui si allude sembra rinviare ad una radicalizzazione di quel codice illuminista che Beckett sta cercando nell'imitazione di Johnson e che da Johnson insieme lo separa. Beckett non vede nel Settecento il secolo della ragione, ma dello sviluppo di una crisi avviatasi alla fine del Seicento, dopo Galileo:

> The crisis started with the end of the seventeenth century, after Galileo. The eighteenth century has been called the century

of reason, *le siècle de la raison*. I've never understood that: they're all mad, *ils sont tous fous, ils déraisonnent*![19]

Questa valutazione coincide con la recente storiografia (v. oltre capitolo quinto, par. 5), e bene si spiega nella prospettiva elaborata dalla tipologia della cultura di Juri Lotman, in cui il codice illuminista è il codice della critica della cultura, che per sua natura spezza le formule acquisite del sapere e frammenta il quadro del mondo. Come afferma Beckett «The Encyclopedists wanted to know everything [...] But that direct relation between the self and – as the Italians say – *lo scibile*, the knowable, was already broken»[20]. Spiegando la funzione del codice illuminista rispetto agli altri codici della cultura, la teoria di Lotman consente di bene comprendere il rapporto di Beckett con l'illuminismo, un rapporto di rispecchiamento e insieme radicalizzazione.

Codice tipico delle crisi, come rileva Juri Lotman, il codice che domina nel Settecento tende a precedere e preparare *ogni* svolta culturale, in quanto introduce il concetto della convenzionalità della norma e della sua desemiotizzazione e trasgressione:

> Nei momenti di crisi storica, quando gl'istituti sociali sono screditati e l'idea stessa di società è intesa come sinonimo di oppressione, nasce un sistema di cultura caratterizzato dalla tendenza alla desemiotizzazione[21].

La teoria semiotica di Lotman si fonda su una duplice funzione del segno: una funzione di *sostituzione* della cosa o fatto e una funzione di *congiunzione*, di legame, del segno con un altro segno. Questa matrice binaria dell'utilizzo del segno dà origine a un sistema di quattro codici dominanti della cultura e delle loro combinatorie, moltiplicate all'infinito dai diversi dosaggi delle componenti. Ne scaturisce una leggibilità della produzione culturale come prodotto incrociato di *patterns* mentali e delle necessità della storia, sulla cui dinamica di sintonie, ma anche inevitabili sfasature, ha messo l'accento Cesare Segre[22].

Definito *semantico* e simbolico il rapporto di sostituzione, e *sintagmatico* quello di congiunzione, le combinatorie di base possibili sono: 1) codice semantico; 2) codice sintagmatico; 3) codice asemantico e asintagmatico; 4) codice semantico-sintagmatico.

Poiché il codice semantico, per trovare un principio d'ordine della sua semioticità, ricorre a una gerarchia, è definibile come semantico-paradigmatico. Formulati su base teorica e sincronica, i quattro codici, solitamente compresenti nei testi in combinatorie gerarchiche e quantitative variabili, corrispondono sul piano diacronico ai codici dominanti che hanno successivamente caratterizzato precise epoche storiche, rispettivamente la cultura medievale, rinascimentale, illuminista e romantica.

Il codice illuminista in particolare nega i presupposti dei due codici precedenti. Basato sulla desemiotizzazione (o asemanticità) e insieme sulla rescissione dei nessi sociali (asintagmatismo), esso è anche "aparadigmatico" – rifiuta l'ordine gerarchico – e avvalora solo ciò che permane dopo la sua "epoché" critica della convenzionalità segnica e sociale: lo stato di natura.

Demonarchizzazione, egalitarismo e perciò libertà e fraternità, non sono che portati del binomio naturalità e desemiotizzazione delle istituzioni (false perché innaturali): ma essi si avvalorano solo in una prospettiva di positività della natura. Lo stesso Lotman ha identificato nel codice illuminista due esiti polari, la cui distinzione giova a chiarire la posizione di Chamfort e Johnson nel Settecento e l'interesse per loro di Beckett.

In termini di modellizzazione spaziale il codice illuminista si costruisce in contrasto speculare con il codice medievale, che attribuisce allo spazio esterno dell'aldilà (=ES) la funzione di luogo rilevante, alto rispetto al mondo svalutato della storia (=IN): nel codice illuminista infatti lo spazio ultraterreno perde il primato su quello terreno. L'esito è duplice e non scevro di pericoli, il vuoto dell'aldilà può svuotare la storia e offrire un modello del mondo svalutato:

Per contrasto, il modello illuministico della cultura viene costruito al modo che segue: 1) ha un sottoinsieme vuoto quale ES. La concezione di tutto il mondo come mondo terreno non significa eliminazione della frontiera interna dello spazio. Il valore del mondo terreno non sarebbe avvertito così fortemente se non gli si contrapponesse il vuoto al posto del mondo esterno [...] Alla concezione del mondo esterno come sottoinsieme vuoto è connessa anche la sensazione opposta della *assurdità* di quello interno [...] 2) Il mondo terreno è inteso come valore sommo: in un modello valutativo (orientato) esso occupa la casella più alta. Essendo però unico, gli viene contrapposto il sottoinsieme vuoto del mondo di là che è "privo di valore" (infimo)[23].

Il modello alternativo dell'illuminismo evita invece il rischio dell'assurdo, stimolando la creatività utopica contro i limiti della socialità storica:

Tuttavia l'illuminismo concepisce il proprio quadro del mondo anche attraverso un altro modello culturale non più dipendente da contrasti situati fuori di esso. Si tratta di un modello costruito sull'opposizione "naturale vs artificiale", con una netta contrapposizione di IN (antropologico) in quanto naturale, morale, alto, in un modello orientato del mondo, e di ES (sociale) in quanto contronaturale, immorale e basso. Sarà caratteristico il fatto che ES, qui, si presenta come un IN travisato: esso ne costituisce l'esatta ripetizione con segno opposto[24].

Questo modello è il più tipico del Settecento: su di esso si fonda, con la progettualità utopica, la revisione del contratto sociale, l'innovazione riformistica o rivoluzionaria.

È dunque lo stesso codice che promuove la tradizione utopica e l'*Encyclopédie* da una parte e, come bene intuisce Lotman, la possibilità di un esito assurdo dall'altra, evidente ad esempio nello scetticismo e nella rottura con Rousseau di Chamfort, a causa dell'*Emile*[25], o in Johnson, in particolare nel *Rasselas* (1759).

La vicenda del *Rasselas* è infatti intreccio illuminista che "scopre" l'assurdo. Anziché approdare a un esito utopico, essa prende avvio da una condizione utopica, e i protagonisti, nel tentativo di recuperare la storia, giungono a postulare l'inazione per aver percepito assurda l'azione. Del *Rasselas*, *Finale di partita* sembra per più tratti la continuazione e la radicalizzazione.

Vincolato a vivere, con la sorella Nekayah, in un ricco palazzo (si pensi al castello un tempo di Hamm), isolato tra le montagne, il principe Rasselas passa il tempo in piacevoli ozi degni del suo rango, ma è costretto, in attesa della successione al padre, all'esclusione dal mondo storico. Il tedio della forzata inattività lo induce a fuggire, con la sorella, dal palazzo e dalla *happy valley*, per immergersi nel reale, nei suoi rischi e disagi, pur anticipati dall'amico e poeta Imlac, già esperto del mondo e ora loro guida. Ai tre si unisce, per amicizia verso Nekayah, anche la sua dama di compagnia preferita, Pekuah.

La realtà storica e le istituzioni vengono dai due principi osservate con avida attenzione. Divisi tra loro compiti e ambienti sociali, essi scandagliano il comportamento umano, di cui a lungo dibattono tra loro, per valutarne vantaggi e svantaggi al fine di scegliere poi, saggiamente, un ruolo per sé. Ma ogni esame della realtà è deludente, e anche ogni ipotesi formulata si rivela illusoria: né Rasselas né la sorella riescono a definire una funzione esente dai rischi di una degenerazione rispetto ai loro stessi ideali. Il principe sente annidarsi dentro di sé i primi segni di un'ansia smodata di potere che non farebbe di lui un buon sovrano, e Nekayah avverte privo di consistenza il suo progetto di fondare e dirigere «a college of learned women», e di provvedere all'educazione dei giovani: il vuoto dei modelli svuota la storia e insieme la misura della naturalità ideale che potrebbe rifondarla.

Ai due giovani non resta ora che tornare spontaneamente alla reclusione della *happy valley* e sancirne l'inazione: la stessa da cui si avvia *Finale di partita*.

La consapevolezza del poeta Imlac, che prevede fin dall'inizio l'esito dell'inutile ricerca, sembra confluire nello scrittore Hamm, mentre in Clov, incapace di immobilità e ansioso di fuga, traspare l'inquietudine di Rasselas. Chiusa infine nel luogo dove si apre, la favola di Johnson – scritta nello stesso anno del *Candide* di Voltaire – anticipa di *Finale di Partita* il cortocircuito tra inizio e fine, nel segno di un immobilismo che Murphy già desiderava con una parte di sé, rispecchiandosi in un paziente catatonico. I "rifiuti" di Murphy sono gli stessi di Rasselas e Nekayah: al lavoro, alla coppia, all'essere nel mondo della storia.

Spiccano inoltre diverse analogie. L'astronomo pazzo,

malato di autismo, che nel *Rasselas* scruta il cielo con i suoi strumenti, convinto di poter dettare legge alle stelle e alle nuvole, sembra contribuire al ruolo di Hamm, che in *Avant Fin de partie* vaneggia di fare l'astronomo, e nelle versioni successive sempre decide della realtà esterna, dell'assenza del sole e della luce – a lui cieco non visibili – affidando a Clov un'osservazione del cielo che confermi le sue decisioni. In I e II inoltre Clov volge sull'esterno un *télescope*: questo è in II sostituito a penna con *lunette*, il termine poi rimasto in francese (*telescope* in inglese), ma in *Avant Fin de partie* s'è visto come Hamm pensasse proprio all'astronomia.

Non manca tuttavia anche un riferimento autobiografico. Se Hamm ripete dell'astronomo in *Rasselas* la filosofia di dominio degli astri e del cielo, l'associazione cannocchiale/sedia a rotelle che investe la figura di Hamm sembra collegabile, suggerisce D. Bair, con la zia di Beckett, Cissie Sinclair[26]: costretta negli ultimi anni di vita su una sedia a rotelle da un'artrite reumatica, possedeva un cannocchiale con il quale osservava la baia di Dublino. Quando si recava a farle visita, Beckett l'accompagnava in passeggiate, spingendo la sedia come Clov con Hamm. Una combinatoria di memoria letteraria e vissuti personali ha probabilmente iperdeterminato la scrittura.

Ma in *Finale di partita* non soltanto alcuni dettagli sono riconducibili a *Rasselas*: la struttura stessa del racconto sembra far parte del testo beckettiano, come sua intertestualità sottintesa, modello di una desemiotizzazione del reale già implicito in *Murphy*.

È più specificamente la concomitanza di cinque "nodi" ad avvicinare i due intrecci – di *Rasselas* e di *Finale di partita* – così diversi per genere e registri. Comune è infatti la *logica del rifugio*: la *happy valley* di Johnson sembra ironicamente trasformarsi nel bunker dell'infelicità di Hamm e Clov, e forse anche contribuire al titolo di un'opera successiva di Beckett, *Happy Days*. Entrambi i rifugi sono connotati nel segno del padre, di cui sono proprietà: al re etiope padre di Rasselas in Johnson, corrispondono insieme il padre di Hamm, ma anche Hamm stesso, "padre adottivo" di Clov.

Il *viaggio all'esterno* che caratterizza il *Rasselas* rimane desiderio potenziale in *Finale di partita:* ma campeggia nel dialogo come oggetto di minaccia, determina la dinamica del finale, e la sospesa ipotesi della partenza di Clov svolge la stessa funzione desemiotizzante del viaggio effettivamente compiuto dai protagonisti di Johnson. Questi, a loro volta, costituiscono un duplice *binomio*, principe/poeta e principessa/amica, come duplice è il binomio dei protagonisti in Beckett (Hamm/Clov e Nagg/Nell). Ma è la prima coppia che registra tutte le affinità: Hamm cumula in sé la regalità di Rasselas e l'arte di Imlac, e esprime rapporto parentale e affettivo – sia pur perverso – con Clov, analogamente a Rasselas con Nekayah.

Comune ai due testi è anche, all'interno del codice illuminista, lo *scambio* tra soglia utopica e soglia dell'assurdo, e comune è l'ampio spazio di analisi – più esplicita e "pedagogica" in *Rasselas*, ma non meno estesa e certo più implacabile in *Finale di partita* – della *relazionalità* con l'altro e delle sue emozioni.

I prìncipi di Johnson esplorano l'istituzione matrimoniale come rapporto di coppia e universo domestico, osservano, attraverso le vicende di Pekuah – di cui si innamorano un predone arabo prima e l'astronomo poi – le contraddizioni dell'amore, sondano i legami dell'amicizia (in particolare tra Nekayah e Pekuah) e tutto il gioco delle reciproche emozioni. *Finale di partita*, a sua volta, sonda molteplici relazioni e pulsioni affettive, tra Hamm e Clov o Hamm e i suoi genitori, tra Hamm e altri (una donna che voleva dell'olio per la sua lampada, il medico di Hamm, l'uomo che chiedeva a Hamm cibo per il figlio) e infine tra i protagonisti e il bambino all'esterno. Numerose sono le battute di ironica riflessione sulle emozioni e sulla relazionalità, sull'amore o l'amicizia, sul mancato aiuto agli altri di Hamm. Poco prima della fine Clov recita, su richiesta di Hamm, le sue ultime considerazioni sui cinque valori della vita, l'amore, l'amicizia, la natura (=*beauty and order*), la scienza (indicata con *all becomes clear*), la pietà (*skilled attention*):

CLOV: (*fixed gaze, tonelessly, towards auditorium*). – They said to me, That's love, yes yes, not a doubt, now you see how –

HAMM: Articulate!
CLOV: (*as before*) – How easy it is. They said to me, That's friendship, yes yes, no question, you've found it. They said to me, Here's the place, stop, raise your head and look at all that beauty. That order! They said to me, Come now, you're not a brute beast, think upon these things and you'll see how all becomes clear. And simple! They said to me, What skilled attention they get, all these dying of their wounds. (*Endgame*: 50-51)

Entrambi i testi conducono a un blocco di quella che Johnson definisce «choice of life»: come esito finale in *Rasselas*, come postulato di inizio e fine in *Finale di partita*. Ciò che Bion definisce –L(ove) e –K(nowledge) è già implicitamente presente, e oggetto di riflessione, nel racconto di Johnson.

Sul piano psicologico, dei due rapporti del segno teorizzati da Lotman, il primo, di sostituzione o simbolico, sembra "risolvere" il problema primordiale dell'assenza: sostituendo l'oggetto, il segno, in certo senso, restituisce al soggetto che vi ricorre la sua onnipotenza, minacciata dal sottrarsi dell'oggetto o dalla sua non manipolabilità. Il celebre rocchetto, che in *Aldilà del principio di piacere* Freud interpreta come usato da un bambino per gestire l'assenza "intollerabile" della madre, sta alla madre come il segno al suo referente.

Il rapporto di congiunzione tra segno e segno sembra invece risolvere il secondo problema posto dall'assenza: il rischio della schizofrenia che Bion scorgeva nell'alternarsi di esperienze contrastanti.

Per Lotman come per Klein/Bion la conoscenza ha dunque inizio ove si colmi e sopporti la distanza o assenza dell'oggetto, e si elaborino i nessi (o sintagmi) tra le diverse esperienze che investono il soggetto.

Dei quattro codici dominanti della cultura, il codice medievale, codice della massima semanticità, della garanzia di un Modello eterno del mondo, offre un quadro stabile, sottratto all'angoscia del divenire e dell'assenza, che ordina e "contiene" tutto il mondo e il suo senso, come nella *Divina Commedia* dantesca. Il codice rinascimentale, spostando l'asse gnoseologico dall'aldilà al tempo laico e secolare, àncora il senso alla centralizzazione (o sintagma) del potere monarchico, forte e il più possibile presente e previdente; l'accento sull'effettività del potere e sulla sua autolegittimazione apre tuttavia sui rischi dell'inganno machiavellico, provocando le crisi di relazione e le dinamiche schizoidi espresse ad esempio dal principe Amleto, come da tanta letteratura barocca.

Ma il codice illuminista, negando i presupposti dei due codici precedenti, e basandosi sulla desemiotizzazione e sulla rescissione dei nessi, a differenza anche del successivo codice romantico – che con la sua filosofia dell'Idea onnipresente garantisce il divenire e "lega" tutti gli eventi – appare poco rassicurante. Né un Dio-padre, né un signore assoluto, né un'Idea-totalizzante sostengono in esso il soggetto, solo di fronte a se stesso e al reale.

Nei termini proposti dalla riflessione di Klein/Bion, il codice illuminista può essere visto come il codice che, rinunciando all'onnipotenza simbolica medievale (ancorata alla presenza onnipotente di Dio o del sovrano), sa accettare il "lutto" delle relazioni nel mondo, esprimendo quella "maturità depressiva" che secondo Bion favorisce la conoscenza. Nella sua accezione utopica l'illuminismo sembra trovare un equilibrio tra rifiuto di legami conoscitivi penosi e ricerca di legami positivi: avvalorato come "buon selvaggio", il soggetto può attaccare il legame sociale delle istituzioni repressive e insieme "fondare" la fraternità, distruggere il passato per creare la storia nuova senza derealizzare il mondo, senza chiudersi nella dimensione –L e –K. Attività critica e metariflessiva vengono anzi stimolate, insieme alla tensione dell'intenzionalità.

È quando lo sguardo si sposti sul versante assurdo menzionato da Lotman che le angosce schizo-paranoidi possono riemergere: se la progettualità utopica tace, non rimangono che una storia oppressiva da cancellare e una natura non più *container* materno positivo, fonte di ogni diritto, ma indifferente matrigna. Non è dunque casuale in Beckett la saldatura tra radicalismo assurdo illuminista e condizione psichica del soggetto. Ma la capacità metariflessiva e critica del codice permane anche in questo caso, fino a prendere le distanze dallo stesso esito assurdo.

Intesi come categorie logiche di natura sincronica, i codici individuati da Lotman si attivano nella misura in cui le condizioni storico-sociali ne consentano l'attualizzazione diacronica[27]. Ciò che Johnson esplorava scetticamente nella *Vanity of Human Wishes* o nella favola utopica di *Rasselas*, può ritornare in Beckett nel segno d'una corrispondente intensificazione dell'epoché illuminista.

Il Beckett che frequenta Duchamp, attraversa le avanguardie parigine, si contamina con Jarry, Tzara o Breton, si entusiasma per la pittura astratta dei van Velde, al tempo stesso cita come s'è visto Chamfort e Johnson, e vi fa confluire Bion con il ricordo di Leopardi.

Mai come nell'assurdo di Beckett il codice illuminista era stato così radicalmente esplorato nel secondo dei suoi possibili sbocchi.

2. *Gli occhi di Mosè*

Alla luce della logica illuminista di *Finale di partita,* si può ora tornare all'allusione – iperdeterminata – agli occhi di Mosè morente attribuiti al bambino che compare nel deserto davanti al rifugio di Hamm, con un gioco anzitutto di ironia biblica, sopravvissuta alla cancellazione della lettura dalla *Genesi.*

Semplice bambino nelle versioni in due atti (RE e I) e poi nella versione inglese, quest'apparizione è invece in III e nel testo finale francese figura duplice: di vecchio/bambino e di Mosè. La sua descrizione (da una distanza variabile, dai 200 ai 300 metri in II, ai 74 metri finali) mette in risalto anzitutto la nascita. Il bambino infatti si guarda l'ombelico ed è appoggiato alla «pierre levée»: allusione trascurata da un critico pur solitamente attento come Martin Esslin, che vede poi nello sguardo all'ombelico un richiamo al nirvana e al nulla, perché «like the Buddha, the little boy contemplates his navel»[28]. Ma per Beckett l'insegnamento di Budda non equivale alla «great emptiness» cui accenna Esslin (cfr. oltre capitolo terzo, par. 7) e il contesto è con evidenza quello biblico della Promessa, anche se non quello evangelico della

Resurrezione, come «la pierre levée» potrebbe far pensare. È per evitare quest'ultimo facile fraintendimento che Beckett ha poi tagliato nel testo inglese e tedesco l'allusione, come riportato nei *Materialen zu Endspiel*:

bei der Entdeckung am Schluss des Stückes wurde die indirekte Anspielung auf die Erwähnung der pierre levée, die schon einmal als Stein von Christi Grab missdeutet worden war, vermieden[29].

Vi è dunque un altro rinvio per la «pierre levée» connessa al bambino con gli «occhi di Mosè morente»: un nesso non casuale se, come s'è visto, Beckett ha rielaborato più volte questi dettagli, poi cancellati perché "illeggibili", ma senza rivedere l'edizione finale francese, pur utilizzata in molti paesi per le rispettive traduzioni. Quali referenti possono motivare tante complesse variazioni?

È ironicamente Hamm – che come s'è visto rimanda per più tratti a Joyce – a descrivere, sebbene cieco, lo sguardo del bambino/Mosè[30].

Mosè è riferimento di rilievo nell'*Ulisse*. Nel settimo episodio presso la redazione del giornale di Leopold Bloom il professor Mac Hugh riporta un intervento di J.F. Taylor, in cui l'Irlanda contemporanea, asservita all'Inghilterra, è paragonata al popolo d'Israele schiavo in Egitto, che Mosè seppe tuttavia liberare senza lasciarsi soggiogare dalla superiorità politica, militare, numerica e culturale degli egiziani, in sé motivo per gli ebrei di rassegnazione[31].

L'episodio è preceduto da un'allusione alla rappresentazione del maestoso *Mosè* di Michelangelo con in mano le tavole della legge. Parlando della legge, poco prima J. O'Molloy aveva infatti evocato la celebre scultura, simbolo di trasfigurazione, saggezza e forza profetica[32]. Il passo, ironicamente definito ben tornito («polished period»), è poi ripreso in una successiva citazione del *Mosè* di Michelangelo, che "correda" il discorso di Mac Hugh, in un'allusione in cui rapidamente si giustappongono il Mosè bambino (salvato dalle acque), il Mosè adulto e guerriero, e il Mosè sapiente, con la barba e le "corna", di Michelangelo:

Nile.
Child, man, effigy.
By the Nilebank the babemaries kneel, cradle of bulrushes: a man supple in combat: stonehorned, stonebearded, heart of stone[33].

Questa virtuale sovrapposizione dei "tre Mosè", bambino, adulto e vecchio, può per prima aver suggerito il Mosè bambino/vecchio di Beckett, in cui far confluire molteplici intenzionalità. Certo queste pagine dell'*Ulisse* erano particolarmente presenti a Beckett, come il titolo di un suo breve testo del 1981, *Ohio Impromptu*, rivela. Testimonianza, per dichiarazione di Beckett, del rapporto con Joyce, *Ohio Impromptu* rinvia due volte alla scena nella redazione del giornale di Bloom: *Impromptu* dà il titolo alla prima parte del discorso agli irlandesi con il richiamo a Mosè del professor Hugh, mentre il nome Ohio appariva qualche pagina prima. A sostegno dell'Irlanda umiliata dagli inglesi, il direttore del giornale per cui lavora Bloom, Myles Crawford, menziona infatti una battaglia nell'Ohio in cui soldati irlandesi, una «North Cork militia» condotta da ufficiali spagnoli, avevano vinto. Al tempo stesso il pezzo fu scritto per un invito presso l'Università dell'Ohio, anche se non fu affatto improvvisato.

Un riferimento all'Irlanda, come s'è visto, è del resto ironicamente presente nella prima versione in due atti di *Finale di partita*, dove A, nella sua collocazione spaziale nella stanza, vuole voltare «carrément le dos» all'Irlanda: probabile allusione al rapporto di odio/amore di Hamm/Joyce con la patria.

L'ironia colpiva già nell'*Ulisse* Mosè, utilizzato per il revanchismo irlandese e descritto «with a great future behind him», «con un grande futuro alle sue spalle»[34], nell'evocazione della sua morte senza aver raggiunto la terra promessa. Nel *Finnegans Wake* Mosè viene poi a coincidere con Parnell, la cui definizione come «the Irish Moses» è rafforzata anche dal nesso St. Patrick (santo protettore degli irlandesi) / Mosè[35]. I suoni del nome Mosè pervadono *Finnegans Wake*, disseminati in molteplici giochi fonici, con "Diggin Mosses", con Morse, Maurice, ma anche, e questo riconduce a *Finale di partita*, con la parola spagnola *mozo*, ragazzo, cameriere. Il *môme* francese di Beckett sembra corrispondere al *mozo* joyciano, e per questa via confermare lo sguardo di Mosè filtrato attraverso Joyce.

Né mancano parallelamente in *Finnegans Wake* le allusioni al Noè del diluvio universale, centrale come s'è visto nella "scena della Bibbia", che tanta parte ha avuto nella genesi di *Finale di partita*. Joyce identifica Noè nella famiglia Guinness, e come rileva Adeline Glasheen nel suo *Third Census of Finnegans Wake*, «any "no", now etc. may turn out to name Noah»[36]: il patriarca biblico, che non è nominato direttamente, ma che «Joyce considered to exist here», come da *Letters*, I, 248, può allora trasparire anche, ad esempio, in "Noman" inteso anche come "Noahman" e tornare più e più volte nel testo. È sintomatico del peso dell'allusione a Mosè nel *Finnegans Wake* il fatto che questa allusione appaia già tutta esplicita fin dalla quarta pagina, dove al riferimento al *Deuteronomio* si accompagna quello a "the might of moses [sic]" e all'*Exodus*, mentre poco più oltre si allude alla *Genesi*.

Tra il Mosè morente joyciano, con un grande futuro alle spalle, e il bambino con gli occhi di Mosè morente di Beckett, vi è ovvia analogia e continuità ironica. Al tempo stesso, evocando in Hamm e Clov il proprio rapporto con Joyce (più tardi ripreso nell'*Ohio Impromptu*), Beckett proietta su Hamm-Joyce l'ironia su Mosè: e come ha rovesciato il rapporto padre/figlio dell'*Ulisse*, sostituendo al padre che "adotta" un figlio, un figlio che "lascia" il padre adottivo, così rovescia in Hamm gli attributi di Mosè, in particolare quelli resi famosi dalla scultura di Michelangelo. Alla sedia-trono dalla quale Mosè sembra sul punto di levarsi, sostituisce la sedia di paralitico di Hamm, e fa subentrare la cecità al celebre sguardo di Mosè, di rimprovero per il sottinteso scenario dell'adorazione del vitello d'oro, oggetto di commento nel saggio di Freud del '14 sulla statua di Michelangelo[37]. Ma anche la barba di Mosè, così attentamente studiata nei suoi nodi da Freud, è indirettamente implicata.

Nelle due versioni in due atti, insieme a più scoperti riferimenti a Joyce (nel richiamo a "sessioni letterarie" in un bordello, allusione all'*Ulisse*, o nella menzione della «solide culture moderne» insegnata da A), compaiono anche la *barba* finta che il padrone si fa portare dal servo e i 4 ordini perentori con i quali Hamm *legifera* tirannicamente.

È significativo che nell'interpretazione di Michael Walzer[38], ripresa da Giacomo Marramao – lungo la linea delle teorie di Weber e Löwith[39] – proprio l'esodo guidato da Mosè ha alimentato, secolarizzandosi, il modello occidentale della storia, basato su un tempo lineare e sui concetti di rivoluzione e di progresso: modello diverso da quello ciclico e di ritorno esemplificato da Ulisse, che un lungo viaggio riporta ad Itaca[40]. Né è probabilmente casuale se da Freud a Joyce e Beckett, ma anche, come si vedrà, da Thomas Mann a Marcel Duchamp, il riferimento a Mosè sia ricorrente nel dibattito culturale della prima metà del Novecento.

In Beckett l'ironia sul legislatore del Sinai non sembra procedere solo dall'ironia dell'*Ulisse*, dove comunque la «pierre levée» non trova riscontro: Beckett solitamente ama incrociare le citazioni, sovrapporle, contaminarle secondo una pratica oggi considerata postmoderna. Il bambino-Mosè di *Finale di partita* sembra "attraversare", con il *Mosè* di Michelangelo/Joyce, anche il Mosè che, nel suo libro *Duchamp invisibile*, Maurizio Calvesi legge nell'*Obbligazione per la roulette di Montecarlo*[41] del 1924.

In quest'opera Duchamp include un suo ritratto fotografico ripreso da Man Ray, in cui testa e viso sono coperti da un'abbondante schiuma di sapone, che forma con i capelli due corni come sul capo del *Mosè* di Michelangelo, mentre sembra aver imposto la rasatura alla sua folta barba sapienziale. Dal sapone emergono gli occhi: per questo Calvesi addita, tra i vari sensi della lettera ebraica *kaph* – forse rinvenibile nell'immagine, secondo la lettura di Jack Burnham – quello di simbolo dello sguardo[42]. In ogni caso lo sguardo è messo in rilievo, come già nella statua di Michelangelo.

A differenza che in Joyce o Duchamp, l'ironia di Beckett tuttavia è su un Mosè-bambino ("salvatore salvato") e su un bambino/vecchio o "paedogeron". E ad un *Paedogeron* attribuito ad Albrecht Dürer e visibile al Louvre insieme alla *Gioconda* di Leonardo, fa riferimento, come possibile fonte di ispirazione per la celebre *Gioconda* con i baffi di Duchamp (1919), Calvesi, sottolineando l'analogia dell'unione di opposti. Ritratto di una testa di bambino con una lunga barba, o di fanciullo/vecchio, il *Paedogeron* è immagine simbolica di rigenerazione di ascendenza alchemica[43].

Che Beckett abbia visto il quadro al Louvre, magari sotto l'influsso di Duchamp, è molto probabile: l'immagine del Mosè-bambino di *Finale di partita* potrebbe combinare un gioco sul Mosè joyciano con un'allusione al Mosè di Duchamp e al *Paedogeron*. Sbarbato e non più sapienziale come il Mosè di Duchamp, il Mosè di Beckett presso «la pierre levée» è anche un *Paedogeron* non più simbolo alchemico-rigeneratore ma morente[44]. La «pierre levée» comincia dunque a delinearsi come ironica allusione alchemica che, mediata attraverso Duchamp, risale a Dürer.

L'accostamento bambino-vecchio con barba era del resto forse già implicito nella citazione della *Circoncisione* di Giovanni Bellini in *Murphy*, che potrebbe aver mediato la memoria del *Paedogeron* insieme ai tre Mosè sovrapposti nell'*Ulisse*. Nella *Circoncisione* di Bellini (amico di Dürer) un solenne sacerdote dalla lunga barba fluente si accosta a un tenero bambino nudo, avvicinando le stesse due immagini di contrari già fuse nel *Paedogeron*. In *Fin de partie* connotazioni infantili e senili convergono nel surreale *puer-senex* dell'ultima scena, come nel comportamento di Hamm e Nagg.

Resta da aggiungere che l'autore della statua del *Mosè* è anche il pittore del *Pentateuco* e del *Diluvio Universale*, così rilevanti nella storia di *Finale di partita*. Nella pittura di Michelangelo, nota il critico inglese Tolnay (riprendendo una tesi di Wölfflin), il diluvio sfugge alla consueta esibizione di lampi, fulmini, ondate, per esprimere piuttosto il terrore interiore delle creature[45]: l'argomento stesso d'origine di *Finale di partita*. Se al *Mosè* di Michelangelo Freud aveva dedicato il saggio del '14, alla ricostruzione della sua vicenda biblica egli dedicò altri tre saggi tra il '34 e il '38, suscitando a sua volta la diversa versione della vita di Mosè di Thomas Mann[46] nel '43. Le allusioni di Joyce e Duchamp si iscrivono agli occhi di Beckett in un ampio contesto.

Il complesso nodo di memorie letterarie, figurative e

culturali che sembra addensarsi nel richiamo a Mosè di Beckett, ricorda metodi già emersi in *Murphy*, o evidenziati da Catherine Worth, che a commento di *Not I* [47] rimanda insieme a due dipinti del Caravaggio, la *Testa di Medusa* degli Uffizi e la *Decapitazione di S. Giovanni Battista*. Su un'altra possibile intertestualità figurativa – oltre a Michelangelo e Duchamp – ancor più rilevante per la genesi di *Finale di partita* si tornerà più oltre. Per ora è opportuno soffermarsi sul peculiare ossimoro del bambino-Mosè morente e sulla scelta di ricorrervi in un punto così nodale del testo.

Lo sguardo del legislatore del Sinai – l'illuminato per eccellenza – coincide con quello di un bambino, anzi "un môme", un marmocchio, simbolo di naturalità: alla legge divina è illuministicamente subentrata la legge di natura, unica innegabile e sola superstite della desemiotizzazione. Nella sua fisicità concreta il bambino rappresenta il nuovo Mosè, né v'è altra legge che quella della sua generazione, crescita e trasformazione: di qui il suo sguardo all'ombelico, non più come in II alla montagna o alla casa-rifugio di Hamm e Clov, ironico luogo di salvezza, o equivalente della terra promessa che Mosè può vedere prima di morire.

Al rapporto privilegiato di Mosè con Dio, che a lui solo si mostrava, si sostituisce allora attraverso l'allusione all'*ombelico* il rapporto generazionale del bambino con la madre. Nelle prime pagine dell'*Ulisse* di Joyce, in bocca a Buck Mulligan, che è in compagnia di Stephen Dedalus e Haines, compare due volte la parola greca *omphalos*, ombelico e centro: con essa è designato un neopaganesimo ellenizzante da opporre alla tradizione cristiana[48].

Ma come scompaiono in II i riferimenti biblici, nella versione inglese scompare anche l'allusione a Mosè. Il senso si concentra sul bambino in sé, utilizzato non più per "falsificare" Mosè, ma il codice dell'assurdo rappresentato. Il bambino mette infatti in dubbio la desertificazione del mondo esterno – lo *pseudos* di Hamm e Clov – e provoca la rottura del quadro di riferimento.

Il nesso tra il bambino e la crisi del "patto" tra i protagonisti, già presente in I, diviene solo successivamente più chiaro con la sorpresa della tenuta da viaggio di Clov. Come s'è visto questa supera, anche per l'immediato impatto visivo in scena, l'effetto dell'allusione agli occhi di Mosè morente del fanciullo, le cui metamorfosi evolvono con quelle del ruolo conclusivo di Clov.

Se in I il ruolo del bambino fa cessare quello di B che lo recita, come già nella prima versione in due atti (RE), in II i ruoli si scindono nettamente e il fanciullo, ora autonomo, è divenuto l'altro e l'oltre, che provoca Hamm e Clov con l'ostensione di sé. In III, acquistando gli occhi di Mosè, con crescente peso scenico, il bambino recupera l'intertestualità forte della Bibbia, altrove cancellata nel testo, per divenire, nella sua enigmaticità, la sorpresa di rilievo del finale.

Ma intervenendo ancora nell'ultima versione francese per descrivere la tenuta da viaggio di Clov, Beckett sposta nuovamente il baricentro della scena: le contraddizioni sono ora due, gli occhi del bambino e i vestiti di Clov, e l'attenzione deve dividersi tra loro. Clov si presenta d'un tratto con un cappello panama, un impermeabile e un ombrello: quanto basta per creare un forte effetto di dissonanza cognitiva[49]. Lo spettatore è costretto a dedurre che fuori, contro tutte le negazioni esibite in scena, vi devono essere il sole (da cui proteggersi con il cappello), la pioggia e le normali vicissitudini meteorologiche. Ma allora vi sono anche il normale paesaggio, il verde, l'azzurro del mare e del cielo, non il grigio e il deserto. Il patto tra Hamm e Clov è solo ora, a ritroso, propriamente definibile falso e demenziale, come già suggerito dal riferimento all'amico pazzo di Hamm.

Il Clov che silenzioso e così vestito osserva infine Hamm è una "statua di verità" muta, il cui gesto non significa tanto partenza, reale o fittizia, ma l'ultima mossa della partita a scacchi in atto, possibile nel segno di un bambino che lui dichiara di vedere e che solo lui può vedere. L'errore di Hamm, che opponendosi all'uccisione della creatura ha così ammesso la possibilità della vita fuori dal rifugio, consente a Clov di trasformare il momento in soglia critica, oltre la quale si spezza l'equilibrio assurdo all'interno del rifugio.

Lo scarto nel ruolo finale di Clov è dunque significativo: esso indica la raggiunta consapevolezza della funzione del personaggio e insieme compie il senso illuminista dell'apparizione del Paedogeron. Quest'ultima, nel nuovo equilibrio testuale, non è più soltanto citazione joyciana o figurativa, come in *Murphy* il bambino di Bellini, né solo espressione della natura di Leopardi o della volontà di essere di Schopenhauer, affine al senso del topo o della pulce, e perciò come il topo o la pulce rifiutabile e sopprimibile.

Essa diviene, mediante il rispecchiamento del suo senso nei gesti di Clov, assurdizzazione dell'assurdo, proposizione teorica e filosofica sulla rappresentabilità del mondo. Per questo *Endgame* semplifica l'immagine, "sacrificando" Duchamp e Joyce, e isola il fanciullo invitto di Leopardi, ora divenuto "limen", luogo di commutazione tra i due versanti – assurdo e utopico – del codice illuminista, aprendo per questa via alla fase postmoderna del Novecento.

3. *Lo humour di Duchamp*

A Marcel Duchamp *Finale di partita* non rinvia solo per il riferimento agli scacchi e il possibile nesso con «gli occhi di Mosè» evocati nel testo finale francese. Dell'influsso di Duchamp sul dramma rileva D. Bair:

> An Irish writer of Beckett's generation, a friend for many years who has had innumerable theoretical and philosophical discussions with him, feels certain that any interpretation of *Fin de partie* must begin with the influence of Marcel Duchamp, the artist "who wrote little and spoke less", and was also a formidable chess expert[50].

La poetica dada era largamente condivisa da Eugene Jolas e dalla sua rivista «transition», che mostravano invece qualche riserva per il surrealismo. In *Die Geburt des Dada* (1956) Huelsenbeck, descrivendo il movimento nato a Zurigo nel 1916, ne sottolineava un duplice aspetto, comico/clownesco ma anche esistenziale, e lo definiva frutto di una grande "pietà", indicando il suo più profondo significato nella sofferenza[51]: una definizione non priva di punti di contatto con la poetica di Beckett.

In un articolo su Beckett e Duchamp, Jessica Prinz ha accomunato i due artisti per il riferimento a un corpo umano divenuto macchina inefficiente, che si autodistrugge[52]: tratto ben evidente nelle mutilazioni corporee dei protagonisti di *Finale di partita*. Ma è sopratutto sul piano dello humour che Duchamp ha influito sull'inedito assurdo di Beckett.

Nella sua *Antologia* dello humour nero André Breton non manca di includere Marcel Duchamp, con una serie di frasi tipiche dell'intelligenza dell'artista, che Breton ritiene metta in gioco «tutta l'iniziazione profonda al modo di sentire più moderno», di cui lo humour si presenta «come la condizione implicita»[53].

Citando Freud, Breton sottolinea la presenza nello humour, come nello "spiritoso" e nel comico, di qualcosa di liberatorio ma anche, in più, di qualcosa di sublime e di elevato. In esso si produce un surplus, effetto del «trionfo del narcisismo», della «invulnerabilità dell'io che si afferma vittorioso» [...] «L'io rifiuta di lasciarsi scalfire, di lasciarsi imporre la sofferenza dalla realtà esterna, si rifiuta di ammettere che i traumi del mondo esterno possano toccarlo; anzi dimostra che questi stessi traumi possono diventare per lui occasioni di piacere». Da Freud Breton cita un esempio significativo: quello di un condannato a morte che, trascinato al patibolo di lunedì, esclama «Ecco una settimana che comincia bene!»[54]. Lo humour nero si qualifica così come dominio sul dolore, trasformazione del suo dispendio psichico in piacere e investimento intellettuale.

Duchamp non era privo di interessi letterari, anzi aspirava all'abbinamento di testo figurativo e testo verbale. Il *Grande Vetro*, la sua opera maggiore, doveva essere accompagnato da un "corredo letterario" o commento: di qui le note che lo descrivono con ardite metafore poetiche[55]. Lo scambio intellettuale iniziato negli anni '30 tra Duchamp e Beckett non era dunque motivato solo dai vivi interessi figurativi di Beckett ma, reciprocamente, da quelli letterari di Duchamp, integrati dalla comune passione per gli scacchi.

L'interesse di Duchamp per gli scacchi non venne mai meno: per lui questo gioco era un'attività artistica, e una partita assomigliava a un disegno a penna reso dalla sua astrattezza intellettuale «simile a uno spartito musicale», come sottolinea A. Schwarz[56], la cui bellezza si avvicina a quella della poesia. Se non tutti gli artisti sono giocatori di scacchi, per Duchamp tutti i giocatori di scacchi sono artisti, e la mente dell'artista può rivaleggiare con la mente scientifica e matematica, producendo una "bellezza di precisione" attenta alle combinatorie. Nel saggio di scacchistica già menzionato, *Opposition et les cases conjuguées sont réconciliées*, i finali di partita che interessano Duchamp e il coautore Halberstadt sono quelli, rarissimi, in cui, rimasti solo i due re con alcuni pedoni, questi ultimi sono bloccati e solo i re possono giocare, con peculiare sincronizzazione, attentamente analizzata.

Le analogie di questa "poetica degli scacchi" prediletta da Duchamp con le scelte a lungo rielaborate del "finale di partita" di Beckett sono evidenti. Nagg e Nell, immobilizzati nei bidoni, potrebbero essere i pedoni bloccati, Hamm il re nero (cieco) e Clov il re bianco, che marca il giorno risvegliando Hamm ad apertura di scena e esordendo con il primo monologo (il bianco apre la partita), e chiude il gioco con la finta partenza, dopo la "mossa" del bambino apparso all'esterno.

La lotta con l'altro che alimenta la poetica degli scacchi è inoltre per Duchamp come per Beckett tutt'uno con "l'indifferenza redentrice" dello humour nero, metodo di scontro tra due narcisismi vincolati alla scacchiera con uno stesso rischio di perdita o caduta, gli stessi traumi di una lotta "regale". Tecnica e abilità possono promuovere uno spettacolo intensificato di colpi e di sfide, che un controllo reciproco può far perdurare fino allo stallo studiato da Duchamp e Halberstadt: lo stallo o chiusura di partita consente, come lo humour nero, un'invulnerabilità, un rifiuto della sconfitta, lo scacco alla morte anziché della morte.

Vi può dunque essere uno humour nero degli scacchi come modello di relazione a due. Nei rapporti tra due soggetti, una strategia degli effetti psichici, delle cariche patetiche, può organizzare il flusso dei traumi reciprocamente inflitti – o i loro segni – usandoli come mosse. Lo scambio può divenire calcolo di sadomasochismi "recitati secondo le regole" –

come implicano le battute che in *Finale di partita* rinviano con il verbo *play* al gioco[57] – duplice pena e duplice resistenza, arte umoristica e retorica della sofferenza.

Orientato dal titolo al quadro psichico della fase più drammatica e conclusiva di una partita a scacchi, ma senza che nel testo compaia alcun diretto riferimento a una scacchiera, il lettore o spettatore di *Finale di partita* è invitato a cogliere nelle battute una tecnica della relazione e una sfida delle formule in apparente contrasto con il tono da *gag* comica usato dai protagonisti. Comico, caduta, regalità dell'io, gli ingredienti che Breton combina nella sua ricetta black humour, sono evocati in Beckett: ma alla vittoria del piacere e del risparmio di cui parla Breton sembra sostituirsi la peculiare emozione che accompagnava la partita a scacchi di Murphy con Endon.

Controllo delle combinatorie – da Endon espresse anche nell'uso di un campanello[58] – e regola della procrastinazione erano la norma di partite prolungate per non finire e non sentire, ovvero, come per Breton o Duchamp, per risparmiare sconfitta e dolore mediante un'abilità. Ma Murphy e Hamm, per dichiarazione dello stesso autore, infine cedono, giocano male e perdono. In *Murphy* sono elencate tutte le mosse dell'ultima partita con Endon e il commento sugli errori di Murphy è chiaro. Su Hamm come "bad player" insistono le indicazioni di Beckett all'attore che recitava Hamm nella messa in scena di *Finale di partita* nel 1967 a Berlino:

> Hamm is a king in this chess game lost from the start. From the start he knows he is making loud senseless moves. That he will make no progress at all with the gaff. Now at the last he makes a few senseless moves as only a bad player would. A good one would have given up long ago. He is only trying to delay the inevitable end. Each of his gestures is one of the last useless moves which put off the end. He's a bad player[59].

In Beckett non vi è dunque né invincibilità, né l'orgoglio di essa. Ma un profondo bisogno di anestesia avvicina i suoi protagonisti alla filosofia della resistenza di Duchamp, per volgersi poi in patologica aspirazione alla catatonia: colto e intellettuale come Hamm, Murphy era sintomaticamente attratto dagli scacchi e dall'indifferenza di Endon, ma anche da un paziente catatonico, Mr Clarke, di cui ripeteva lo sguardo. Murphy muore, e Hamm chiude il dramma tornando all'immobilità, ma *dopo* che l'apparizione del bambino ne ha falsificato gli assunti. Allo *spettatore* viene così rinviata una funzione critica e un senso della resistenza che il testo gli ha infine comunicato.

Insieme alle tecniche del gioco emerge nella partita a scacchi anche un'altra componente connessa alle regole stesse del gioco: il tempo, che una foto di Duchamp, inclusa da Alexander Liberman nel suo volume *Gli artisti nel loro studio*, bene mette in evidenza[60]. Due mani, nervose e tese, si protendono sulle pedine di una scacchiera appoggiata su un tavolo. Accanto, il quadrante tondo di un orologio, marcato da grandi numeri, correda la scacchiera professionale e segna le dodici. Al polso della mano sinistra un altro orologio ripete l'allusione alla misura del tempo. È con due sole immagini in bianco e nero – la scacchiera, con forti contrasti e ombre allungate, e un primo piano dell'artista sullo sfondo del *Grande vetro* – che Duchamp viene rappresentato nel volume.

I due binomi, humour nero - scacchiera e scacchi - misura del tempo, accomunano Duchamp e *Finale di partita*. L'apparente facile gioco comico, casuale o *nonsense*, nel chiuso universo domestico di Beckett, rivela all'analisi un ininterrotto gioco di dominio, colpi e trame per aggiudicarsi la partita. La posta è una stasi/fine, variante radicale della *happy valley* di Johnson.

Lo scambio dialogico ripete ovunque la formula di una conversione del bisogno e del dolore in arma, per definire una relazione di superiorità – *one-up*[61] – con l'altro, come qualche esempio può chiarire.

La scena in cui Hamm riceve da Clov un cane di pezza, da lui intensamente desiderato ma non ancora finito – ha solo tre zampe e non si regge in piedi, gli mancano il sesso e il nastro richiesti – esprime pulsioni affettive e mosse verbali che spostano il dominio da Clov a Hamm e nuovamente da Hamm a Clov, con effetti di rapida sottrazione, come nell'eliminazione dei pezzi sulla scacchiera:

HAMM: Is my dog ready?
CLOV: He lacks a leg.
HAMM: Is he silky?
CLOV: He's a kind of Pomeranian.
HAMM: Go and get him.
CLOV: He lacks a leg.
HAMM: Go and get him! (*Exit Clov*) We're getting on.
Enter Clov holding by one of its three legs a black toy dog.
CLOV: Your dogs are here. *He hands the dog to Hamm, who feels it, fondles it.*
HAMM: He's white, isn't he?
CLOV: Nearly.
HAMM: What do you mean, nearly? Is he white or isn't he?
CLOV: He isn't.
HAMM: You've forgotten the sex.
CLOV: (*vexed*) But he isn't finished. The sex goes on at the end. *Pause.*
HAMM: You haven't put on his ribbon.
CLOV: (*angrily*) But he isn't finished, I tell you! First you finish your dog and then you put on his ribbon!
Pause.
HAMM: Can he stand?
CLOV: I don't know.
HAMM: Try. (*He hands the dog to Clov who places it on the ground*). Well?
CLOV: Wait!
He squats down and tries to get the dog to stand on its three legs, fails, lets it go. The dog falls on its side.
HAMM: (*impatiently*) Well?
CLOV: He's standing.
HAMM: (*groping for the dog*). Where? Where is he?
Clov holds up the dog in a standing position.
CLOV: There.
He takes Hamm's hand and guides it towards the dog's head
HAMM: (*his hand on the dog's head*). Is he gazing at me?
CLOV: Yes.
HAMM: (*proudly*) As if he were asking me to take him for a walk?
CLOV: If you like.
HAMM: (*as before*). – Or as if he were begging me for a bone. (*He withdraws his hand*) Leave him like that, standing there imploring me.
Clov straightens up. The dog falls on its side.
CLOV: I'll leave you. (*Endgame*: 30-31)[62]

L'effetto comico, anzi lo humour nero, si costruisce con evidenza su una duplice contraddizione. Perversamente diverse rispetto alle richieste di Hamm, le caratteristiche del cane di pezza fatto da Clov alimentano, nel divario tra realtà e pietà, il pathos e il riso suscitati dall'impossibile compiacenza delle risposte di Clov al cieco Hamm. Ma, giunto al culmine, il gioco delle cariche affettive così instaurato s'inverte: quando Clov, reggendo il cane in piedi, consente a Hamm di accarezzarlo, Hamm ritrae la mano e ingiunge al cane di soffrire, negandogli, nella simulazione delle sue fantasie, l'ipotetico oggetto di desiderio, una passeggiata o un osso. Sferzato nella sua offerta di pietà, Clov recede con una secca minaccia di abbandono. Nella duplice distanza tra realtà e pietà, pietà e sadismo, qui facilmente commutabili, si sostanzia l'intensità psichica di un gioco apparentemente sciocco e infantile: Hamm ha usato il cane per costruirsi una gratificazione sadica con cui recuperare il primato su Clov, mentre Clov ritorna dalla pietà al sadismo per battere il gioco *one-up* di Hamm. Una stessa dipendenza emotiva, uno stesso rifiuto della dipendenza, costringono Hamm e Clov al peculiare humour della loro interazione.

Sostituito a pedine, cavalli, alfieri, torri e regine, che nello scambio di colpi su una scacchiera conducono gli attacchi e le difese dei due re, il cane di pezza ripete della scacchiera i due colori; nero nella realtà, Hamm lo vorrebbe bianco, il colore che nel gioco ha diritto alla prima mossa e in un torneo viene assegnato al vincitore della partita precedente.

Tutto il dramma di Beckett si costruisce secondo una logica di strategie sadomasochiste, o attacchi al reciproco legame, e esiti comici, in una competizione di lucida resistenza ai traumi che il contesto o il partner infliggono. Disperazione e dolore fisico e psichico divengono strumenti di un continuo duello verbale, e producono insieme l'amara autocoscienza, nel testo, del *riso dianoetico* teorizzato da Beckett in *Watt*[63] e la risata silenziosa, da liberatoria distanza, con cui il pubblico può accogliere una sottile barzelletta[64]. Ma lo scambio tra i due protagonisti si traduce in paradossi e desemiotizzazione, generando l'effetto assurdo, come in queste battute:

HAMM: I'll give you nothing more to eat.
CLOV: Then we'll die.
HAMM: I'll give you just enough to keep you from dying. You'll be hungry all the time.
CLOV: Then we shan't die. (*Pause*) I'll go and get the sheet.
He goes towards the door
HAMM: No! (*Clov halts*) I'll give you one biscuit per day. (*Pause*) One and a half. (*Pause*) Why do you stay with me?
CLOV: Why do you keep me?
HAMM: There's no one else.
CLOV: There's nowhere else.
Pause.
HAMM: You're leaving me all the same.
CLOV: I'm trying.
HAMM: You don't love me.
CLOV: No.
HAMM: You loved me once.
CLOV: Once!
HAMM: I've made you suffer too much. (*Pause*) Haven't I?
CLOV: It's not that.
HAMM: (*shocked*) I haven't made you suffer too much?
CLOV: Yes!
HAMM: (*relieved*). Ah you gave me a fright! (*Pause. Coldly*) Forgive me. (*Pause. Louder*) I said, Forgive me. (*Endgame*: 14)

Angoscia, fame, bisogno di comunicare, frustrazione sistematica del desiderio di amore, malattia e mutilazione forniscono la materia prima a una vetrina di virtuosismi umoristici in cui l'errore da paventare può semmai essere una carenza di sofferenza: Hamm appare raccapricciato all'idea di un momentaneo dubbio sull'insufficiente sofferenza da lui inflitta a Clov. L'unica intensa attività consentita nel rifugio ai due sopravvissuti a un'ipotetica catastrofe è, per l'appunto, l'elaborazione della loro peculiare partita a scacchi, supremo esercizio di "conversione psichica", che entrambi praticano con forza direttamente proporzionale alla costrizione del loro rapporto. La partita è ulteriormente estesa ai due genitori di Hamm, umoristicamente rinchiusi – come s'è visto con probabile allusione al loro ruolo di *containers* psichici del figlio, teorizzato da Bion – in due bidoni per la spazzatura.

4. *La scena di Dürer*

Giocattolo kleiniano, sul quale simulare e trasferire il modello di relazione e i reciproci attacchi al legame tra Hamm e Clov, il cane di pezza consente un risparmio o piacere umoristico ai due "giocatori" in scena, e più ancora al lettore/spettatore. Ma l'immagine del cane esprime più che la soluzione ludica di un nodo psichico: in essa sembrano confluire molteplici intenzionalità.

Un enigmatico nesso tra Clov e il cane si insinua fin dalla prima scena del dramma. Nel monologo con cui esordisce, Hamm proclama un primato di infelicità, così confrontandosi con i possibili concorrenti:

> Can there be misery – (*he yawns*) – loftier than mine? No doubt. Formerly. But now? (*Pause*) My father? (*Pause*) My mother? (*Pause*) My...dog? (*Pause*) Oh I am willing to believe they suffer as much as such creatures can suffer. But does that mean their sufferings equal mine? No doubt. (*Pause*) No, all is a – (*he yawns*) –bsolute, (*proudly*) the bigger a man is the fuller he is (*Pause. Gloomily*) And the emptier. (*Endgame*: 12)

Dopo il padre e la madre, al posto di Clov viene menzionato a sorpresa un cane. Nei punti di sospensione – «My...dog?» – una pausa sottolinea l'eccentrica sostituzione, che solo più tardi può essere connessa con il cane di pezza, opera di Clov e oggetto di desiderio di Hamm. La frase di Hamm sorprende perché l'immediata economia della scena non sembra giustificarla. Accanto ai genitori di Hamm, collocati nei bidoni, non compare alcun cane, mentre Clov, che ha avuto la parola prima di Hamm, è singolarmente assente nell'elenco del padrone, a meno che non coincida appunto con il cane. Una conferma viene dalla scena in cui Clov dà a Hamm il cane di pezza esclamando «Your dogs are here»; e Clov si riferisce alla sua nascita usando il verbo *whelp*, mentre Hamm è solito chiamarlo a colpi di fischietto. Come regista del *Finale di partita* del '67 a Berlino, Beckett stesso insistette su un parallelismo anche gestuale, o "effetto-eco", tra Clov e il cane[65]. Non si tratta tanto di un'ironica analogia che rafforzi il sopruso di dominio padrone/servo: Clov più che essere "trattato come un cane", è un cane, in una specifica accezione che sussume in sé un'intera tradizione simbolica. Il suo stesso nome sembra implicarlo, rinviando a un complesso gioco di *puns* e allusioni.

In un articolo apparso nel '74 su «Comparative Drama», *Noah. Not I and Beckett's "Incomprehensible Sublime"*, Enoch Brater individua l'origine della figura dell'Auditor di *Not I* nella tradizione ebraica del *nephilim*, usata, come altri riferimenti a testi sacri, «in the manner of Jarry». Nello stesso articolo Brater sottolinea anche i rapporti tra *Finale di partita* e la Bibbia, riconducendo il nome di Hamm a Ham, uno dei tre figli di Noè e padre di Canaan. Sorpreso il padre ubriaco e nudo, Ham lo spia e irride, e Noè lo maledice con tutta la sua stirpe: la mancanza di rispetto di Hamm per il padre Nagg ripeterebbe quella di Ham nella Bibbia, e la maledizione con cui Nagg ricambia il figlio echeggerebbe quella di Noè. Ma anche il nome di Clov, conclude Brater, ha un'origine ebraica:

> The consonants of his name – Hebrew *kof*, *lamed*, *vet* – form *kelev*, Hebrew word for dog[66].

Per Brater dunque il nome Clov equivale a cane in ebraico. E anche in *Happy Days* egli rinviene «Hebrew-English puns».

Un racconto di Beckett, pubblicato sul numero 27 di «transition», reca un titolo yiddish, *Ooftish*, il cui equivalente inglese è «lay it on the table». Inoltre D. Bair ricorda nella sua biografia la passione nel '29 del ventitreenne Beckett per la cugina Peggy Sinclair, di padre ebreo e con una vivace propensione per i giochi verbali poliglotti: «she could tell jokes in several languages, and playing word games and flirting during piano duets were her standard behaviour»[67]. Di Peggy è fortemente memore *Krapp's Last Tape*, scritto nel '58, l'anno dopo la pubblicazione di *Finale di partita*.

La regola di Murphy «in principio era il *pun*» era una costante, per i nomi, di M. Duchamp, che da essa derivò anche lo pseudonimo con cui firmare le sue opere: Rose o Rrose Sélavy, nome femminile che fonicamente rimanda a «rose c'est la vie» o «(a)rrosé est la vie» e, insieme, ad altre spiegazioni alternative[68].

Sulla consuetudine di giochi di parole nei nomi in Beckett richiama l'attenzione già nel '62 Ruby Cohn, che in *Finale di partita* avverte una peculiare intensità nella tecnica di connessione tra elementi disparati. A esempio delle procedure di Beckett, Cohn analizza un breve acrostico del '32, scritto per il cinquantesimo compleanno di Joyce, e pubblicato nel '34 sulla rivista americana «Contempo», i cui riflessi "si allungano" fino a *Finale di partita* e possono spiegare alcune implicazioni nel rapporto Hamm/Clov.

Il titolo, *Home Olga* (*A casa Olga*) letteralmente riprende il grido con cui un irlandese lasciava la compagnia in un locale pubblico, riferendosi alla moglie, ma è in realtà, secondo Ruby Cohn, un *pun* per *Homo Logos*, Uomo-Parola o Uomo-Verbo, dove il Verbo e l'Uomo-Cristo ironicamente coincidono con James Joyce, sul cui nome si basano le dieci righe dell'acrostico. Commenta Cohn:

> Joyce himself viewed reality as a paradigm, and he conceived the function of the artist-maker as an obligation to recognize coincidences in time, space, and significance – a coincidence frequently compressed in the pun[69].

Sul *pun* Olga/Logos Beckett torna in *Eleuthería*, dove Victor, pur recedendo dal suo rifiuto degli altri in nome della libertà, si nega alla fidanzata Olga Skunk, il cui nome equivale a Logos, e insieme all'ordine "normale" della famiglia e della società.

Ma dell'ironia su Joyce-Logos compaiono segni anche in *Finale di partita*, mediati dal Vangelo di Giovanni, fonte di continue allusioni:

> Puns on Verbe or Logos appear in *Endgame*, but in the opening chapter of the Gospel of St. John, it is also written that «the Word was made flesh», and the grossest, most palpable flesh is the mammalian ham. Hamm of *Endgame* is the word made flesh, while still retaining his control over the word. Like Christ, like Joyce, Hamm is a Word-Man[70].

Come già da altri indizi, Hamm può "stare per" Joyce, ma Joyce nell'acrostico di Beckett è un Cristo artefice del Logos, che in *Finale di partita* è anche, secondo Cohn, Parola-Carne-Prosciutto. A giocare la partita con lui – Logos o Carne – gli sta di fronte (affamato) il "cane Clov". Ma al di là di questa probabile ironia le implicazioni si rivelano più complesse ed ampie.

Anche nella mente di Murphy c'era un cane: la prima delle tre zone della sua psiche, zona delle "reazioni parallele" alla realtà, in cui le esperienze negative venivano rovesciate in positive, era definita come il "luogo del cane", «a radiant abstract of the dog's life»[71].

Inoltre il Lucky di *En attendant Godot*, sempre in piedi, è "tenuto al guinzaglio" da Pozzo: una fune legata al collo lo vincola a un padrone che di Hamm anticipa non poche caratteristiche, inclusa la cecità. Ma se "il cane Clov" può richiamare Murphy come Lucky, e Hamm il Joyce-Cristo-Logos di *Home Olga* come il Pozzo di *Godot*, *Finale di partita* sembra innestare sui precedenti riferimenti iconici e concettuali nuove valenze e "trasparenze".

L'allusione al cane, che Clov esprime nel nome, nel ruolo e nel giocattolo di pezza che in parte lo sostituisce nel rapporto con Hamm, rinvia infatti a un animale associato, in una lunga tradizione figurativa e letteraria, alla melanconia, perché soggetto per la sua intelligenza, più di altri animali, spiega Erwin Panofsky, alla pazzia o alla desolazione[72].

Una scelta enigmatica di oggetti, che può apparire casuale, colloca la significazione del cane di *Finale di partita* in quello che un'attenta analisi rivela scenario della melanconia, citazione di una celebre figurazione che il quadro volto verso la parete ironicamente sembra additare-celare.

Sulla scena di *Finale di partita* spiccano una scala, su cui Clov sale per le osservazioni dalla finestra con un cannocchiale, una sveglia, che viene appesa al muro, un quadro rivolto verso la parete, il fischietto con cui Hamm chiama Clov dalla cucina, nella versione francese peculiarmente descritta come scatola cubica di m. 3 × 3 × 3. E spicca la pervicacia di Hamm che, pur cieco e immobile sulla sedia a rotelle, esige con maniacale precisione di mantenere il centro della sua stanza e di controllarne confini interni e realtà esterna.

Come lo humour del dialogo non è improvvisato, anche il gioco iconico degli oggetti non risponde a un'accidentale assunzione di immagini incongruenti (questo del resto non sembra accadere secondo Calvesi nemmeno per il dadaista-surrealista Duchamp). Esso suggerisce piuttosto la logica di un rebus, la cui chiave, celata nel quadro voltato contro la parete, rinvia a un'immagine precisa e alla sua sintassi simbolica: sintassi di un trauma saturnino, di un narcisismo offeso, e della condizione specifica dell'artista, che Hamm simula copiosamente. Un cortocircuito con la tradizione cinquecentesca della melanconia, in particolare con la sua più celebre rappresentazione figurativa, sembra alimentare la scena beckettiana e le sue implicazioni psico-simboliche. Pur senza identificare specifici rinvii iconici, bene intuisce il nesso con la melanconia già Aldo Tagliaferri:

> nel teatro di Beckett agiscono le categorie paradigmatiche del teatro barocco illustrate da Benjamin, non solo per l'importanza che vi assumono l'elaborazione del lutto e la malinconia contemplativa, ma anche perché in Beckett si ripropone il paradosso, tipicamente barocco, per cui la denuncia dell'insufficienza della parola esalta infine la parola come unica via per poter nominare ciò che, come il Tao di Lao-tzu, non ha nome e può vivere solo nella denuncia della sua assenza[73].

Ma questo nesso sembra andare al di là di una generica memoria dei regimi emotivi e retorici della melanconia barocca.

La *Melencolia I* di Albrecht Dürer (1514) attinge, secondo Erwin Panofsky, a una duplice tradizione. Da una parte la teoria dei quattro umori fondamentali fornisce la tipologia dei quattro temperamenti umani di base, che comprendono, accanto al collerico, al flegmatico e al sanguigno, il melanconico. La bile nera (*mélaina colê*) che determina tale carattere, causa al suo grado sommo la pazzia e comporta solitamente un atteggiamento di cupa inerzia o "acedia". Una rappresentazione tipica del melanconico, citata da Panofsky, raffigura ad esempio un avaro vecchio e triste che, «appoggiato a un armadietto chiuso a chiave, il cui ripiano è coperto di monete, reclina la testa sulla mano destra, mentre con la sinistra afferra la borsa che pende dalla sua cintura»[74]. Alla cintura della figura femminile nella *Melencolia* di Dürer si trova per l'appunto una borsa, e con essa un mazzo di chiavi, che denotano potere e ricchezza.

L'iconografia del temperamento melanconico include però in Dürer due personaggi, di cui uno posto in evidenza in primo piano, caratterizzato da un'inazione non più frutto di pigrizia o di intempestivo sonno, come nella tradizione antecedente, ma di una «paralisi del pensiero»[75].

È l'intersezione tra la figurazione melanconica e la formula iconografica della "geometria", una delle sette arti liberali, a produrre l'innovazione. Ai simboli dell'acedia si uniscono in Dürer i segni della scienza e della tecnica: ne scaturiscono una melanconia intellettualizzata e una geometria esposta alle emozioni, una "disperazione dotata" o "melancholia artificialis", che coniuga pazzia e genio, intelligenza e desolazione, suggerendo quella che Dürer stesso chiama *Gewalt*, potere-maestria dell'artista di ingegno. Di qui il singolare e complesso sistema iconografico della *Melencolia I*, a epigrafe della quale Panofsky cita una frase sorprendentemente beckettiana di Dürer: «La menzogna è nella nostra intelligenza, e l'oscurità è così fermamente radicata nella nostra mente che anche la nostra affannosa ricerca fallirà»[76].

Questa frase bene sintetizza anche il patto di desemiotizzazione di Hamm e Clov in *Finale di partita*. Ma essa esprime insieme l'antitesi di quel Logos che in *Home Olga* Beckett attribuisce a Joyce-Cristo. Nel Cristo anche Dürer si era identificato nel suo *Autoritratto* del 1500, conservato nella Alte Pinakothek di Monaco, città in cui Duchamp visse e dipinse nel 1912-13, e visitata dallo stesso Beckett, che probabilmente proprio qui compone nel '36, come sottolinea R. Cohn, il primo *Notebook* su Johnson per *Human Wishes*. Nei *Notebooks* l'interesse (e identificazione) per la melanconia di Johnson spinge Beckett a dedicare 8 pagine ai sintomi delle malattie psico-somatiche di Johnson[77] e a citare parecchie pagine di George Birbeck Hill (curatore della *Vita* di Johnson di Boswell), che paragonano la melanconia di Johnson a quella più famosa del poeta William Cowper, soggetto a crisi di follia e di disperazione, con le quali lottò per tutta la vita, e oggetto di un celebre ritratto di George Romney. R. Cohn giunge ad associare *Human Wishes* alla celebre *Ana-*

tomia della melanconia di Burton (che Johnson apprezzava) «for there is melancholy in the partial scene», anche se la superficie del testo è comica, avvertendo insieme in *Human Wishes*, nella cecità di Mrs Williams, anticipazioni di Hamm in *Endgame*[78]. A un Joyce artista e Cristo/Logos, Beckett forse sottilmente oppone un'autoidentificazione con Dürer/ Cristo, nel segno di una desemiotizzazione melanconica.

S'è già visto come la prima angosciata versione tronca di *Finale di partita* nel settembre del '50 fosse stata scritta da Beckett a pochi giorni dalla morte della madre: parallelamente per la *Melencolia*, come riferisce Panofsky, «si è avanzata l'ipotesi che il suo carattere tetro rifletta il dolore di Dürer per la morte della madre, avvenuta il 16 maggio 1514». E nello stesso anno, Dürer aveva già fatto un ritratto della vecchia madre due mesi prima della morte, rappresentandola con uno strabismo che, nelle parole sempre di Panofsky, «ricorda la Paolina di Shakespeare, con un occhio basso per la perdita del marito, un altro sollevato perché l'oracolo era stato compiuto»[79].

Se il contesto e la concezione della "melanconia d'artista" descritti dal critico nella biografia di Dürer bene si addicono a Beckett, è il particolare della citazione dal *Winter's Tale* di Shakespeare a colpire e proporsi come prova che di questo saggio di Panofsky Beckett si avvalse durante la composizione di *Finale di partita*: si è infatti già rilevato come in *Avant Fin de partie* si narri di un incidente della madre del protagonista X/Hamm, definito stranamente «conte d'hiver», cioè «winter's tale». Nel contesto il particolare è privo di riferimenti, ma alla luce del passo citato della biografia di Dürer diviene significativo: Beckett sta facendo, come Dürer nel 1514, il "ritratto" della madre, nel segno – che solo l'associazione di Panofsky sembra aver potuto suggerire – dell'opera shakespeariana. Nella versione finale il nesso è scomparso, ma Hamm colloca alla vigilia di Natale la vicenda del racconto che narra.

E come Dürer, dopo la "prova intermedia" del ritratto della madre, si accinge alla *Melencolia*, anche Beckett prosegue da *Avant Fin de partie* a *Fin de partie*: per compiere a sua volta quell'autoritratto spirituale nel segno della "melanconia d'artista" che è per Panofsky la *Melencolia* di Dürer.

Nell'*Introduzione* al suo saggio Panofsky ricorda come tra gli artisti italiani il solo che accolse Dürer da amico nel suo secondo viaggio in Italia, fu Giovanni Bellini: e Bellini è anche l'unico pittore che il melanconico Murphy evoca come antidoto alla sua crisi finale. Pur scettico su un'eccessiva incidenza della figura materna sulla *Melencolia*, Panofsky riferisce inoltre dell'ipotesi di un nesso tra i numeri del quadrato magico nell'incisione e la data di morte della madre di Dürer (16 maggio 1514), e anche di questo Beckett sembra, come si vedrà, essersi ricordato, sia pure con un gioco di "spostamento" sulla propria data di nascita. La biografia di Panofsky – pubblicata in inglese dalla Princeton University Press nel 1943 e riedita nel 1955, ma anche preceduta da un saggio sulla *Melencolia* di Panofsky e Saxl nel 1923 – sembra essersi posta tra le fonti di ispirazione per il *Finale di partita* di Beckett, probabilmente curioso di destini artistici analoghi al suo.

L'interesse per la melanconia era del resto già evidente nel primo Beckett. In Belacqua Shuah, protagonista dei racconti di *More Pricks than Kicks* (1934), omonimo della figura che Dante colloca nell'antipurgatorio e ironicamente insofferente della *Divina Commedia*, Beckett aveva già evocato il ritratto di un accidioso saturnino, poi ripreso e accentuato in *Murphy*, nel suo protagonista come nella schizofrenia saturnina di Endon o nella catatonia di Clarke, un altro paziente dell'ospedale. Tra i numerosissimi richiami figurativi inseriti nei racconti, Beckett già citava un «Dürer cartoon»[80]. Anche per Murphy Beckett pensa ad un equivalente grafico della sua mente: Murphy scorge dalla sua finestra nel cielo, in un tratto di galassia, «a system that seemed the superfluous *cartoon* of his own» (*Murphy*: 130), e in *Finale di partita* suggerisce un equivalente grafico con il quadro rivolto contro la parete. Permane l'associazione – dai racconti al romanzo al teatro – tra personaggio melanconico (Belacqua, Murphy, o Hamm/Clov) e suo corrispettivo grafico. In Dürer, nella celebre incisione della *Melencolia*, Beckett può bene aver rinvenuto per *Finale di partita* la stessa scena che da tempo ossessionava i suoi personaggi e che già aveva evocato, nella storia del testo, il topos melanconico di Walther, immerso a riflettere sul paradosso della vita: immagine di lucida crisi o "follia" di artista in cui riconoscersi.

Una figura femminile alata, accovacciata come per non rialzarsi presto[81], con il capo su una mano e un compasso nell'altra, dal viso cupo e contratto, domina l'incisione di Dürer. Un putto con una tavoletta, un cane raggomitolato su se stesso e un pipistrello che reca il cartiglio con la scritta *Melencolia I*, completano le presenze animate. Sul muro di un edificio, dietro la figura femminile, sono appese una clessidra, una bilancia, una campanella, compaiono un quadrato magico e una meridiana, ed è appoggiata una scala. Arnesi per scrivere e da lavoro, tre solidi geometrici e una macina, saturano lo spazio in primo piano, mentre sullo sfondo si delineano un paesaggio terra-mare al crepuscolo e un cielo solcato da una meteora e un arcobaleno. Sul capo della donna alata un serto di foglie – ranuncoli d'acqua e crescioni – connota, secondo Panofsky, superiorità o regalità, e insieme raffigura un antidoto contro la malinconia.

L'accumulo di elementi paralleli sulla scena di *Finale di partita* non può essere casuale. Alla donna immersa in melanconica accidia e con in mano un compasso corrisponde la centralità della figura di paralisi di Hamm, già signore in passato di un castello, il cui "regale" cappello rigido può corrispondere al serto sul capo della donna alata di Dürer. Il bambino che compare alla fine davanti al rifugio, appoggiato alla «pierre levée», ha, come il putto di Dürer, a sua volta appoggiato su una pietra da macina in piedi, lo sguardo diretto verso il basso: forse verso l'ombelico, afferma Clov, e il foro centrale della macina in Dürer può suggerire appunto un ombelico.

Il riferimento da qualcuno suggerito[82], per questa figura, al Belacqua dantesco in *Purgatorio* IV – oggetto di rappresentazione del Botticelli nella *Commedia* da lui illustrata, particolarmente apprezzata da Beckett in una lettera del '58 a McGreevey[83] – non sembra sufficiente a giustificare l'immagine di *Finale di partita*: Belacqua non è un bambino, la sua posizione all'ombra di «un gran petrone», con altre persone, non sembra suggerire «la pierre levée» e il modo in cui egli si abbraccia le ginocchia copre l'ombelico:

E un di lor, che mi sembiava lasso,
sedeva e abbracciava le ginocchia,
tenendo il viso giù tra esse basso
(vv. 106-108)

Belacqua non può quindi aver originato il bambino descritto da Clov: ma, come accennato, rinvia alla stessa tradizione melanconica dell'incisione di Dürer. Sapegno ad esempio così commenta questi versi:

Nello stesso atteggiamento è ritratta l'Accidia, in uno dei sonetti di Fazio degli Uberti sui peccati capitali: «per gran tristizia abbraccio le ginocchia, E il mento su per esse se trastulla»[84].

"Equivalente" alla figurazione di Dürer, il Belacqua di Dante/Botticelli potrebbe aver contribuito a suggerire a Beckett la costellazione iconografica della melanconia, che il riferimento a Walther sembrava suggerire nella seconda versione in due atti del dramma. Nella miniatura-ritratto del trovatore tedesco nel *Codex Manesse* la posizione del poeta con la testa appoggiata al braccio è anzi la stessa della donna nella *Melencolia* di Dürer.

La permanenza di quest'immagine di poesia e *spleen* si estende del resto in Beckett fino al suo ultimo testo, *Stirrings Still*, dove Walther riaffiora nella mente del protagonista che, come Hamm, "non vede", non tanto perché cieco ma perché ha cessato, se non di vedere, di guardare: «in the end he ceased if not to see to look (about him or more closely)». Sboccando, come il paralitico Hamm, in un'immobilità che è ansia gnoseologica, ricerca del pensiero, egli "entra" nettamente in una figurazione melanconica e quasi catatonica:

to this end for want of a stone on which to sit like Walther and cross his legs the best he could do was stop dead and stand stock still which after a moment of hesitation he did and of course sink his head as one deep in meditation which after another moment of hesitation he did also. (*Stirrings Still*, «The Guardian», Venerdì 3 marzo 1989)

Questo personaggio che tenta invano in un campo d'erba di trovare la sua pietra come Walther, per sedersi a riflettere, ha anche poco prima rievocato un amico morto, Arthur Darley. Questo nome, di un medico amico di Beckett che lavorò con lui a Saint-Lô durante la seconda guerra mondiale, rinvia a sua volta all'Arthur menzionato in *Avant Fin de partie*, nella già commentata battuta sui nomi di X, disposto ad accettarli tutti «sauf Arthur». L'elaborazione di questo lutto sembra dunque affiancarsi a quello per la madre nella genesi della più importante opera di teatro di Beckett, vicenda di fine, per poi tornare nell'ultimo breve ma intensissimo testo di Beckett, lucido testamento poetico della sua stessa personale vicenda di fine. La costellazione di figurazioni melanconiche, dal Belacqua di Botticelli al Walther del *Codex Manesse* – presente in I e ancora in II, dove tuttavia è già cancellato a penna[85] – alla *Melencolia* di Dürer (i cui riscontri figurativi in *Finale di partita* investono l'intera scena), è dunque centrale nell'elaborazione del lutto che motiva l'opera di Beckett.

Se la versione inglese di *Finale di partita*, cancellando il riferimento all'ombelico del bambino e i particolari nella descrizione della pietra cui si appoggia (parallelamente alla menzione di Mosè), ha semplificato il gioco di allusioni, questo è stato *mantenuto* nel testo francese, dove il rimando analogico rispetto alla *Melencolia I* "copre" quasi tutti i dettagli dell'iconografia scenica di *Finale di partita*. Nella versione inglese il parallelismo è di poco attenuato, ma anche compensato con l'aggiunta del termine "incisore" per il pittore pazzo amico di Hamm.

Al cane di Dürer accovacciato con tre zampe in vista, corrisponde il cane di pezza di Clov, che non sta in piedi perché ha tre sole zampe. E, come un cane, Clov ha persino le pulci. Alle chiavi e alla borsa della *Melencolia* corrispondono le chiavi della dispensa e la condizione di padrone di Hamm, avaro come nella tradizione saturnina con l'unico bene rimasto, il cibo.

Il pipistrello della stampa suggerisce imbrunire e rovine, e il paesaggio di Beckett è un uniforme crepuscolo grigio, né vi mancano le rovine di un faro descritte da Clov. La clessidra sovrastata dalla meridiana è sostituita dalla sveglia, il campanello dal fischietto con cui Hamm chiama Clov; alla bilancia e alle figure geometriche che in Dürer suggeriscono la "passione della misura" corrispondono le osservazioni, col «telescope» o cannocchiale marino di Clov, che rinviano all'astronomia, tipicamente connessa al carattere saturnino-melanconico. Hamm dà inoltre le misure di temperatura, umidità, forza del vento (al termometro, igrometro, anemometro) della giornata descritta nella sua storia, secondo una modalità che si potrebbe definire saturnina, se è vero, come ricorda Panofsky, che «Saturno presiedeva anche alle misurazioni e quantità delle cose e in particolare alla suddivisione della terra». Ma questa suddivisione era «il significato originario della parola greca *geometria* e non è sorprendente incontrare molti manoscritti quattrocenteschi in cui agli attributi rustici di Saturno è aggiunto un compasso»[86].

Se la scala appoggiata all'edificio rimanda immediatamente alla scala usata da Clov, il compasso nella mano della donna seduta può trovare rispondenza nell'ostinata passione della "misura del centro" di Hamm, da Beckett accentuata nell'ultima versione francese e in inglese:

HAMM: Am I right in the center?
CLOV: I'll measure it.
HAMM: More or less! More or less!
CLOV: (*moving chair slightly*). There!
HAMM: I'm more or less in the centre?
CLOV: I'd say so.
HAMM: You'd say so! Put me right in the centre!
CLOV: I'll go and get the tape.
HAMM: Roughly! Roughly! (*Clov moves chair slightly*) Bang in the centre!
CLOV: There!
Pause.
HAMM: I feel a little too far to the left. (*Clov moves chair slightly*) Now I feel a little too far to the right. (*Clov moves chair slightly*) I feel a little too far forward (*Clov moves chair slightly*) Now I feel a little too far back. (*Clov moves chair slightly*) Don't stay there (*i.e. behind the chair*), you give me the shivers.
Clov returns to his place beside the chair. (*Endgame*: 23-24)

Agli arnesi per scrivere esibiti nell'incisione corrisponde

la passione della scrittura di Hamm. Agli arnesi da lavoro – sega, pinza, martello, chiodi, ecc. – fanno invece eco le attività artigianali, da carpentiere, che Hamm richiede a Clov, intimandogli di costruire una zattera. E in una delle ipotesi di R. Cohn, Hamm e Clov si opporrebbero tra loro anche come martello (*hammer*) e chiodo (*clou* in francese)[87].

A quello che Panofsky legge come clistere può corrispondere in *Finale di partita* il catetere per orinare usato da Clov per Hamm; e il quadrato magico che compare su un muro nella *Melencolia* di Dürer, "mensula Jovis" e, secondo una tradizione seguita da Ficino, antidoto, con la protezione di Giove, contro l'influsso negativo di Saturno, può anticipare nella forma la "scacchiera dello humour nero" di Beckett: esso è basato su 16 numeri e caselle, come 16 sono i quadrati bianchi e 16 quelli neri nel gioco degli scacchi. Ma esso potrebbe anche investire l'intera struttura di *Finale di partita*, che E. Jacquart vede basata sulla quaternità, e su una vasta memoria composita di pitagorismo, gnosticismo, kabala e tradizioni cristiane e esoteriche[88]. Implicazioni alchemiche spiegherebbero d'altra parte, secondo Calvesi, il sistema simbolico della *Melencolia*.

Anche il disordine degli oggetti che circondano la donna di Dürer – sottolineato da vari critici come Wölfflin o Panofsky – sembra rispecchiarsi nel disordine degli oggetti in *Finale di partita*, cui Clov cerca ansioso di rimediare: ma subito dopo aver raccolto le cose sparse in terra, egli riceve da Hamm l'ingiunzione di lasciar cadere tutto sul pavimento.

La *Melencolia I* di Dürer è stata spesso associata dall'autore al suo *San Girolamo nello studio*, dello stesso anno. Più volte vendute insieme dall'artista[89] e per più tratti speculari, le due incisioni offrono un binomio contrastivo: all'operosa serenità nello studio del santo, traduttore in latino della Bibbia, corrispondono la saturnina acedia e il disordine della *Melencolia I*. Nell'analisi dei due ambienti Panofsky sottolinea opposizioni e parallelismi e rileva la comune presenza del cane: al cane di Pomerania del *San Girolamo* corrisponde il cane addormentato della *Melencolia*, definito come «il suo discendente»[90].

In *Finale di partita* il cane di pezza confezionato da Clov è appunto un volpino di Pomerania, nella versione francese indicato come «le genre loulou», e nella versione inglese come «a kind of Pomeranian».

La Bibbia sul leggio, al cui studio il *San Girolamo* di Dürer è probabilmente intento, compare, come s'è visto, nella versione in 2 atti di *Finale di partita*, con riferimento al diluvio universale: questo può bene rinviare a Saturno, «considerato responsabile delle inondazioni e delle alte maree». Dürer, ricorda ancora Panofsky, «si è rappresentato anche da giovane nell'atteggiamento del pensatore visionario melanconico», ed era stato un giorno terrorizzato dal sogno di un'inondazione «che lo sconvolse talmente con la sua "velocità, il vento e il rombo" che, come egli disse, "tutto il mio corpo tremava e non tornai in me per lungo tempo"»[91].

Un possibile cortocircuito biografico può aver alimentato la presenza in *Finale di partita* sia del *San Girolamo*, nel suo tratto dominante – la Bibbia – che del sistema figurativo della *Melencolia*, nel comune segno di una distruzione del mondo, inizialmente intesa come diluvio universale.

È nello spazio già coperto dalla lettura della Bibbia che subentra in II (prima stesura in atto unico) il ricordo dell'artista pazzo amico di Hamm, definito dapprima pittore e nella versione inglese come s'è visto «painter – and engraver», «pittore – e incisore», con una duplice identificazione, sottolineata dall'accorgimento grafico del trattino e dall'iterazione dell'affermazione, che bene corrisponderebbe alla duplice attività artistica di Albrecht Dürer. Se nella versione tedesca di *Finale di partita* il termine «engraver» è invece cancellato, parallelamente il cane diviene un *pudel*, un barboncino inteso, come riferito da Tophoven, a suggerire piuttosto il cane di Schopenhauer, più noto al pubblico tedesco. Ma proprio l'allusione a Schopenhauer conferma che questo è il luogo di una citazione: il cane non è un semplice cane.

Né manca continuità tra la melanconia di Dürer e la filosofia "saturnina" di Schopenhauer, che può sostituire ma anche integrare il gioco allusivo: Beckett, si sa, non ama esplicite e univoche identificazioni. Nel caso della «pierre levée» del bambino, di difficile leggibilità, fraintesa dalla critica e anch'essa connessa con la *Melencolia*, Beckett aveva già operato il taglio di un intero passo nel testo inglese; nella soppressione in tedesco del termine «engraver» possono aver giocato anche problemi fonici di traduzione. Si accompagna comunque parallela, durante la regia berlinese di Beckett, un'accentuata attenzione al gioco dei numeri, così rilevante per la *Melencolia*, di cui si discuterà più oltre.

Riassumendo i parallelismi tra le due incisioni di Dürer e *Fin de partie*, appare evidente che essi investono il sistema semantico portante del testo di Beckett:

San Girolamo	*Fin de partie*
Bibbia	Bibbia (nelle due versioni in due atti, poi residui)
cane di Pomerania	cane di Pomerania
Melencolia I	*Fin de partie*
figura centrale alata, seduta "per non rialzarsi presto", incoronata da serto di foglie, con un compasso in mano, un mazzo di chiavi e una borsa di denaro	figura centrale regale di un paralitico su una sedia a rotelle, incoronato da cappello rigido, ossessionato dall'ansia del centro, detentore delle chiavi della dispensa e padrone del rifugio
figura di un putto con lo sguardo volto in basso, seduto su una macina di pietra in piedi	figura di un bambino davanti al rifugio, con lo sguardo volto in basso e appoggiato a una pietra in piedi
cane accovacciato, con tre zampe visibili	cane di pezza con solo tre zampe, connesso a Clov anche nel nome
scala appoggiata a un muro, clessidra appesa al muro e meridiana, bilancia, quadrato magico, campanella con corda, solidi geometrici	scala di Clov, sveglia appesa a un muro, misurazioni ossessive, scacchiera implicita nel titolo, fischietto di Hamm, attaccato con corda
arnesi da lavoro (da carpentiere)	ordine di Hamm a Clov di allestire una zattera

paesaggio di sfondo terra-mare, pipistrello crepuscolare, da rovine	paesaggio terra-mare, crepuscolo costante, rovine del faro
disordine degli oggetti	disordine degli oggetti

È significativo che alla centralità dell'inerte figura melanconica di Dürer corrisponda in Beckett la situazione di "catatonia sperimentale" individuata da Segre nell'*Atto senza parole*, un testo scritto durante la composizione di *Finale di partita*[92]. Tra Hamm e Clov si instaura il pathos umoristico della sfida tra due re "saturnini", in cui la trasparenza di due celebri incisioni del Cinquecento si fonde con lo humour nero di Duchamp, secondo quel regime delle coincidenze che Duchamp teorizzava a base della sua tecnica umoristica.

5. *Numerologie e coincidenze*

Il quadrato magico che compare nella *Melencolia I* di Dürer non sembrerebbe rivelare una precisa corrispondenza sulla scena di *Finale di partita*, se non nell'accennata analogia con la scacchiera e le sue regole combinatorie. Ma proprio in esso emergono due serie di notevoli coincidenze che suggeriscono una probabile identificazione di Beckett con il Dürer della *Melencolia*, attraverso un altro rinvio all'*Introduzione* della biografia di Panofsky e all'ipotesi riportatavi di un nesso tra l'incisione e la morte – il 16 maggio 1514 – della madre dell'artista: ai cui elementi numerici – 16, 5, 15, 14 – corrisponde il quadrato magico di 16 celle, con file di quattro numeri, che danno come somma 34 (5+15+14)». Beckett sembra essersene ricordato con un doppio rovesciamento rispetto a Dürer: da una data di morte della madre a una data di nascita del figlio "artista melanconico".

Suddiviso in un numero di caselle 4 × 4, secondo la versione di Luca Pacioli, il quadrato di Dürer, costituito con i numeri da 1 a 16, esprime una somma costante di 34 se letto in tutte le direzioni, dall'alto al basso, da destra a sinistra o in diagonale:

16	3	2	13
5	10	11	8
9	6	7	12
4	15	14	1

Ai quattro angoli, in particolare, si oppongono, letti in diagonale, i numeri 13, 4, 16, 1.

Sulla propria nascita Samuel Beckett ha "giocato" con strane notizie. Contro i dati anagrafici ufficiali che indicano la data del 13 maggio 1906, lo scrittore ha curiosamente insistito di essere nato il 13 aprile dello stesso anno, di venerdì santo. Lo spostamento di un mese in sé sembra essere stato suggerito, rileva D. Bair, da un'usanza irlandese del tempo. La nascita di un bambino veniva registrata solo dopo la sopravvivenza di un mese; anche la nascita di Beckett venne registrata il 14 giugno[93]. Approfittando di quest'usanza, e insinuando un ritardo di due mesi anziché di uno da parte dei genitori, Beckett ha dunque alimentato una leggenda sulla sua nascita, ma le motivazioni sono rimaste ignote.

S. Gontarski ha scorto nella data 13 aprile 1906 un possibile riferimento al «606 anniversary of Dante's descent into Hell»[94], e la citazione da Chamfort apposta a epigrafe di *Finale di partita*, culminando nel dantesco «Lasciate ogni speranza», potrebbe avvalorare l'ipotesi. Ma la peculiare matematizzazione cui Beckett ricorre in *Finale di partita* suggerisce un più complesso gioco, forse riflesso parodico di un gusto non ignoto a Duchamp come a Dürer.

Appassionato di scacchi e inventore di una speciale roulette che impediva di vincere come di perdere, Duchamp amava sperimentare «the secret truth of numbers, applied to games»[95]. Leggendo le date riportate da Duchamp su *Obbligazione per la roulette di Montecarlo* – che come s'è visto può aver suggerito lo sguardo di Mosè del bambino di *Finale di partita* – Calvesi ne chiarisce la legge della somma costante dei numeri (qui 9) come «legge cabalistica del tipo di quella riassunta nel quadrato magico di Dürer»:

Ogni obbligazione, per un totale di trenta, è «remboursable au pair en trois ans par tirages artificielles à partir du 1er Mars 1925 (Loi du 29 juillet 1881)». Ora la data 1-3-1925, letta cabalisticamente (1+3+1+9+2+5=21, cioè 2+1=3) dà il magico tre, che moltiplicato per il numero degli anni che è ancora tre, dà nove, il numero non meno magico delle operazioni alchimistiche. Infatti l'altra data, 29-7-1881 (2+9+7+1+8+8+1=36 cioè 3+6=9) rende nove. Ma questa data risponde ad una legge cabalistica interessante del tipo di quella riassunta nel quadrato magico di Dürer, la legge del 29-7-1881, per l'appunto: il giorno e il mese (29-7, cioè 2+9+7=18 cioè 1+8=9) danno infatti 18 e quindi 9, proprio come l'anno 1881 (1+8+8+1=9). È quindi, in sostanza, la legge del nove [...] Quanto alla data in basso (1-11-1924), essa rende cabalisticamente 1 (1+1+1+1+9+2+4=19 cioè 1+9=10=1), che è il numero dell'unità. Questa unità è forse l'artista stesso, in quanto ricongiunge le proprie polarità femminile e maschile, Rrose Sélavy e M. Duchamp, secondo le due firme che figurano sotto a questa ultima data[96].

Seguendo le stesse regole di lettura usate per Duchamp, la data spostata della nascita di Beckett, 13-4-1906 (anziché 13-5-1906), appare corrispondere ai quattro numeri 13, 4, 16, 1 agli angoli del quadrato di Dürer. Al 13 e al 4 comuni si aggiunge infatti il 1906, che è 1+9+0+6=16, mentre l'uno che compare "in più", il simbolo dell'unità, può additare anche qui l'artista, nato alla data indicata. Il duplice ruolo di Clov, maschile e femminile (in RE e in I recitava, s'è visto, anche come donna), sembra perfino mimare le due firme, maschile e femminile, di Duchamp.

Nell'apparente vezzo di spostare la data di nascita Beckett potrebbe quindi aver firmato il proprio riferimento alla *Melencolia I*, la propria identificazione con Dürer. L'attenzione di Beckett a questa data è confermata del resto anche da un episodio riportato nei *Materialen zu Endspiel.* Quando il giorno della prima berlinese di *Finale di partita* da lui diretta venne fissato al 26 settembre, Beckett commentò: «Das ist mir viel lieber, zweimahl dreizehn!»[97]. L'iterazione del 13 – la data della sua nascita – nel 26 gli giungeva molto gradita.

Ma proprio nei *Materialen* emerge con chiarezza la passione pitagorica per i numeri di Beckett e la particolare

Endspiel Arithmetik, che riconduce, sorprendentemente, ancora una volta ai numeri 13, 4, 16, 1.

Dopo aver deciso (innovando sul testo che non lo specificava) che i passi di Clov, nella scena in cui egli riflette su come usare la sveglia per segnalare la sua eventuale scomparsa, debbono essere «ein geordneten Zickzackkurs von 6+4+6+4 Schrittchen», «un ordinato percorso a zigzag di 6+4+6+4 passettini», Beckett, come si riferisce nei *Materialen*, ammette "in fretta" («sagt er rasch»), in francese, «Oui, c'est pythagoréen». La scala dei quattro numeri pitagorici di base – 1+2+3+4 – dà 10 come somma[98].

Beckett chiarisce per l'occasione il gioco dei numeri: 4 sono le *dramatis personae*, i cui nomi sono di quattro lettere l'uno, e rappresentano una «scena simultanea» in 4 stadi e 16 fasi[99]. Quattro sono anche le "iterazioni della fine" nella battuta d'apertura («Fini, c'est fini, ça va finir, ça va peut'être finir»), e sul quattro Beckett regola poi sempre il numero dei passi di Clov nella regia berlinese, variandoli da 4 a 8 o 2, o appunto 6+4. Se il principio della ripetizione, dell'eco, rinvia alla divisione del 2, che l'unità della scena simultanea può rinsaldare, e il 3 è simbolo pitagorico della totalità che media questa "unificazione del due", il 4 è la magica radice del mondo, il numero delle stagioni e degli elementi naturali, aria, acqua, terra, fuoco[100].

La stasi del tempo è nel testo anche la simultaneità, ovvero l'uno. Le 16 fasi corrispondono poi alle 16 entrate e uscite di Clov, segnate, come s'è visto, nel *Notebook* di regia di Beckett, dove si sottolineano anche «26 Gänge», i 26 spostamenti in scena di Clov, fermato da Hamm mentre cerca di rifugiarsi in cucina. Con grande attenzione analitica, qui come in una successiva regia di *Finale di partita*, Beckett elenca tutti i numeri del testo, delle iterazioni di movimenti, soste, battute, allusioni specifiche. Il commento riassuntivo nei *Materialen* è significativo. Beckett ha avvolto il testo in una rete di simmetrie, analogie, proporzioni numeriche:

> Wie in ein Netz hat Beckett das schreckliche *Endspiel*-Chaos in die numerische Struktur von Symmetrien, Analogien und Proportionen eingefangen[101].

Le «leggi dell'armonia pitagorica», la musica delle sfere e un rinvio alla *coincidentia oppositorum* emergono nella discussione con il regista Beckett come non estranei a *Finale di partita*, ma nello spirito, nel gusto, di un'amara parodia: «Ihr Geschmack ist bittere Parodie» sottolinea Haerdter. Nell'*Ulisse* Joyce aveva del resto già additato la formula musica+matematica, «Musemathematics», ironicamente esortando «Always find out this equal to that, symmetry under a cemetery wall»[102].

Come si è visto, i numeri salienti in *Finale di partita* sono dunque: 4 (i personaggi ecc); 16 (le fasi e le entrate o uscite di Clov); 1, l'unità della simultaneità e anche del soggetto con l'oggetto, che coincide con le proiezioni del soggetto stesso; 13, cui rinviano i 26 spostamenti in scena di Clov, 13 × 2, come indirettamente spiegato dallo stesso Beckett nel commentare la data del 26 settembre per la prima in tedesco.

13, 4, 16, 1, i numeri negli angoli del quadrato della *Melencolia*, possono allora inscrivere non solo la data di nascita di Beckett, ma anche la numerologia scelta per *Finale di partita*. In fatto di coincidenze Beckett non sembra esser da meno, con ironiche intenzioni, né in rapporto all'ipotesi raccolta da Panofsky per la *Melencolia*, né rispetto a Joyce o a Duchamp.

All'intuizione di una relazione tra *Finale di partita* e la tradizione del quadrato magico, pur senza risalire alla *Melencolia* di Dürer, è pervenuto del resto anche Emmanuel Jacquart in *Esthétique et métaphysique de l'écho dans "Fin de partie"*, apparso su «Il confronto letterario» (novembre 1985, n. 4). Lo studioso francese, pur non riferendosi ai *Materialen* né al *Notebook* per la regia berlinese, bene indovina e individua gli schemi di simmetria e quaternità onnipresenti nel dramma, e riconduce l'evidente ricorrenza del quattro alla confluenza di diverse tradizioni misteriosofiche. Queste sembrano ironicamente usate e intrecciate con la tradizione cristiana, affidata a quei quattro Vangeli che già *Aspettando Godot* non manca di citare come fonte di paradossi, o dello schema di sofferenza della croce.

L'analisi di E. Jacquart è ampia. Il critico insiste sul

simbolismo numerico della tetrade in rapporto alla figurazione dell'anima – per i pitagorici esprimibile con il quadrato – di cui la cucina cubica di Clov è il segno. In questa cucina Clov va appunto a osservare, sottolinea il testo, «la sua anima che muore». E le misure, nella versione francese «trois métres, sur trois métres, sur trois métres», ma in quella inglese «ten feet, by ten feet, by ten feet», ripetono l'avvaloramento pitagorico del dieci, oltre che del quattro, del 9 e del quadrato magico. Il commento di Clov sulla sua cucina, «ce sont des jolies dimensions», sarebbe allusione per gli *happy few* al quadrato magico. Jacquart fa riferimento non al quadrato di Pacioli ma ad un più semplice quadrato, diviso in un numero di caselle 3 × 3, in cui la somma costante è 15 e i numeri costitutivi vanno da 1 a 8:

8	I	6
III	V	VII
4	IX	2

È dunque ancora la ricorrenza del 4 e del suo multiplo 16 che Jacquart pone in evidenza con analitica attenzione, iniziando dalle 4 lettere nel nome dei 4 personaggi (Hamm, Clov, Nagg, Nell) – per un totale di 16 lettere. La ricorrenza di specifiche formule verbali, invocazioni al padre di Hamm, riferimenti alla fine di Hamm o di Clov, allusioni al centro di Hamm o all'ordine di Clov, le risate iniziali di Clov o le misurazioni meteorologiche nel racconto di Hamm, sono invariabilmente regolate dal numero 4, mentre 16 sono, egli nota, le entrate/uscite di Clov. Queste, va qui poi ricordato, divengono, come la genesi del testo rivela, 16/15 nel passaggio dalla prima alla seconda versione in due atti: insieme al delinearsi della storia dell'amico pazzo di Hamm, poi definito artista in II, pittore in III, e pittore e incisore in *Endgame*.

Ma il quadrato di Pacioli nella *Melencolia* di Dürer risponde ancor meglio a queste stesse caratteristiche numeriche: esso è infatti 4 × 4, costituito dai numeri da 1 a 16 e, conducendo ai numeri 13, 4, 16, 1, "giustifica" anche i 26 (13 × 2) spostamenti in scena di Clov, saturando la numerologia di *Finale di partita*[103].

Anche il rapporto tra cucina cubica e quadrato magico trova nell'iconografia della *Melencolia* maggior risalto: il quadrato nell'incisione è immediatamente sormontato da una campanella con corda, cui corrisponde in *Finale di partita* il fischietto appeso con corda al collo di Hamm, per chiamare Clov dalla cucina. Inoltre il "cane Clov" di Beckett, il cui luogo è la cucina cubica, fa eco al cane della *Melencolia*, accovacciato davanti a un cubo con due angoli smussati. Numerologie e coincidenze, combinatorie e iperdeterminazione, calcolo delle mosse come nel gioco degli scacchi e composizione a rebus sembrano essere la regola costante per *Finale di partita*.

Sulle allusioni nel testo ai Vangeli e alla Bibbia molto è stato detto. R. Cohn in particolare insiste sui continui giochi di riferimento al Vangelo di Giovanni. Jacquart richiama l'attenzione su numerosi altri elementi evangelici, includendovi anche la gaffa con cui Clov vorrebbe uccidere il bambino (in inglese *gaff* rimanda anche a *spear*, lancia: forse la lancia con cui Cristo è colpito sulla croce da un soldato romano), ma ad essi ritiene vadano aggiunte contaminazioni con la tradizione gnostica, che avrebbe suggerito il rapporto tra creazione e demiurgo creatore, separato e distinto dal Dio supremo. Mentre Dio è lontano dal mondo e indifferente, il Demiurgo "ama il sangue", è malefico e crudele con la sua stessa creazione, rende la generazione repellente: molte battute di Hamm coinciderebbero con questo atteggiamento del demiurgo. Ma accanto a risvolti gnostici *Finale di partita* gli sembra rivelare la conoscenza della Kabala ebraica e dello Zohar, commento della *Torà*, nome che gli israeliti danno al *Pentateuco* e alla legge di Mosè. Alla luce della già analizzata prima versione in due atti di *Finale di partita*, dove il *Pentateuco* e il riferimento a Mosè giocano la parte di rilievo che s'è visto, questo richiamo diviene ben più significativo, e ad esso sembra saldarsi il senso ebraico del nome di Clov.

All'intreccio di reciproche conferme emerse da analisi di

diversa angolazione, è opportuno tuttavia aggiungere, come s'è visto, la prospettiva che rinvia alla *Melencolia* di Dürer ma anche, contemporaneamente, per un'area comune di riferimenti, all'opera specifica di Duchamp, su cui è ora utile soffermarsi, per cogliere la duplice allusività di tutto uno strato di senso di *Finale di partita*.

In tre distinti saggi – il lungo articolo *A noir* (*Melencolia I*), del 1969, il già menzionato volume *Duchamp invisibile* del 1975, e la rapida sintesi di *Arte e alchimia*, del 1986 – M. Calvesi rintraccia un'ascendenza alchemica sia nei materiali della *Melencolia* di Dürer, sia nell'opera di Duchamp, in particolare nel *Grande vetro*, che il critico connette per alcuni tratti proprio con l'incisione di Dürer.

In *A noir*[104] la *Melencolia I* è decifrata, completando ma anche correggendo la lettura di Panofsky, come rappresentazione del quadro saturnino e negativo della prima fase del ciclo alchemico di trasformazione o *nigredo* – di qui il senso di quel misterioso "I" nel titolo dell'incisione – destinato a evolvere fino alla conquista, nella fase conclusiva, dell'oro alchemico o del Lapis (o bambino-Lapis) della rinascita. L'arcobaleno, le ali della donna e del bambino, il serto di rami sul capo della donna, la scala a sette pioli, la *mensula Jovis* e l'edificio – interpretato come forno alchemico – sono segni della metamorfosi positiva che farà seguito alla fase melanconica delineata.

Del *Grande Vetro* – sicuramente ispirato a un'illustrazione dell'alchimista Solidonius sulla spoliazione della sposa la sera delle nozze, o denudazione purificatrice della pietra filosofale – vengono mostrate le corrispondenze tra il criptico sottotitolo e le immagini apparentemente casuali. Letto fonicamente, il sottotitolo, *La mariée mise à nu par ses celibataires, même*, rivela un doppio senso: *La sposa messa a nudo dai propri scapoli*, ma anche (*même*) *Maria* (*Vergine*) *è messa nella nuvola dai propri trebbiatori celesti* (*o celi-trebbiatori*). La nuvola è rappresentata nella parte superiore del vetro, e apporterà pioggia benefica per il ciclo agrario. Assunzione di Maria in cielo e evaporazione dell'acqua coincidono con la distillazione-purificazione della materia.

In questa luce il congegno di tre rulli nella parte bassa al centro – che Duchamp stesso chiama «la macinatrice di cioccolato» – rimanda alla progressiva "grande opera" purificatrice della ricerca alchemica, e si rivela equivalente della ruota di macina nella *Melencolia* di Dürer: serve a triturare la materia "al nero", argutamente indicata come «cioccolato»[105]. Alla *Grande Opera* ironicamente si richiamano il titolo stesso *Grande Verre* e la sua sostanza, il vetro: allusione al cristallo, cui si paragonava la pietra filosofale. Il regime di coincidenze e la compressione combinatoria che sembrano allineare la *Melencolia* al *Grande Verre* e entrambi a *Finale di partita* possono trovare nella tradizione alchemica un veicolo del resto non ignoto al simbolismo e al surrealismo francesi: Breton nel secondo *Manifesto* surrealista vi fa esplicito ampio riferimento[106].

Imitazione o ripetizione della *Genesi*, dell'opera creativa di Dio – per Dürer assimilabile alla creazione dell'artista, ma anche forma di controllo del tempo e della trasformazione – l'alchimia può dunque aver fornito spunti, probabilmente con la mediazione di Duchamp e Breton, alle ironie di *Finale di partita*. L'importanza della *Genesi* e il gioco cromatico del nero, bianco, giallo e rosso, i colori del processo alchemico, nella versione in due atti del testo, sembrano confermarlo. Colpiscono le caratteristiche del bambino presso «la pierre levée», proprie del bambino-Lapis appena nato dalla "petra genitrix" della resurrezione alchemica, ovvero del putto di Dürer che Calvesi interpreta come Mercurio alchemico ermafrodito[107]: in Beckett luogo di coincidenza degli opposti, puer e senex, ma anche "androgino" per l'indeterminatezza del sesso che la versione francese consente. A Hamm che lo interroga, Clov evita di dare una precisa risposta sul sesso della figura infantile, come già per il cane da lui confezionato, cui mancava il sesso:

HAMM: Sexe?
CLOV: Quelle importance? (*Fin de partie*: 104)

Poco dopo Clov aggiunge «on dirait un môme», usando un termine asessuato, secondo la tradizione alchemica di androginia del Rebis (*resbis*, cosa doppia) che Duchamp ad esempio riprende nel suo doppio pseudonimo. In inglese invece, insieme al riferimento a Mosè, cade anche la domanda sul sesso della figura infantile, perché Clov dichiara subito di vedere «a small boy». Ma la reazione di Hamm richiama l'attenzione proprio sull'opzione sessuale:

CLOV: (*dismayed*). Looks like a small boy!
HAMM: (*sarcastic*). A small... boy! (*Endgame*: 49)

Come spesso in Beckett, i punti di sospensione svolgono qui un ruolo deittico, sottolineano una scelta: se il bambino-Lapis di *Fin de partie* non aveva né sesso né età e possedeva lo sguardo di Mosè-Duchamp, il bambino di *Endgame* è sessuato, ma "privo di sguardo" come il putto di Dürer.

In *Finale di partita* creazione del mondo e creazione artistica si fronteggiano nella barzelletta del sarto, ironicamente opposte a svantaggio della prima. In entrambe le versioni in due atti (RE e I) la scena della febbre di A, che B misura con un gran termometro, e la scena successiva di "calore sessuale" di A, possono essere accomunate da un comico gioco sul "calore alchemico", spesso eroticamente trasposto. Analogamente, e ancor più scopertamente, in *Eleutheria* il Vetraio con il suo diamante, e la lampada che egli accendeva per Victor, o ancora, nel pezzo su Ernest e Alice, i cristalli o sali che Ernest voleva nell'acqua per lavarlo ("purificarlo"), rimandavano ironicamente alla stessa simbologia. Sull'olio per la lampada da Hamm negato a quanti glielo chiedevano si insiste più volte anche in *Finale di partita*, dove il rinvio può essere duplice, al senso evangelico che lo connette alla presenza salvifica dello sposo-Cristo, come al calore e alla saggezza alchemica, due "consolazioni" che Hamm non ha voluto elargire.

Che Beckett giocasse intellettualmente e iconicamente con materiali misteriosofici, astrologici, pitagorici, ermetici svariati risulta evidente fin dal poemetto *Whoroscope*. In *Murphy* il protagonista esibisce una comica mania astrologica, mentre Neary (suo rivale in amore) un suo esplicito pitagorismo. Lo spirito di Beckett è quello del protagonista autobiografico di *Eleutheria*, Victor, così descritto dal Vetraio: «Vous supportez mal les choses en verre». Questa "insofferenza per il vetro" si conferma in Victor (che ha rotto il vetro della finestra e l'ampolla della lampada) quando il Vetraio – «un poète qui préfère s'ignorer» per fare appunto il vetraio (l'autore del *Grande Verre*) come Duchamp – lascia infine invano a Victor la sua cassetta di utensili e il suo diamante (smarrito nella stanza), di cui il giovane si disfa, cedendo tutto all'affittacamere che lo ospita. Tuttavia, pur non avendone raccolto gli strumenti – i simbolismi – Beckett non ha dimenticato quel Vetraio.

Con la tradizione alchemica, come con il pitagorismo, il platonismo o neoplatonismo, la kabala e le tradizioni bibliche o evangeliche, sembra ripetersi in Beckett un atteggiamento che, a partire dalle ironie su Cartesio di *Whoroscope*, non risparmia, anzi sistematicamente visita, con disincanto e distacco, tutti i grandi sistemi filosofici consolatori e "ordinatori" del mondo. Irriderne le pretese con nostalgica mimesi che ne ribalta il senso è pratica costante, che alimenta una gamma enciclopedica di intertestualità, discretamente sommerse in una scrittura di voluta apparente "smemorazione".

Distanziandosi da Duchamp, Beckett si distanzia anche – "melanconicamente" – dal black humour antologizzato da Breton a partire da Swift, insieme immergendosi nel lutto e nella sua parodia.

L'evoluzione del lutto, nel senso della sua "impossibilità" e di una sua parodia liberatoria, appare evidente nella vicenda del testo. In I l'esibita scena di lutto per la morte della madre di Hamm imponeva il cambio cromatico o l'eliminazione dei cappelli dei personaggi e la pausa del sipario. Nella versione finale, come s'è visto, l'esibizione di lutto è scomparsa, insieme agli elementi di facile farsa, ma un residuo di lutto è rimasto in scena, un omaggio funebre ancora legato ai cappelli e due volte iterato: per la morte di Nell, e poi in un passo che si è arricchito man mano, e già più volte citato. Nel ricordare l'amico artista pazzo in cui egli stesso si specchia, Hamm si toglie il cappello, in un omaggio che è insieme lutto di affetti – per gli altri e per sé – e ironia di destrutturazione degli stereotipi del lutto:

HAMM: I once knew a madman who thought the end of the world

had come. He was a painter – and engraver. I had a great fondness for him. [...]

CLOV: A madman? When was that?

HAMM: Oh way back, way back, you weren't in the land of the living.

CLOV: God be with the days!

Pause. Hamm raises his toque.

HAMM: I had a great fondness for him. (*Pause. He puts on his toque again*) He was a painter – and engraver. (*Endgame*: 32)

Nel contesto, il gesto di lutto improvvisamente scivola in un'altra cosa; l'ironica benedizione di Clov del tempo in cui non era ancor nato («God be with the days») sostituisce, comicamente rovescia, il rammarico per la sottrazione della vita in maledizione della vita: bello è il tempo in cui egli *non* esisteva.

Il lutto "impossibile" duplica l'impossibile distinzione tra pazzia dell'amico e sanità di Hamm, copia della stessa follia. Tipicamente beckettiana, la scena esprime un'intersezione di lutto, melanconia/follia e comico/parodia, in cui si definisce un peculiare regime delle emozioni e dei modelli di relazione.

6. *Lutto, melanconia, parodia*

Si è già visto come nella prospettiva di Bion l'opera d'arte si alimenti al lutto, e nelle riflessioni di Hanna Segal del '55 il lavoro estetico equivalga a un lutto riuscito[108]. Il nesso tra lutto e melanconia era stato ipotizzato da Freud fin dalle sue prime riflessioni dopo la morte del padre nell'ottobre del 1896, sfociate nel 1915 nel saggio *Lutto e melanconia*. Ricostruendo l'autoanalisi di Freud, Didier Anzieu sottolinea già in una lettera di Freud a Fliess del 31 maggio 1897 una duplice intuizione, che vede nel lavoro del lutto «sia una reazione melanconica di rimorso (ci si rimprovera la morte del defunto), sia una reazione isterica di identificazione (si è malati come lui)»[109].

Risulta evidente un forte influsso dell'*Hamlet* di Shakespeare, che per tutto l'arco dal 1897 al 1938 accompagna il percorso di fondazione della psicoanalisi, come rileva

Jean Starobinski nella prefazione al saggio di Ernest Jones *Hamlet and Oedipus*. La teoria edipica scatta nella mente di Freud per la suggestione della tragedia di Amleto – forse il più illustre caso di lutto della cultura occidentale – prima che dell'Edipo sofocleo, in cui successivamente Freud riconosce l'espressione più primitiva, impersonale e collettiva, mitica, del paradigma comune alle due tragedie:

l'immagine di Amleto finisce per essere la *seconda* figura drammatica (e non un caso fra i tanti), in quanto essa appartiene alla categoria dei prototipi, dei temi esemplari [...] Non si sottolineerà mai abbastanza il valore di *modello* che Amleto ha sempre rivestito per il pensiero di Freud, un modello non minore per importanza allo stesso Edipo. Se Edipo fissa leggendariamente la *norma* di un orientamento infantile della libido, Amleto diviene il prototipo dell'*anomalia* che consiste nel non uscire vincitore dalla fase edipica[110].

Nell'analisi di Starobinski ciò che non rientra nel quadro edipico non è pertinente, ma la funzione modellizzante dell'*Amleto* appare non meno rilevante per la genesi, negli stessi anni, di *Lutto e melanconia*.

Nel saggio del '15 la melanconia mostra, come più tardi il masochismo, un carattere enigmatico, per le sue contraddizioni in termini di economia psichica: nel lutto la causa del dolore appare chiara ed esplicita, ma «l'inibizione melanconica suscita in noi l'impressione di un enigma perché non riusciamo a vedere da cosa l'ammalato sia assorbito in maniera così totale». Inoltre, a differenza che nel lutto, nella melanconia il soggetto altera il proprio sentimento di sé: «nel lutto il mondo si è impoverito e svuotato, nella melanconia impoverito e svuotato è l'Io stesso». «Incapace di amare e di agire come dice», il melanconico diviene magari «capace di cogliere il vero con maggiore acutezza», ma appare affetto da un assillante bisogno di autorimproveri e di una svalutazione di sé. L'esempio additato è per l'appunto il principe Amleto, di cui Freud cita solo le parole della scena 2 dell'Atto II, «Use every man after his desert and who shall scape whipping?», ma avendo certamente in mente i ben più lunghi monologhi di autodenigrazione[111].

In tutto il saggio *Lutto e melanconia* Freud non cita nessun specifico caso clinico: l'unico nome che emerga, consentendo alla memoria culturale di dare corpo ai sintomi descritti, è quello di Amleto. Il titolo stesso corrisponde al binomio che definisce la situazione del principe danese alla sua prima apparizione: Amleto esibisce ostinato l'abito nero del lutto per la morte del padre e insieme una disposizione melanconica, entrambi oggetto di polemica con Claudio e Gertrude. Il già menzionato scarto tra lutto consapevole e melanconia inconsapevole della propria causa è dichiarato da Amleto stesso, che sa proclamare il proprio lutto, ma non sa spiegarsi la sua disposizione affettiva:

> I have of late, but wherefore I know not, lost all my mirth, forgone all custom of exercises; and indeed it goes so heavily with my disposition that this goodly frame the earth seems to me a sterile promontory, this most excellent canopy the air, look you, this brave o'erhanging firmament, this majestical roof fretted with golden fire, why, it appears no other thing to me but a foul and pestilent congregation of vapours. What a piece of work is man, how noble in reason, how infinite in faculties, in form and moving, how express and admirable in action, how like an angel in apprehension, how like a god: the beauty of the world, the paragon of animals. And yet, to me, what is this quintessence of dust? Man delights not me; no, nor woman neither, though by your smiling you seem to say so. (*Hamlet*, atto II, scena 2)

La melanconia è da Freud definita in quattro tratti salienti – doloroso scoramento, perdita di interesse per il mondo esterno, perdita della capacità di amare, avvilimento del sé e autorimproveri – che corrispondono nell'ordine ai "sintomi" di Amleto scena dopo scena. Dietro quasi ogni osservazione di Freud sul melanconico si potrebbe collocare un passo della tragedia shakespeariana: ad Amleto si attagliano anche la psicosi allucinatoria, espressa nelle apparizioni del fantasma del padre (la seconda apparizione, nella stanza della madre, in particolare, è visibile soltanto al principe) e la parvenza di follia, che nel melanconico si produce, secondo Freud, per il «regolare alternarsi di fasi melanconiche e fasi maniacali».

La spiegazione dell'autodenigrazione come rimprovero spostato sul proprio io, per introiezione della persona amata e persa all'amore, vera meta del rimprovero e fonte della melanconia stessa, sembra poter rimandare ai rapporti tra Amleto e la madre, dopo la morte del padre di Amleto e il matrimonio di Gertrude con Claudio. La scissione dell'io – diviso tra un io vilipeso e un secondo io ideale e critico nei confronti del primo – la sofferenza e il piacere sadomasochista di tale situazione, la tentazione di suicidio come sbocco di impulsi omicidi verso altri, l'ambivalenza verso l'oggetto d'amore, propri secondo Freud del lavoro melanconico, evocano tutti il contesto di *Amleto*[112].

Ma la funzione di modello del testo shakespeariano nella definizione freudiana della depressione melanconica si estende al di là del saggio del '15: in un saggio del 1921, *Psicologia delle masse e analisi dell'io*, Freud ritorna sulla melanconia negli stessi termini di scissione tra un io ideale e un io svalutato per identificazione con l'oggetto perduto e rimosso – di qui l'inconsapevolezza della sua funzione di causa della melanconia – stabilendo un'analogia con la scissione che si verifica nell'individuo inserito in una massa, in cui un conscio inibito cede a un inconscio attivato e reso forte dall'identificazione con la massa stessa.

In questo saggio, in una rapida sintesi delle situazioni di riammissione del rimosso/inconscio in un soggetto scisso, vengono infine inclusi anche il motto di spirito e l'umorismo, tecniche utili per ammettere il rimosso nell'io traendone piacere e aggirando le resistenze.

Con un breve scorcio Freud si riaccosta così ad una componente che nel teatro di Shakespeare coesisteva con la melanconia nel carattere *fool* e nel *wit* di Amleto, e che nell'analisi del 1915 era andata invece disgiunta dalla melanconia. Anche nel saggio sul *Motto di spirito e la sua relazione con l'inconscio* (del 1905), più volte memore dell'*Amleto*, il *Witz*, equivalente dell'inglese *wit*, appariva lontano dal quadro del melanconico, in quanto si poneva come forma di risparmio psichico, manifestandosi invece la melanconia come introiezione e identificazione con la fonte stessa del dolore.

Se la tragedia è il genere letterario del lutto, lo scambio tra lutto e melanconia può significare la fine della tragedia in senso classico. È forse questo il senso della definizione che della tragedia barocca dà W. Benjamin come *Trauerspiel*, gioco del lutto[113], o della definizione di L. Abel secondo la quale *Hamlet* non è tragedia, ma la prima grande opera di metateatro della tradizione occidentale. Nel testo shakespeariano il protagonista, anziché aderire alla necessità del lutto, indemoniarsi in essa, riflette su se stesso: trasforma cioè il lutto in melanconia. La differenza rilevata da Abel tra Antigone e Amleto può essere forse ridefinita come differenza tra lutto e melanconia.

La riflessione di Freud nel saggio del '15, lettura implicita, come s'è visto, dell'*Amleto*, sembra così poter spiegare la fine della tragedia avviata nel testo shakespeariano come *metamorfosi di passioni*: alla passione del lutto subentra la passione melanconica, ma questa a sua volta desemiotizza, come bene dimostra l'analisi della tragedia shakespeariana di Abel, la convenzione tragica aristotelica.

Che il lutto costituisca l'antefatto della situazione di *Finale di partita* è agevolmente deducibile non solo dal dato biografico – la morte della madre – connesso con il testo del '50, ma dal monologo con cui si avvia il dramma. «Finished, it's finished, nearly finished, it must be nearly finished» sono le prime parole in scena, sullo sfondo di una supposta fine del mondo esterno. Al lutto "preliminare" di un'ipotetica apocalissi universale corrisponde in scena la morte della madre di Hamm e l'attesa della fine degli stessi protagonisti, anticipata da mutilazioni e malattie che fanno di Hamm un cieco paralitico e costringono Clov a camminare senza sosta, nonostante l'intenso dolore alle gambe. Al lutto conduce anche la storia narrata da Hamm di un padre che chiede aiuto per salvare il figlio dalla fame. La supposta fuga finale di Clov, che sembra abbandonare alla morte il paralitico Hamm, completa l'iperbole di un lutto che definisce il mondo stesso «corpsed», cadavere:

HAMM: Nothing stirs. All is——
CLOV: Zer——
HAMM: (*violently*). Wait till you're spoken to! (*Normal voice*) All is...all is...all is what? (*Violently*) All is what?
CLOV: What all is? In a word? Is that what you want to know? Just a moment. (*He turns the telescope on the without,*

looks, lowers the telescope, turns towards Hamm) Corpsed. (*Pause*) Well? Content? (*Endgame*: 25)

E tuttavia il pathos della scena beckettiana è lontano da quello della tragedia classica, come anche dalla trascrizione melanconica barocca di *Hamlet*: se il lutto è nella situazione, sul piano dell'espressione esso ha subito una metamorfosi profonda.

Nel suo *Tentativo di capire il Finale di partita* Adorno legge nel testo di Beckett un'esemplare parodia – oggettiva – dell'esistenzialismo. La dissociazione dell'unità di coscienza, della sostanzialità e assolutezza del soggetto, e la *Indifferenz* o equivalenza tra interno ed esterno, esibite da Beckett, espongono l'incongruenza del concetto esistenzialista di situazione-limite e di «bravura nella situazione», rompendo il nobile e l'affermativo dell'esser-se-stesso di fronte alla morte. La miseria dei personaggi di Beckett diviene così la miseria della filosofia, e con la fine della consistenza dell'io, su cui Kierkegaard, Jaspers e Sartre fondavano la positività dell'esserci, ha termine anche la dimensione del tragico.

In Beckett la parodia dell'esistenzialismo produce coerentemente una parallela parodia delle forme, un mutamento dell'a priori drammatico. La privazione di un senso che si ponga a legge della forma drammatica produce un capovolgimento estetico: nel luogo della tragedia si instaura il clownesco, schizoide e regressivo, ma la risata cui induce, come sottolinea Adorno, «dovrebbe soffocare i ridenti». Divenuto «ripugnante e sciocco», questo umorismo si è reso esso stesso ridicolo – cioè impossibile – e «svapora insieme al senso dell'arguzia, anch'essa oggetto di parodia»[114].

Tra questa parodia e il teatro di Shakespeare, in una sia pur rapida allusione, Adorno coglie un nesso:

> Il valore-limite della commedia beckettiana è il silenzio, che già all'inizio della tragedia moderna, con Shakespeare, era definito come un residuo[115].

Il cenno è breve, ma significativo nel tracciare un'ascendenza: il teatro di Beckett conclude una metamorfosi del teatro avviata da Shakespeare. Se al lutto in *Hamlet* s'erano associati, nei termini della riflessione di Freud, la melanconia e i segni dell'isteria, in Beckett al lutto come presupposto subentra la parodia: parodia della responsabilità, o nobiltà del soggetto tragico, come dell'umorismo e dell'arguzia o motto di spirito (*Witz* o *wit*, termine appunto elisabettiano), accanto ai sintomi, che Adorno non manca di rilevare, della schizofrenia.

Ma in questa duplice parodia del tragico e del comico tradizionale – da cui scaturisce il nuovo umorismo della «risata dianoetica» teorizzata dallo stesso Beckett e in cui si racchiude la sorprendente formula beckettiana di *Finale di partita* – quale specifica retorica si produce o modifica? Quali intertestualità affiorano (persistono) e insieme si desemiotizzano per la concomitante perdita del lutto e del riso aperto, producendo, in una variante di black humour, l'emozione o passione di ciò che la critica ha denominato *assurdo*?

Un netto nesso tra melanconia e humour, che dal Cinquecento giunge, evolvendo, nella cultura contemporanea, è rilevato da Klibansky, Panofsky e Saxl in *Saturn and Melancholy*, un'analisi della melanconia nella tradizione figurativa europea. Sottolineando la data di nascita della letteratura melanconica in Shakespeare e Donne da una parte, e Cervantes dall'altra, Panofsky vede nello "spagnolo melanconico" e nell'"inglese spleenetico" del Cinquecento «l'affermarsi di un genere specificamente moderno di umorismo colto»:

Sia il melanconico che l'umorista si nutrono della contraddizione metafisica tra finito e infinito, tempo ed eternità, o comunque si voglia chiamarla. Entrambi hanno in comune la caratteristica di ottenere insieme piacere e dolore dalla coscienza di questa contraddizione. Il melanconico soffre anzitutto della contraddizione tra tempo e infinito, pur attribuendo, contemporaneamente, un valore positivo al suo dolore *sub specie aeternitatis* in quanto sente che proprio attraverso la sua melanconia partecipa dell'eternità. L'umorista invece è anzitutto divertito della stessa contraddizione, ma nello stesso tempo depreca il suo divertimento *sub specie aeternitatis*, in quanto si rende conto di essere incatenato per sempre alla realtà temporale. Di qui si può comprendere come nell'uomo moderno l'umorismo, col suo senso della limitazione dell'Io, si sia sviluppato insieme con quella melanconia che aveva finito con l'essere un senso esaltato dell'Io. Anzi, si poteva fare dell'umorismo sulla melanconia stessa, e così facendo evidenziarne anche di più gli elementi tragici[116].

Nella riflessione di Freud la melanconia non conduce, come s'è visto, a risparmio emotivo, ma solo a un trasferimento metariflessivo del lutto sull'io, mentre lo humour viene definito, come l'arguzia (o motto di spirito) e il comico, in termini di risparmio. La sintetica conclusione del lungo saggio sul motto di spirito sottolinea questo tratto comune:

> Il piacere dell'arguzia ci è parso derivare dal dispendio inibitorio risparmiato, il piacere della comicità dal dispendio rappresentativo (o di investimento) risparmiato e il piacere dell'umorismo dal dispendio emotivo risparmiato. In tutti e tre i modi in cui lavora il nostro apparato psichico il piacere discende da un risparmio[117].

Ma se l'economia psichica individuata da Freud sembra basarsi su nette distinzioni, a quale economia sarà riconducibile la fusione di umorismo e melanconia di cui Panofsky avverte già nel Cinquecento i segni, o il peculiare black humour cui Breton dedica la sua *Antologia*, o la formula composita del teatro beckettiano?

Il risparmio emotivo del black humour cui allude Breton appare pervasivo in *Finale di partita*, dove consente, in più, il peculiare piacere della partita a scacchi tra Hamm e Clov.

Negli esempi precedentemente addotti di dialogo tra Hamm e Clov il black humour beckettiano procura al narcisismo del soggetto un risparmio di dolore e un peculiare piacere di conversione in termini di aggressività o sadomasochismo, ma la scarica del riso solitamente non ha luogo e l'effetto umoristico interagisce con il pathos della situazione fisica e iconica dei personaggi. La scena del dramma non si esaurisce negli scambi dialogici: essa "parla" anche una sintassi figurativa e presenze oggettuali che rimandano sotterraneamente, come s'è visto, a una tradizione melanconica cinquecentesca, come alla memoria della follia melanconica di Amleto Freud attinge per le sue riflessioni più di quanto esplicitamente non ammetta.

Se Freud sostanzialmente scinde melanconia e black

humour (come già melanconia e lutto), Beckett non solo li fonde, come già Shakespeare, ma li fa interagire con una violenza polemica che produce "l'esecuzione" di entrambi. Estendendo l'intuizione di Adorno sul "ridicolo dell'umorismo" in *Finale di partita* – cioè sull'impossibilità della scarica del riso – si può ora aggiungere che una parallela impossibilità riguarda anche il carattere *sublime* della tradizione melanconica, condannato proprio dall'incrocio con lo humour: umorismo e sublime melanconico classico sono parimenti impossibili e testimoniano un cimitero di emozioni precluse, una nuova emozione della morte di queste emozioni. Ciò non esclude tuttavia, come si vedrà, anzi produce, parallelamente al nuovo umorismo dianoetico, un senso neosublime dell'assurdo di Beckett.

Se per Beckett «nulla è più divertente dell'infelicità», che è «la cosa più comica al mondo», come afferma Nell, madre di Hamm, questo comico ha cessato di far ridere, quanto l'infelicità di appropriarsi di un prestigio tragico. Alla confluenza della metariflessione di Dürer sulla *Gewalt* dell'artista con la metariflessione novecentesca sull'intima scissione del suo io impedito – un io conscio delle ritorsioni cui è meccanicamente esposto dai suoi stessi bisogni di fronte all'altro – non può che sgorgare il grado estremo di quell'umorismo sulla melanconia (ma anche melanconia sull'umorismo) che Panofsky intuiva così moderno.

In esso infatti si avvia quel processo di desemiotizzazione illuminista del senso e della regalità del soggetto che, dalle interrogazioni del principe Amleto perviene in linea retta, oltre che alla riflessione freudiana sulle scissioni e le turbe dell'io, all'irrisione dadaista di Duchamp o agli implacabili dialoghi-monologhi di Hamm e Clov.

È dunque nel barocco che ha inizio quella «questione del riso in epoca moderna» che Gianni Celati identifica nelle *Finzioni occidentali*, rilevando la distanza tra la risata suscitata da Rabelais e la risata "nera" dell'*Antologia* di Breton, attribuendo a questa il ruolo di documento sull'evoluzione moderna del riso, o meglio sulla sua perdita: «Il riso attraverso questo cannocchiale bretoniano appare piuttosto il conato antropologico d'una cultura che non sa più cos'è il riso» sostiene Celati, per il quale «nel nostro uso della letteratura l'abreazione comica è ormai tanto rara quanto infrequente è il pianto». Al buon umore grossolano e da dopo bevuta di Rabelais – scrive Celati – Breton oppone uno humour aristocratico, senza giovialità, parabola d'una coscienza romantica resa infelice dalla mancata rispondenza (hegeliana) tra il mondo e le attese del soggetto: alla borghese aspirazione al sublime corrisponde, con la compromissione melanconica, un rovesciamento dell'allegria in *humour noir*. Risparmio emotivo e "sapienza melanconica", forme di superiorità dell'io sul mondo, appaiono a Celati come appare ad Adorno la «bürgherliche Kälte»: snaturamento del soggetto empirico, che respinge le forme immediate del pianto, del riso, delle passioni, facendone segno di «separazione politica» tra chi comprende e chi non comprende, secondo un'aspirazione ascenditiva basata su un «ritualismo del narcisismo nevrotico»[118].

Beckett viene invece da Celati separato da Breton e dalla tradizione black humour, ricondotto alla *gag* e all'interpolazione[119].

La riflessione di Celati sulla «tradizione ideologica del riso» mette in guardia su «quale grosso pasticcio sia l'idea moderna di humour»[120], cioè quanto sia andato mutando il suo concetto e il suo uso; di qui il facile rischio di confusione e polemiche tra concezioni diverse sotto una stessa etichetta.

Ma il riferimento alla tradizione melanconica in Beckett va certo ben al di là della *gag* e dell'interpolazione, pur presenti e bene evidenziati da Celati; e sui nessi tra Beckett e il black humour in funzione di una desemiotizzazione illuminista – non di un codice romantico – si è già parlato. Lo «stoicismo ascenditivo» di cui Celati accusa Breton è estraneo a Beckett quanto alla concezione freudiana del risparmio psichico. Nell'interazione tra black humour e melanconia, il risparmio psichico del primo non cancella comunque in Beckett la sofferenza melanconica, che anzi si ricongiunge alla tradizione cinquecentesca e barocca. La risata dianoetica di Beckett corrisponde al passaggio descritto da Bion dalla posizione schizo-paranoide a quella depressiva, mentre al lettore è demandato, in *Finale di partita*, l'ulteriore passaggio all'elaborazione del lutto, indicato dall'autodenuncia della follia di Hamm. Nessuna pretesa di superiorità è pertanto presente in Beckett che, come Freud, cerca d'altra parte uno sbocco terapeutico, già implicito nella teoria del risparmio psichico e in Beckett esteso alla componente melanconica. Questo conferma ancora una volta la complessità del linguaggio di Beckett, le sue polivalenti ascendenze, la sconcertante originalità dei suoi incroci e dei suoi ribaltamenti, il riutilizzo di tradizioni e retoriche.

Nella polemica con Breton, Celati fa inevitabilmente emergere anche un'altra questione tra le più importanti che vanno ora affrontate per comprendere questo complesso nodo: la questione del rapporto delle avanguardie, dello humour nero e di *Finale di partita* con la tradizione del sublime.

7. *Neosublime e postmoderno*

«Il sublime, che Kant riservò alla natura, dopo di lui diventò il costituente storico dell'arte stessa [...] Dopo il crollo della bellezza formale, delle idee estetiche tradizionali restò, attraverso tutta l'arte moderna, solo quella del sublime». Questa eredità, afferma Adorno nella sua *Teoria estetica*, non è stata scevra di tensioni:

L'ascendenza del sublime è tutt'uno con la necessitazione dell'arte a non sorvolare sulle contraddizioni portanti bensì a condurre fino in fondo la battaglia contro di loro, in se stessa; la conciliazione per loro non è il risultato del conflitto ma unicamente il fatto che il conflitto trova un linguaggio. Ma con ciò il sublime diventa latente[121].

Entrando nell'arte moderna infatti il sublime muta retorica e cresce segretamente anche il suo carattere di gioco; la più significativa opera per orchestra di Debussy si chiamò, mezzo secolo prima di Beckett, *Jeux*. La trasformazione è rilevante, ai limiti del capovolgimento:

Sublime dovrebbe essere la grandezza dell'uomo quale ente spirituale e dominatore della natura. Ma se l'esperienza del sublime si svela come autocoscienza che l'uomo ha della sua naturalezza, allora la composizione della categoria del sublime si muta. Perfino nella versione kantiana essa era tinta della nullità dell'uomo; in essa, nella caducità della singola essenza empirica, doveva risolversi l'eternità della sua determinazione universale, lo spirito. Se tuttavia lo spirito stesso viene ricondotto alla sua misura naturale, l'annichilimento dell'individuo non viene più superato in lui positivamente. Attraverso il trionfo dell'intelligibile nel singolo che spiritualmente tiene testa alla morte, il singolo medesimo rizza la cresta come se fosse, lui portatore dello spirito, nonostante tutto assoluto. Ciò lo rende comico. L'arte d'avanguardia scrive la commedia perfino della tragedia: sublime e gioco convergono[122].

Che la *Teoria estetica* (pubblicata postuma nel 1970) dell'autore del *Tentativo di capire il Finale di partita* coincida con la poetica di Beckett, autore così sovente citato insieme a Kafka, non sarebbe difficile da dimostrare. Adorno iniziò a scrivere la *Teoria* nel '61, l'anno stesso in cui lesse a Francoforte sul Meno il saggio su *Finale di partita*, e quando morì, nel '69, la *Teoria* era stata predisposta dal suo autore per la pubblicazione, insieme alla decisione di dedicarla a Beckett. Fu dunque una scelta di chi curò l'edizione postuma omettere la dedica a Beckett, pur menzionandola[123]. Sulla categoria del sublime Adorno formalmente non si dilunga, giungendo a parlarne brevemente poco oltre la metà del trattato, ma in esso ovunque sottintende la virtuale coincidenza di questa estetica con il sublime stesso nella sua fase moderna. Se letta alla luce dell'intero testo, la linea di derivazione del sublime nel capitolo citato è chiara nelle sue premesse; e tuttavia le implicazioni che da Kant conducono all'estetica di Adorno, attraversando Beckett, rimangono per gran parte in ombra. Chiarirle – in sé compito duplice, nei confronti di Beckett e del pensiero adorniano – potrebbe condurre a una migliore comprensione di *Finale di partita* e insieme a una più corretta valutazione dell'incidenza di Beckett, della sua opera, sull'estetica del secondo Novecento – non solo adorniana – di cui si rivela manifesto tra i più importanti.

Ma in che senso *Finale di partita* insieme contraddice il sublime classico, ne liquida i registri retorici, e afferisce alla tradizione del sublime, trasformandone i regimi emotivi? Quali suoi tratti salienti possono consentire un'argomentazione che spieghi insieme le scelte di Adorno e le discendenze di Beckett?

Scacchi e deserto, riso e dianoia, resistenza e attesa: queste tre coppie di termini potrebbero definire altrettante prospettive attraverso le quali sinteticamente cogliere i rapporti di Hamm e Clov, la simulazione di guerra della partita metaforicamente in atto, i tratti monarchici di un padrone cui appartengono tutti i beni residui sulla scena, e cui l'unico servo presta totale obbedienza. Signore decaduto ma di indiscusso dominio culturale e orgoglio intellettuale, Hamm, consapevole della partita in corso – «Me to play» esclama due volte nel testo[124] – esprime la dignità patetica del grande costretto al basso, reso saturnino e folle da una follia a tratti passivamente malinconica e a tratti più furiosa, come nel momento in cui tenta invano di rovesciare la sua sedia a rotelle, facendo leva con una gaffa per suicidarsi. Questa pazzia regale – sottolineata da un'ironica identificazione con Riccardo III e un occasionale ricorso al *pluralis majestatis* – suscita ricordi di sublime classico, evoca ad esempio i *Furori* di Giordano Bruno, autore incluso nel saggio giovanile di Beckett, *Dante...Bruno. Vico...Joyce* (1929). Per Bruno il sublime o *furor* è consapevolezza come trauma, priva di saggezza, come nella fatale follia e cecità di Atteone.

Un paesaggio di rovine – il faro atterrato descritto da Clov e la vita distrutta come da un diluvio universale – si associa ad una negazione del tempo per angoscia del divenire, a una desertificazione del mondo e "morte del sole", a quella uccisione o disanimazione dell'animato e dell'organico, che in un suo studio Wilhelm Worringer rinviene nel pensiero astratto primitivo e nella spiritualità orientale[125], ma che Giorgio Franck estende a Schopenhauer e a tutto un filone occidentale. Nella contemplazione estetica del *Mondo come volontà e rappresentazione*, ma anche in quel *sublime moderno* che da *The Bathos* di Hogarth – figurazione di fine del tempo e della natura – trascorre alle tele di C.D. Friedrich[126], si ripete infatti una stessa "morte del sole". In Friedrich l'oscuramento luttuoso, non più ironico o parodico come in Hogarth, esprime nel paesaggio un'eclissi della luce e l'abbandono in uno spazio desertico, dal *Monaco sulla spiaggia* a

Abbazia nel querceto, dal *Paesaggio invernale con chiesa* alla *Quercia nella neve*. Perdita del soggetto, crisi "egologica", il sublime si fa ancor più chiaramente abisso e caos nel tempo-oceano delle marine di Turner, nella loro "minaccia di inondazione", la stessa che presiede alla prima versione in due atti di *Finale di partita*. Dell'iterata lettura di Schopenhauer da parte di Beckett riferisce D. Bair[127], mentre lo stesso Beckett cita *Uomo e donna in contemplazione della luna* di Friedrich come fonte iconografica della coppia Vladimir-Estragon presso un albero di sera in *Aspettando Godot*[128].

Ma, analogo della morte del padre, la morte del sole descritta da Franck, parallela a un simbolismo negativo della Madre Nera, sembra anche afferire alla scena del perturbante descritta da Freud.

La negazione del divenire del mondo ricorda la pretesa di onnipotenza narcisistica del pensiero e i terrori edipici – di castrazione – del protagonista del racconto nei *Notturni* di Hoffmann, analizzato da Freud nel saggio *Il perturbante* del '19. Considerata da Harold Bloom come il più recente dei saggi di rilievo sul sublime[129], questa riflessione di Freud sembra potersi estendere a *Finale di partita* per più di un tratto. All'ossessione degli occhi e dello sguardo nel racconto corrisponde la cecità di Hamm, la cui natura edipica era del resto, come s'è visto, apertamente esibita in I, nella scena, poi soppressa, di violenta ostilità verso il padre e di desiderio sessuale per una donna (simulata da Clov), in cui madre e moglie di Hamm ambiguamente si confondevano.

Ma la doppia sintomatologia – di narcisistica onnipotenza e di edipica castrazione – che alimenta il sublime del perturbante freudiano ricorre anche nella tipologia del giocatore accanito di scacchi. Analizzando la psicologia di questo gioco e dei suoi grandi campioni, sia Adriaan de Groot che Reuben Fine hanno messo in evidenza, come già rilevato a proposito di *Murphy*, la natura edipica degli scacchi, "gioco di parricidio".

Il quadro di caduta monarchica, di follia nel deserto che potrebbe conferire a Hamm e alla sua "carcerazione" nel rifugio una componente di grandiosità sublime, sembra tuttavia ribaltarsi e contraddirsi in una dimensione di comico e grottesco che sottrae ogni serietà tragica al protagonista. Il regale Hamm chiede tranquillanti in continuazione (senza ottenerli), discute di pulci e topi con il servo Clov, ha bisogno di un catetere per orinare, e non trova ascolto nelle sue esibizioni culturali e autoriali. La sua creatività di artista, di narratore, è frustrata dal diniego del già scarso pubblico, costretto all'ascolto o alla collaborazione solo mediante meschini ricatti basati sulla fame.

Il paesaggio di deserto e rovine all'esterno è inoltre *pseudos* bioniano o proiezione soggettiva dei protagonisti – tre volte oggetto di contraddizione – e la partita a scacchi cui rimanda il titolo non viene mai esibita in scena come tale ma solo come fitto scambio dialogico, basso-domestico, di colpi verbali sadomasochisti, alimentati da una serie infinita di piccole frustrazioni, da un costante bisogno/negazione di affetti e pulsioni. Per la pubblicazione di *Finale di partita* Beckett insistette invano con l'editore perché mettesse in copertina l'immagine di una scacchiera su un tavolo, con sedute a giocare due scimmie[130].

Le lunghe ripetute risate di Clov nella prima scena sono risate fredde e non comunicative, che si rivelano man mano black humour, lucida consapevolezza di una condizione disperante, che pure si rifiuta al registro tragico. Risate dianoetiche come grado supremo di conoscenza – conoscenza che il riso, segno di percezione di incongruenza, sempre implica – le risate di Clov ripetono la filosofia espressa da Beckett in *Watt*, sulla quale è opportuno tornare:

> Di tutte le forme di riso che a rigor di termini non sono forme di riso ma di ululato, soltanto su tre penso che valga la pena di soffermarsi, cioè l'amara, la vuota e la cupa. [...] Il riso amaro ride di ciò che non è buono, è il riso etico. Il riso vuoto ride di ciò che non è vero, è il riso intellettuale. Non buono! Non vero! Bene, bene. Ma il riso cupo è il riso dianoetico, giù per il grugno...Ah!...così. È il riso dei risi, il *risus purus*, il riso che ride del riso, colui che contempla, che saluta lo scherzo più nobile, in una parola il riso che ride – silenzio prego – di ciò che è infelice[131].

Questa teoria del riso immette, nella degradazione

clownesca che Beckett sembra imporre ai suoi personaggi, una nota di malinconica dignità, che riequilibra in parte, anche teoricamente, la profanazione comica inferta alla scena sublime tradizionale, ma questa appare comunque superata e retoricamente remota.

Il pathos beckettiano della risata gnoseologica può allora ricordare un altro pathos e un'altra scena. Nelle pagine iniziali dei *Noyers d'Altenburg*, che in un suo studio Alain Michel giunge a definire «un des textes les plus importants sur le sublime moderne»[132], André Malraux evoca la follia di Nietzsche, attraverso il racconto di un personaggio. Dopo la sua prima crisi, mentre si recava in treno all'ospedale, essendosi il treno fermato in un lungo tunnel, con sorpresa degli amici che lo accompagnavano e temevano una nuova crisi, Nietzsche all'improvviso inizia a cantare una nuova poesia: l'ultima da lui composta, *Venise*. Patetico, bello e ridicolo, questo canto è a sua volta affine all'immagine del celebre cigno nelle polverose strade di Parigi cantato nei *Fleurs du mal* da Baudelaire, «Comme les exilés ridicule et sublime, / Et rongé d'un désir sans trêve». Sublime e comico, dunque.

Tra il canto di Nietzsche e la risata di Clov vi è certo differenza di registro, ma la tensione che li produce è la stessa: la tensione di una resistenza, di una strategia del risparmio psichico da Freud, come s'è visto, attribuita al black humour come al *Witz* o al *wit*[133], e qui unita ad un'anomala (rispetto alle distinzioni freudiane) componente melanconica, secondo una regola costante nell'effusione dei traumi in *Finale di partita*.

Coestensivi al discorso della fine, resistenza, risparmio e attesa sono infatti presenti fin dalla prima calibratissima battuta in scena di Clov: «Finished, it's finished, nearly finished, it must be nearly finished». Dall'affermazione secca del «finished, it's finished» al breve rinvio del «nearly finished», all'allentarsi del discorso in ipotesi valutativa – «it must be nearly finished» – si avvia uno slittamento sul quale si costruisce lo statuto stesso del testo, che la versione francese esprime con maggiore esplicitazione: «Fini, c'est fini, ça va finir, ça va peut-être finir». Tra il *peut-être*, "forse", francese, e il *nearly* o "quasi", inglese, corre una distanza di probabilità: l'avverbio francese non riceve fedele traduzione, ma, con sottile alchimia il più debole *nearly* inglese riacquista poi forza duplicandosi. In *Endgame*, la sequenza iniziale viene inoltre ripetuta identica in una scena successiva, a differenza che nel testo francese, dove allo stesso posto compare una formula priva di avverbi: «C'est cassé, nous sommes cassés. Ça va casser» (p. 70).

La fine è dunque affermata per essere poi un poco allontanata, stabilire una prossimità e l'emozione di quella prossimità, mentre l'evento in sé ne risulta esorcizzato.

Un procedimento analogo si ripete a definire il rapporto tra Hamm e Clov. Clov sembra voler partire, lasciare Hamm a morire di fame, ma di fatto declina solo l'emozione di una quasi partenza, che nell'ultima scena, appunto, è predisposta ma non compiuta:

CLOV: I'll leave you
HAMM: No!
CLOV: What is there to keep me here?
HAMM: The dialogue. (*Pause*) I've got on with my story. (*Pause*) I've got on with it well. (*Pause. Irritably*) Ask me where I've got to. (*Endgame*: 39)

Il tragico è usato solo per trasformarlo in un'altra emozione concordata, in un contratto di liminarità con la fine, che distribuisce parti e battute attentamente gestite, mantenendosi sempre su un orlo che è telos e motore di questa poetica. Ad alimentare attesa e resistenza interviene un comune senso di sostegno reciproco per la sopravvivenza di una "pietà" che regola i rapporti servo-padrone tra Hamm e Clov:

CLOV: There's one thing I'll never understand. Why I always obey you. Can you explain that to me?
HAMM: No...Perhaps it's compassion. (*Pause*) A kind of great compassion. Oh, you won't find it easy, you won't find it easy. (*Endgame*: 48)

La stessa esitazione tra fine e sopravvivenza si ripete nella storia narrata da Hamm, in cui egli, protagonista, nega cibo a un padre per il figlio, ma poi fantastica di concedere aiuto e di veder crescere il bambino. Analogamente, eccolo anche a rammaricarsi di ciò che avrebbe potuto fare in passato, dell'aiuto che avrebbe potuto dare per salvare altri:

HAMM: [...] All those I might have helped. (*Pause*) Helped! (*Pause*) Saved. (*Pause*) Saved! (*Pause*) The place was crawling with them! (*Endgame*: 44)

Anche la negazione del senso, in una desemiotizzazione che ha fatto di *Finale di partita* un esempio di assurdo per antonomasia, fa intravvedere una possibilità residua, una sia pur ipotetica occasione, che lo lascia «finished, nearly finished»:

HAMM: Imagine if a rational being came back to earth, wouldn't he be liable to get ideas into his head if he observed us long enough. (*Voice of rational being*) Ah, good, now I see what it is, yes, now I understand what they're at! (*Clov starts, drops the telescope and begins to stretch his belly with both hands. Normal voice*) And without going so far as that, we ourselves... (*with emotion*)... we ourselves... at certain moments... (*Vehemently*) To think perhaps it won't all have been for nothing! (*Endgame*: 27)

L'ipotesi di un punto di vista esterno, razionale, "di ritorno" («came back»), contrabbandata da un desiderio salvifico che tenta subito dopo di fondarsi all'interno del soggetto stesso («we ourselves... we ourselves... at certain moments...»), per culminare in una possibilità di senso («To think perhaps it won't all have been for nothing») – ripete con il solito ricorso avverbiale – *perhaps*, forse – una negazione che si formula subito come prossimità alla negazione: è questa vicinanza e resistenza a costituire il modello[134] del testo.

Nella scena appena citata la nostalgia del senso evocata da Hamm viene violentemente interrotta dal grido di Clov «Ho una pulce!», che scatena la caccia all'insetto con l'antiparassitario, e allontana dalla tensione patetica precedente.

Può questo sconcertante gioco, nelle sue oscillazioni e nelle sue censure, ascriversi all'ambito del sublime secondo una specifica concettualizzazione che lo convalidi sul piano teorico? E a quale tradizione può rinviare?

Contiguo al concetto di *alto* – accezione principale della parola greca *hypsos* – il sublime nel trattato *Perì hypsous* dello pseudo-Longino si alimenta all'epica omerica, rimanda al nobile ed eroico e scaturisce dalla risposta della potenza al rischio della caduta o degradazione. Strumento retorico di dominio, teso a trascinare, produrre stupore più che persuasione, esso esprime elevazione, grandezza, baldanza, e si alimenta a due fonti precipue, «nobili pensieri, passione gagliarda ed entusiastica»[135], sostenuti da adeguati strumenti linguistici. Per Longino è sublime l'invocazione agli dèi di Aiace perché lo liberino dalla nebbia che lo acceca, concedendo luce alla battaglia in cui è pronto a perire, ma valorosamente, ed è sublime, ancora, la sua ira marziale, distruttiva come la furia di Ares o di un fuoco che reca rovina sui monti; o anche, nell'*Iliade*, la descrizione drammatica dei naviganti preda della tempesta, che tremano e si sentono «poco da morte lontani».

Sono sublimi anche le furie d'amore di Saffo, o, unico esempio biblico, le parole con cui la *Genesi*, il "testo di Mosè", descrive la creazione della luce e della terra dalla volontà e dalla parola di Dio. Dignità e solennità sono qui i sentimenti propri del sublime, che può colpire come un fulmine rapido e violento – è il caso dell'eloquenza di Demostene – o come un vasto e lungo incendio, secondo il modello di Cicerone. Ma dall'orizzonte di questo sublime le cadute di dignità allontanano *Finale di partita* irrimediabilmente, e il ritmo spezzato e iterato perseguito da Beckett è quanto di più negativo possa opporsi alla retorica longiniana.

Anche la «grandeur de la pensée et la noblesse du sentiment» sottolineate da Boileau[136] nella presentazione per la traduzione di Longino, con cui nel Seicento si riapre il dibattito sul sublime, sono estranei all'irrisione e desemiotizzazione di Beckett, ma la *Philosophical Enquiry into the Origin of Our Ideas of the Sublime and Beautiful* di Burke (1757-59) opera come noto, rispetto a Longino, un netto spostamento: essa isola l'angoscia di caduta già contenuta nel sublime di Longino – tra gli esempi citati, i marinai, ma anche Aiace, rischiano la vita – e la connette anziché con l'eroismo (potenza) con il piacere sadomasochista o *delight*. Piacere negativo, diverso dal *pleasure*, il *delight* si produce di fronte al rischio – fugato – per la sopravvivenza, e ad un corrispondente senso di terrore e insieme di salvezza. Per sua natura indefinito – a differenza della paura che meglio conosce il suo oggetto – il terrore è per Burke alla base dell'estetica del sublime, perché rappresenta la più forte delle passioni che riguardano la preservazione dell'individuo. Al terrore si congiungono il dolore, il pericolo, la malattia e la morte. Accentuato il senso della perdita, il sublime produce ora non più un'esaltazione del soggetto, ma un suo indebolimento, un piacevole depotenziamento. È ad esempio sublime per Burke la descrizione che Milton fa del personaggio della morte come "re del terrore", tanto più terribile quanto più informe, o lo spettacolo di una grande città distrutta da un terremoto, osservato senza pericolo per la sopravvivenza dell'osservatore.

Se il sublime è ancora connesso con la potenza, esso non è più fonte di eroismo, bensì causa di terrore, non più attributo attivo del soggetto, ma passivo. Privazione, vastità, infinità si combinano con la magnificenza o grandiosità, eccesso di luce o di tenebre, di suoni e di altre impressioni sensoriali. Questa forma di sublime trova nella Bibbia un vasto repertorio, distinguendosi nettamente dal bello, fonte di amore e piacere positivo, quanto il sublime è fonte di dolore che si fa "piacere negativo". Il dilettoso orrore del sublime di Burke determina una peculiare tensione, che entra come componente tipica nel gotico.

Rispetto al sublime di Burke, la distanza della scrittura di Beckett, così lontana dal sublime di Longino, è certo molto più ridotta. L'affermazione di Nell in *Finale di partita* sul nesso tra comico e infelicità – «Nothing is funnier than unhappiness» (p. 20) – dà tuttavia insieme la misura della vicinanza e della distanza: il piacere che l'infelicità produce in Beckett ricorda il *delight* di Burke, ma ne "viola" il senso di *awe*, di orrore, con il suo carattere comico, un comico clownesco reso con il termine *funny*. Se la coscienza del sadomasochismo è fattore comune, il gusto sublime di Beckett tuttavia non è quello di Burke: a emozioni comuni corrispondono emozioni antitetiche, il comico essendo estraneo al sublime di Burke.

La distanza sembrerebbe tornare ad accrescersi rispetto al sublime di Kant. Nella *Critica del giudizio* Kant sottolinea l'aspetto tonificante del sublime, il momento del potenziamento del soggetto dominando sul momento del suo smarrimento. Kant riconosce nel sublime il *delight* negativo, ma lo definisce in funzione di un "momentaneo impedimento", limitando intensità e durata della fase negativa. Terrore e dolore non sono più al centro del concetto di sublime, che si alimenta piuttosto a una nuova dimensione, alla *incommensurabilità* della sua stessa emozione: il soggetto eccede il mondo sensibile, si scopre capace di pensare il non misurabile con i sensi, di *concepire l'infinito* o elevarsi al di là di ogni pericolo, anche di morte, di ogni senso del limite o di impotenza che l'*immensità* della natura può generare. Di fronte all'incommensurabilità del pensiero il senso di impotenza si ribalta, il soggetto si espande, e davanti ad esso tutto è piccolo nella natura.

In questa percezione in cui l'animo può sentire la propria destinazione come sublime, al di sopra della natura[137], sgorga il piacere, un piacere di trovare inadeguata alle idee della ragione ogni misura della sensibilità. Divenuto celebrazione del soggetto di ragione, il sublime non sta nell'oggetto osservato, ma nel giudizio del soggetto che lo valuta, afferisce ad un principio a priori e alla filosofia trascendentale. Esso opera con l'immaginazione: e questa esplica «un potere che afferma la nostra indipendenza dagli influssi naturali [...] e pone l'assoluta grandezza solo nella propria destinazione (vale a dire in quella del soggetto)»[138]. Un impervio paesaggio di abissi di montagna può suscitare uno stupore che confina con lo spavento e l'orrore, ma al di là di questo l'immaginazione sa avvertire la propria capacità di serenità e dominio psichico. È nell'ordine del valore, di una forza illimitata di resistenza, che si colloca il sublime così inteso. Mentre al bello corrisponde la commedia, al sublime corrisponde la tragedia; nulla più del ridicolo scade al di sotto del sublime.

La celebrazione del soggetto di ragione, l'illuminismo utopico implicito nell'incommensurabilità kantiana, sono ovviamente remoti da Beckett, come ogni bilancio trionfalistico del complesso gioco emotivo del sublime. Tuttavia proprio l'eccedenza kantiana del soggetto sugli oggetti naturali, scoperta di onnipotenza narcisistica al di là di ogni possibile referenzialità, apre nuovi varchi alle avventure – o disavventure – gnoseologiche del soggetto.

Il compiacimento dell'onnipotenza psichica era già evidente nel sublime longiniano, nelle molteplici descrizioni proiettive del potere degli dèi: ma in Kant la secolarizzazione laica illuminista, che impedisce l'accesso al trascendente, provoca un salto qualitativo e un rischio. Kant avverte la contrazione negativa, la minaccia di questo salto, e la supera con l'eccedenza utopica. Ma tra l'utopico e l'assurdo – come bene spiega la tipologia dell'illuminismo di Juri Lotman – il passo è breve. La non referenzialità, ove non si osi il salto utopico, si trasforma subito in blocco espressivo, negazione semantica, impedimento istitutivo.

Al politeismo, cui Longino affidava la rappresentazione simbolica dell'onnipotenza narcisistica e quindi di un sublime entusiastico, corrisponde non a caso, nelle *Lezioni di Estetica* di Hegel, il panteismo islamico di Hafiz o il misticismo orientale e infine cristiano, cui affidare le espansioni dell'io: è al registro *teologico* che compete la possibilità di un sublime *entusiasta*, come etimologicamente implicito. Solo nello slancio utopico di un'eccedenza orgogliosa di sé, Kant può evitare quel vuoto che Hegel colma invece nel panteismo; ma questo lascia infine al soggetto in esso esaltatosi un senso di dissoluzione del sé: l'esaltazione del divino è proporzionale all'annullamento o depotenziamento dell'io.

L'equilibrio delle due fasi del sublime kantiano si è compromesso: se per Kant al senso di impotenza seguiva la coscienza di una superiorità, per Hegel questo bilancio si confonde e oscura, perché la proiezione simbolica non riesce più a sostenere il soggetto.

Nel *Mondo come volontà e rappresentazione* la proiezione simbolica, resa falsa dalla volontà che la usa, può giustificarsi solo se capace di Nirvana, totale distacco dalla volontà e dal mondo. Il blocco che la laicizzazione kantiana aveva posto e insieme opposto, esplorando le eccedenze del soggetto, esclude ormai esiti di elevazione e baldanza. Esso inevitabilmente annera le soluzioni simboliche che la filosofia romantica di Hegel e la schopenhaueriana morte della volontà – omologa alla morte del sole, del re, del padre interiore – tentano dopo Kant.

Nel saggio su *Finale di partita* Adorno intuisce i concetti che si preciseranno nella successiva *Estetica*: come in Beckett, l'arte si identifica oggi con l'irrazionale, perché questo è il rimosso di una ragione del dominio divenuta negativa. Razionale è ora l'irrazionalità. Impotente contro il terribile, il bello si è rivelato sottomesso alla negatività e perciò distruttivo, come il logos, impotente di fronte alla follia, è apparso fallimentare. Al brutto e alla follia compete allora di declinare, dal proprio interno, una negazione di sé – una dialettica negativa – che riconduca potenzialmente all'affermazione, proponendo la "resistenza". Felicità, kairòs come pienezza dell'attimo unico positivo, utopia, delegittimate dalla prepotenza del logos che ha rimosso le proprie negazioni, non possono che prodursi nell'arte moderna nella loro forma rovesciata, pienamente espressa in Beckett: nelle parole di Adorno, «la felicità che danno le opere d'arte è se mai il sentimento di tener duro che esse mediano»[139]. Il kairòs ha così ceduto luogo a un'infinita ripetizione ossessiva del nulla, l'utopia alla sventura, ma questa sventura ha un telos, "tace" l'utopia per esserle fedele.

Per le vie stesse della rimozione lamentata da Adorno a sostegno della sua dialettica negativa, si legittima anche la follia che Jacques Derrida, negli anni '60, oppone al logos. Essa afferma il suo paradossale silenzio, ma anche il suo stesso limite, per non negarsi l'accesso alla storia, che per costituirsi ha bisogno di fissare una separazione, una definizione o confine, mobile perché fittizio, tra logos e follia[140].

Non è casuale che Derrida ritorni quindi alla *Critica del giudizio*, al capitolo sull'*Analitica del sublime*, in un saggio del '78 intitolato *Il colossale*, soffermandosi a riflettere sull'uso in Kant – apparentemente cursorio – dell'aggettivo *kolossalisch*. Ne nasce un discorso sul sublime, che è, a ben guardare, un equivalente speculare, in registro filosofico, di quel manifesto compiuto della poetica di Beckett che è *Finale di partita*. A Kant Beckett si era dedicato negli anni successivi alla scrittura di *Murphy*: all'amico dublinese Arland Ussher scrive nel maggio del '38 «I *read* nothing and *write* nothing, unless it is Kant (de nobis ipsis silemus) and French anacreontics»[141].

Derrida spoglia la parola *kolossos* delle sue implicazioni di grandezza, estranee all'origine etimologica come all'uso kantiano, e solo secondariamente innestate sul termine. *Colosso* è in origine non un oggetto fuor di misura, ma solo un qualcosa di eretto, di innalzato[142] – una «pierre levée» come quella del bambino in *Finale di partita* – e anche effigie del soggetto o suo doppio, come l'anima. Più alto di ogni altezza misurabile per la sua pretesa sublime, il "colossale" kantiano è senza misura, non perché gigantesco ma perché al di là di ogni presentazione concreta: in esso infatti, nella formulazione di Kant, «l'intuizione dell'oggetto è presso a poco troppo grande per la nostra facoltà di apprensione». Chiarendo la riflessione che giustifica in Kant l'aggettivo *kolossalisch*, Derrida vi fa emergere una funzione critica nei confronti del soggetto e delle sue facoltà, ribaltando in "insufficienza" ciò che Kant vedeva come orgogliosa eccedenza del soggetto sulla natura e la sensibilità. È a Hegel che Derrida riconduce tale giudizio di insufficienza. Nel capitolo dedicato al *Simbolismo del sublime* nelle *Lezioni di Estetica* l'infinità interiore diventa inaccessibile e inesprimibile perché non può essere simbolica, non può più presentarsi in una somiglianza analogica tra un simbolo e un simboleggiato. Il contenuto dell'idea sublime – idea infinita – annulla il significante che non può offrirgli veste adeguata: l'incommensurabilità sublime è divenuta impedimento della significazione.

Tuttavia Derrida – e dopo di lui Jean François Lyotard – ritorce infine questo passaggio negativo obbligato del sublime su se stesso: quello che poteva apparire un meno, una privazione, va pensato «come conseguente al più e non al meno, conseguente all'infinità significata e non alla finitezza significante»[143]. L'accento torna su un potere, il sublime marca una resistenza infinita alla sua inaccessibilità simbolica; ma non è più traccia di un destino superiore del soggetto come in Kant, bensì di una pulsione creativa coestensiva al suo scacco infinito. Di qui in linea retta la *definizione di postmoderno* di Lyotard, come consapevolezza dell'impresentabile (o "impedimento" alla rappresentazione), a partire ancora una volta, come per Derrida, dalla *Critica del giudizio*:

Far vedere che c'è qualcosa che si può concepire e che non si può né vedere né far vedere, ecco la scommessa della pittura moderna. Ma come far vedere che c'è qualcosa che non può essere visto? Lo stesso Kant indica la direzione da seguire quando parla di *informe*, di *assenza di forma*, come di un possibile indice dell'impresentabile. Ma Kant dice anche, dell'*astrazione* vuota che prova l'immaginazione alla ricerca di una presentazione dell'infinito (altro impresentabile), che essa è come una presentazione dell'infinito, la sua *presentazione negativa*. Egli cita il passo "Tu non ti farai alcuna immagine scolpita, ecc." (*Esodo*, 20,4) definendolo il più sublime della Bibbia perché vieta ogni presentazione dell'assoluto[144].

E prosegue:

Non c'è molto da aggiungere a queste osservazioni se si vuole delineare un'estetica della pittura sublime: come pittura essa "presenterà" evidentemente qualcosa, ma in negativo, eviterà quindi la figurazione o la rappresentazione, sarà "bianca" come un quadrato di Malevič, farà vedere solo proibendo di vedere, farà piacere solo procurando dolore. In queste istruzioni si riconoscono gli assiomi delle avanguardie pittoriche, nella misura in cui esse si sforzano di alludere all'impresentabile attraverso presentazioni visibili. I sistemi delle ragioni in nome delle quali o con le quali questo compito ha potuto sostenersi o giustificarsi vanno considerati con grande attenzione ma possono formarsi solo a partire dalla vocazione al sublime, per legittimarla, in altre parole per mascherarla. Tali ragioni rimangono inesplicabili senza l'incommensurabilità della realtà in rapporto al concetto implicito nella filosofia kantiana del sublime[145].

Ma questa sintetica conclusione di Lyotard sul sublime contemporaneo coincide con la poetica di Beckett: essa ripete nel 1986 per chi si interroga sul postmoderno ciò che Beckett, riflettendo sulla pittura contemporanea, per inquadrarvi l'opera di Bram van Velde, da lui molto apprezzato, scriveva in un saggio del 1948, ben prima della riflessione di Derrida o di *Finale di partita* e della sua "scoperta" da parte di Adorno.

Breve ma pregnante nelle scelte, il saggio, già citato e a cui è opportuno tornare, significativamente intitolato *Peintres de l'empêchement*, proietta su van Velde la poetica stessa di Beckett, in cui l'autore dichiara di perseverare con determinazione: l'estetica della sottrazione dell'oggetto alla rappresentazione, della sua latenza, compresa la quale non resta all'artista che la coscienza di questo sottrarsi e la capacità di rappresentarlo. Ma la sottrazione è duplice, dell'oggetto che «è quel che è», e del soggetto che è anch'egli «quel che è». È quest'ultimo che più interessa Beckett e si esprime in Bram van Velde. La pittura registra allora una distanza: «est peint ce qui empêche de peindre», e la resistenza è infinita[146].

Un anno dopo, nel '49, lo stesso van Velde è da Beckett definito il primo artista a vivere questo impedimento fino in fondo, come uno scacco radicale ma necessario, cui essere fedele:

> J'estime que Bram van Velde est le premier à s'être départi de cet automatisme esthétisé, le premier à se soumettre entièrement à cette incoercible absence de rapport que lui vaut l'absence de termes ou, si vous préférez, la présence de termes inaccessibles, le premier à admettre qu'être un artiste est échouer comme nul autre n'ose échouer, que l'échec constitue son univers et son refus désertion, arts et métiers, ménage bien tenu, vivre. Je n'ignore pas qu'il ne nous manque plus maintenant, pour amener cette horrible affaire à une conclusion acceptable, que de faire de cette soumission, de cette acceptation, de cette fidélité à l'échec, une nouvelle occasion, un nouveau terme de rapport, et de cet acte impossible et nécessaire un acte expressif, ne serait-ce que de soi-même, de son impossibilité, de sa nécessité[147].

Questa *in*sistenza a fallire, allo scacco, non è che la *re*-sistenza di Hamm e Clov nella loro partita a scacchi. Parlando ancora di Bram van Velde, delle sue «masses inébranlables d'un être écarté», della sua pittura chiusa in se stessa «aux brefs éclairs, aux couleurs du spectre du noir», la definisce addirittura "cyclopéen"[148]. Nel vocabolario eroico usato, nell'opposizione coraggio supremo/diserzione, il registro linguistico si è qui avvicinato al sublime classico: l'artista non è dissimile dall'Aiace di Longino che prega gli dèi per potersi battere con valore.

L'esperienza che a 40 anni, tra il '45 e il '46, Samuel Beckett fece a Saint-Lô, riportandone, come già ricordato, «a vision and sense of a time-honoured conception of humanity in ruins and perhaps even an inkling of the terms in which our condition is to be thought of again»[149] conferma, in questo passo sublime e adorniano, insieme la concretezza storica e la radicale astrazione di *Finale di partita*, e tutto il cammino che qui si registra della figurazione sublime della distruzione.

Del soggetto o del mondo, la distruzione espressa da Beckett non si offre nel semplice pathos della sua contemplabilità: essa si comunica insieme come assoluto, alla fine della storia, ma anche come menzogna di se stessa. In un breve giudizio sulla pittura di Henri Hayden, nel '55, due anni prima di *Finale di partita*, Beckett così cita il Budda:

> Gautama, avant qu'ils [les mots] venissent à lui manquer, disait qu'on se trompe en affirmant que le moi existe, mais qu'en affirmant qu'il n'existe pas on ne se trompe pas moins[150].

È sulla doppia negazione che si costruisce quella «desecration of silence», «profanazione del silenzio», che è, nelle sue stesse parole, la parola di Beckett. È dando scacco allo scacco che si crea uno stallo, e il sublime si fa attesa.

Ma attendere, ad-tendere, non è in Beckett il piacere erotizzato della perdita del soggetto di Burke, né l'estasi del silenzio totale del soggetto di Schopenhauer. Pur distante, il suo regime risale più prossimo a Kant, alla sua incommensurabilità, sulla linea del *kolossalisch*, "smisurato" anche piccolo (o magari infimo), di cui parla poi Derrida, o ancora della fusione di melanconia e *novatio* di cui parla Lyotard.

Finale di partita termina con una doppia immagine, una scena divisa in due, tra un interno rappresentato e un esterno drammatizzato nella descrizione di Clov. È la scena di un doppio illuminismo se, con Lotman, si definisce illuminista la desemiotizzazione radicale quale operata da Beckett. Mentre fuori compare un bambino a riaffermare tempo, storia e natura, negati nel rifugio, all'interno Clov si colloca incerto tra la paralisi di Hamm e questa apparizione verso la quale tende il suo nuovo abbigliamento da viaggio. Se nel rifugio l'assurdo sembra autodenunciarsi – gli abiti di Clov dichiarano falsa la desertificazione del mondo – all'esterno sembra comparire l'utopia impossibile, la storia che si dà nuova. Assurdo e utopia sono, come s'è visto, i due termini della dinamica illuminista nella tipologia della cultura di Lotman.

In *Dionysos' Dianoetic Laugh* Martin Esslin definisce Beckett nei termini dell'artista dionisiaco citando Nietzsche:

> Der tragische Künstler ist *kein* Pessimist – er sagt gerade *Ja* zu allem Fragwürdigen und Furchtbaren selbst, er ist *dionysisch*[151] (L'artista tragico *non* è un pessimista – egli dice propriamente *Sì* ad ogni cosa anche problematica e terribile, egli è *dionisiaco*).

Rivolgendosi agli attori del *Finale di partita* da lui diretto a Berlino, Beckett, come notò egli stesso in tedesco nei quaderni di regia, spiegò Hamm in questi termini: «Hamm sagt das Nein gegen das Nichts»[152]. Un "no al nulla" dunque, non un "Ja", un sì, al problematico e al terribile, l'accesso ai quali è, come in Leopardi, dovere dianoetico. Il rovesciamento è ironico rispetto a Nietzsche, forse implicito, come spesso in altre battute-citazioni ribaltate da Beckett; il coraggio sublime è lo stesso, ma l'implicazione ideologica è ribaltata. Alla follia del negativismo nietzschiano, almeno come qui inteso, Beckett sfugge, come già era sfuggito all'impossibile *self-confidence* dell'incommensurabilità kantiana. È la stessa mossa, come accennato, del sublime nella *Ginestra*, ma dopo una sconvolgente indagine all'interno dell'io, che ne modifica il senso e il peso. Nella sua ultima poesia-testamento del 1837 Leopardi loda la ginestra, fiore del deserto che sfida il Vesuvio e la sua lava sterminatrice, unica pianta a ingentilire le rovine di Pompei, perché capace di rispuntare ogni volta dal suolo impietrito, resistendo sublime alla violenza della natura e alla contiguità con la morte. L'esempio della ginestra, correlativo oggettivo dell'essere finito in rapporto all'essere assoluto e indeterminato, né troppo umile da soccombere, né vanamente orgogliosa contro l'evidenza della caducità, diviene quindi occasione per suggerire la solidarietà umana, a difesa comune dall'indifferenza della natura. Con l'avvaloramento sublime di questa resistenza collettiva Leopardi conclude il suo messaggio poetico, conferendo funzione assiologica alla sua "ultra-filosofia".

Beckett non sembra esprimere immagini equivalenti alla ginestra di Leopardi, e il suo messaggio si chiude nel suo ultimo lavoro-testamento, *Stirrings Still*, con la figura melanconica di Walther von der Vogelweide. All'opposizione leopardiana tra la volontà di piacere dell'io e la natura esterna indifferente, tra consunzione/morte inevitabili e amore di sé inappagabile o oppresso dalla "noia", è subentrata in Beckett una «funny unhappiness», che ha spostato il paradosso e la crudeltà della natura all'interno della psiche: di qui l'orgoglio di Hamm di soffrire e far soffrire, e la sua incapacità alla solidarietà. Questa iperbole della disillusione leopardiana, tuttavia, scoprendosi *pseudos* e "impedimento" all'attività gnoseologica come alla rappresentazione, eccede il problema leopardiano: se l'autore della *Palinodia* distrugge con puntiglio i racconti emancipativi del progresso tecnologico e delle "magnifiche sorti e progressive" del secolo, Beckett distrugge la stessa raccontabilità del mondo, impedita nell'intimo del narratore. Se il soggetto di Leopardi è orfano di madre, quello di Beckett è orfano della sua parola, come in *Not I*, cancellata nel silenzio, oppure ridotta a funzione fatico-coattiva. Ma sulle rovine della solidarietà negata di Hamm spunta ostinata la ginestra della pietà di Clov, che rinuncia a partire, come nel deserto intorno al rifugio "spunta" il bambino che falsifica il dominio del deserto. Il fanciullo invitto di Leopardi è "tornato" subendo paradossalmente un quasi-rovesciamento: in Beckett confluisce nella sua immagine, da un lato la funzione della ginestra, il segno di una resistenza, dall'altro un'interrogazione sulla conoscibilità del mondo.

L'orizzonte gnoseologico delle distinzioni vero/falso, dissolvendosi, porta in Beckett al tempo stesso a superare sia il sublime kantiano che quello nietzschiano. In questa doppia deviazione, nell'attesa neosublime che essa produce, fondendo insieme humour e melanconia, assurdo e limite dell'utopia, risparmio psichico e "epica" immersione nel dolore, può delinearsi già, al di là, lo spazio post-kantiano e post-nietzschiano dell'interrogazione ermeneutica.

Note al capitolo terzo

[1] S. Beckett, *Peintre de l'empêchement*, in *Trois textes sur la peinture moderne*, in «L'Herne», *cahier* interamente dedicato a Beckett, Paris, 1976, p. 69.

[2] E.M. Cioran, *Quelques rencontres*, in «L'Herne», cit., p. 105.

[3] *Collected Poems in French and English*, John Calder, 1977.

[4] L'originale, nell'edizione curata da Jean Dagen per Garnier-Flammarion, 1968 (pp. 71-72) è: «L'espérance n'est qu'un charlatan qui nous trompe sans cesse; et, pour moi, le bonheur n'a commencé que lorsque je l'ai perdue. Je mettrais volontiers sur la porte du paradis le vers que le Dante a mis sur celle de l'Enfer: Lasciate ogni speranza, voi ch'entrate».

[5] La copia di *Finale di partita* con l'iscrizione è conservata presso lo Humanities Research Center dell'Università del Texas a Austin, e registrata nel suo catalogo *No Symbols Where None Intended*, a cura di Carlton Lake, 1984, p. 101.

[6] S. Beckett, *Kottabista*, in «Hermathena», n. CXV, 1973, p. 19.

[7] Lorenzo Rocci, *Vocabolario greco-italiano*, Dante Alighieri, 1987, p. 1079.

[8] «The Blue Guitar», Facoltà di Magistero, Università di Messina, vol. I, 1975, pp. 11-18.

[9] MS 2929.

[10] Cfr. Claude Arnaud, *Chamfort*, Paris, Laffont, 1988 e Maurice Pellisson, *Chamfort*, Genève, Slatkine Reprints, 1970 (originale: Paris, 1895); cfr. in particolare anche la voce "Chamfort" nel *Dictionnaire des littératures de langue française* di J.P. de Beaumarchais, Paris, Bordas, pp. 405-406.

[11] MS 3000, marcato dall'autore in copertina con il titolo del suo poemetto *Whoroscope*, sebbene a quell'opera non si faccia propriamente riferimento.

[12] I brani che Beckett copia da Mauthner sono tratti dai *Beiträge zu einer Kritik der Sprache*, e si estendono per molte pagine del *Notebook*, costituendone la fonte singola più estesa. Su Beckett e Mauthner cfr. L. Ben-Zvi, *Fritz Mauthner for Company*, in «Journal of Beckett Studies», n. 9, 1984, pp. 65-88.

[13] I passi da Kant vertono sui giudizi sintetici a priori e la natura trascendentale della conoscenza.

[14] In una nota al suo già citato volume su Beckett *Just Play*, R. Cohn

così si esprime in particolare sul rapporto Beckett/Johnson come tratteggiato da D. Bair: «Her [Bair's] quotations from letters are invaluable, but her own comments and quotations from conversations should be read cautiously. For example, I have not read all Johnson's works, but to none that I know does Beckett display "an astonishing similarity of style". Nor does it sound like Beckett to affirm "And if I follow any tradition, it is his [Johnson's]"».

[15] D. Bair, *op. cit.*, p. 257.

[16] *Ibidem*, p. 253.

[17] *Ibidem*.

[18] *Ibidem*, p. 256.

[19] Cfr. il *Diario* delle prove berlinesi di *Finale di partita* con Beckett di Michael Haerdter (Sabato 9 settembre), reso in inglese in D. McMillan e M. Fehsenfeld, *op. cit.*, p. 231.

[20] *Ibidem*.

[21] Ju. Lotman, *Il problema del segno e del sistema segnico nella tipologia della cultura russa prima del XX secolo*, in Lotman e Uspenskij (a cura di), *Ricerche semiotiche: nuove tendenze delle scienze umane nell'Urss*, Torino, Einaudi, 1973, p. 54.

[22] C. Segre, *op. cit.*, parte prima, *Storicizzazione*.

[23] Ju. Lotman, B.A. Uspenskij, *Tipologia della cultura*, Milano, Bompiani, 1973, p. 178.

[24] *Ibidem*, p. 181.

[25] Cfr. C. Arnaud, *op. cit.*, pp. 48-49.

[26] Cfr. D. Bair, *op. cit.*, p. 464, e J. Fletcher, *Son of Oedipus*, in J. Fletcher e J. Spurling, *Beckett the Playright*, London, Methuen, 1985, p. 70.

[27] Coestensivi alla cultura (e a ogni sua manifestazione, ovviamente non solo letteraria), i codici di Lotman si propongono implicitamente come modello anche per le culture anteriori a quella che Lotman – occupandosi della realtà russa e quindi europea – considera a partire dal medioevo. Per il mondo antico, greco e romano, mancano ancora analisi di tipologia della cultura, ma l'illuminismo ironico di Aristofane, il sintagmatismo "machiavellico" dei Sofisti, la desemiotizzazione radicale di un Diogene, o i tratti semantico-paradigmatici della filosofia di Platone, sembrano potersi bene prestare a uno studio in tal senso.

[28] Cfr. M. Esslin, *The Theatre of the Absurd*, London, Penguin, 1968 (prima edizione 1961), p. 72.

[29] Cfr. M. Haerdter, *Materialen*, cit., p. 125.

[30] Cfr. il passo relativo già riportato nel capitolo secondo, par. 11.

[31] L'edizione cui si fa riferimento è: J. Joyce, *Ulysses*, London, The Bodley Head, 1960 (cfr. pp. 178-181).

[32] *Ibidem*, p. 177.

[33] *Ibidem*, p. 180.

[34] *Ibidem*, p. 181.

[35] Cfr., nell'edizione di *Finnegans Wake* della Faber & Faber (London, 1975), p. 307.

[36] A. Glasheen, *Third Census of Finnegans Wake*, London, p. 206.

[37] Cfr. S. Freud, *Il Mosè di Michelangelo* (1914), nelle *Opere* edite da Boringhieri, e inoltre, nella stessa edizione, *L'uomo Mosè e la religione monoteistica: tre saggi* (1934-38).

[38] M. Walzer, *Exodus and Revolution*, New York, Basic Books, 1985, trad. it. *Esodo e rivoluzione*, Milano, Feltrinelli, 1986.

[39] G. Marramao, *Idola del postmoderno, considerazioni inattuali sulla fine (e il principio) della Storia*, in G. Vattimo (a cura di), *Filosofia '87*, Bari, Laterza, 1988.

[40] *Ibidem*, p. 171.

[41] M. Calvesi, *Duchamp invisibile*, Roma, Officina edizioni, 1975, p. 277.

[42] *Ibidem*.

[43] *Ibidem*, p. 286.

[44] Il *Paedogeron* è immagine simbolica di unione dei contrari.

[45] C. De Tolnay, *Michelangelo*, Princeton University Press, 1947, trad. it. *Michelangelo*, Roma, 1951.

[46] Nel racconto *La legge*, T. Mann si riferisce al terzo saggio di *L'uomo Mosè* di Freud, come attesta una lettera di Mann a Freud del 4 maggio 1937. Cfr. anche L. Ceppa, *I due Mosè di Freud e di Thomas Mann*, in «Belfagor», settembre 1986.

[47] C. Worth, *Beckett's Auditors: Not I to Ohio Impromptu*, in *Beckett at 80, Beckett in Context*, a cura di E. Brater, *op. cit.*, pp. 168-192; cfr. anche Bair, *op. cit.*, p. 622.

[48] *Ulysses*, cit., p. 7.

[49] Cfr. L. Festinger, *A Theory of Cognitive Dissonance*, Stanford University Press, 1957, trad. it. *Teoria della dissonanza cognitiva*, Milano, Franco Angeli, 1973.

[50] D. Bair, *op. cit.*, p. 465.

[51] D. McMillan, *op. cit.*, p. 102.

[52] J. Prinz, *The Fine Art of Inexpression: Beckett and Duchamp*, in *Beckett Translating, Translating Beckett*, a cura di Friedman, Rossman, Sherzer, Pennsylvania State University Press, 1987, p. 96.

[53] A. Breton, *Anthologie de l'humour noir*, prima edizione 1939, seconda con aggiunte 1947, trad. it. *Antologia dello humour nero*, Torino, Einaudi, 1970.

[54] *Ibidem*, p. 15.

[55] Cfr. M. Duchamp, *La scatola verde*, in *Appendice* a M. Calvesi, *op. cit.*, e N. Calas, *The Large Glass*, in «Art in America», July-August 1969, riportato in M. Calvesi, *op. cit.*, p. 377.

[56] A. Schwarz, *The Complete Works of Marcel Duchamp*, prima edizione 1969, trad. it. *La sposa messa a nudo in Marcel Duchamp*, Torino, Einaudi, 1974, pp. 86-87.

[57] Cfr. in particolare la battuta di Hamm «Me to play» (*Endgame*: 51).

[58] Cfr. *Murphy*, cit., p. 169.

[59] D. Bair, *op. cit.*, p. 467.

[60] A. Liberman, *Gli artisti nel loro studio*, Milano, Il Saggiatore, 1961, figg. 98 e 99.

[61] Cfr. Watzlawick, Beavin e Jackson in *Pragmatic of Human Communication*, New York, 1967, trad. it. *Pragmatica della comunicazione umana*, Roma, Astrolabio, 1971, p. 61.

[62] Si cita qui la versione inglese perché l'ultima dell'autore: ad essa d'ora in poi si farà riferimento come "versione finale", pur con tutti i limiti del caso.

[63] Cfr. il primo capitolo.

[64] Cfr. A. Tagliaferri, *Beckett: il linguaggio del paradosso*, in *L'invenzione della tradizione*, Milano, Spirali, 1985, pp. 51-62.

[65] M. Haerdter, *Materialen*, cit., p. 64.

[66] E. Brater, *Noah, Not I and Beckett's "Incomprehensible Sublime"*, in «Comparative Drama», Fall, 1974, n. 3, p. 255.

[67] D. Bair, *op. cit.*, p. 74.

[68] M. Calvesi, *op. cit.*, p. 270.

[69] R. Cohn, *op. cit.*, p. 235.

[70] *Ibidem*, p. 236.

[71] *Murphy*, cit., p. 78.

[72] E. Panofsky, *The Life and Art of Albrecht Dürer*, Princeton, 1943, edizione italiana *La vita e le opere di A. Dürer*, Milano, Feltrinelli, 1967, p. 212.

[73] A. Tagliaferri, *op. cit.*, p. 129.

[74] E. Panofsky, *op. cit.*, p. 208.

[75] *Ibidem*, p. 209.

[76] *Ibidem*, p. 223.

[77] R. Cohn, *op. cit.*, p. 156.

[78] *Ibidem*, p. 161.

[79] Cfr. E. Panofsky, *op. cit.*, p. 222. Il contesto shakespeariano di *The Winter's Tale* suggerisce una crisi dei legami affettivi domestici nei confronti della donna-madre, fino a farla morire, e un "magico" intervento riparatore che la restituisca poi alla vita e all'affetto negatole.

[80] S. Beckett, *More Pricks than Kicks*, New York, Grove Press, 1972, p. 141.

[81] Secondo il commento di Wölfflin, riportato in Walter Strauss, *The Complete Engravings, Etchings and Drypoints of Albrecht Dürer*, New York, Dover, 1972, p. 166.

[82] R. Cohn, *op. cit.*, p. 496.

[83] *Ibidem*, p. 706.

[84] N. Sapegno (a cura di), *La Divina Commedia, Purgatorio*, Firenze, La Nuova Italia, p. 44, nota 107.

[85] Cfr. rispettivamente p. 12 e p. 10.

[86] E. Panofsky, *op. cit.*, p. 218.

[87] R. Cohn, *op. cit.*, p. 113.

[88] E. Jacquart, *Esthétique et métaphysique de l'écho dans "Fin de partie"*, in «Il confronto letterario» n. 4, novembre 1985, Università di Pavia, pp. 277-310.

[89] Cfr. E. Panofsky, *op. cit.*, p. 204: «Che Dürer abbia concepito queste due stampe come "complementi" spirituali all'interno della triade dei "Meisterstiche" può essere dedotto dal fatto che egli aveva l'abitudine di darli via assieme e che i collezionisti li contemplavano e discutevano fianco a fianco. Non meno di sei esemplari furono venduti in coppia, mentre solo un esemplare della *Melencolia I* fu dato via isolatamente e nessuno de *Il cavaliere, la morte e il diavolo* (il terzo dei "Meisterstiche") cambiò il proprietario assieme a una delle altre due stampe».

[90] Cfr. R. Klibansky, E. Panofsky, F. Saxl, *Saturn and Melancholy*, London, 1964, edizione italiana *Saturno e la melanconia*, Torino, Einaudi, 1983, p. 296. Panofsky e Saxl avevano già pubblicato, come accennato, uno studio, *Dürers Melencolia I. Eine quellen- und typengeschichtliche Untersuchung* negli *Studien der Bibliotek Warburg*, Leipzig, 1923, lavoro poi ripreso in Inghilterra e che subì lunghi ritardi prima di pervenire alla forma attuale: è probabile che Beckett abbia conosciuto, oltre alla biografia di Panofsky del '43, anche le ricerche di Panofsky e Saxl iniziate nel '23.

Per il cane di *Finale di partita* D. Bair cita tuttavia un supposto elemento biografico. Nel '42 Beckett, visitando la vecchia madre, l'avrebbe trovata con un nuovo cane: «instead of a Kerry Blue, she kept a spoiled Pomeranian, whose sharp staccato bark gave everyone but herself severe headaches» (p. 337). Ma il cane di *Finale di partita* non solo rinvia a un ben più ampio contesto: esso si è "accovacciato su tre zampe" come nell'incisione.

[91] R. Klibansky, E. Panofsky, F. Saxl, *op. cit.*, p. 340. Questa crisi di Dürer, che ricorda la già citata crisi di Beckett nel '31, può aver favorito il processo di identificazione di Beckett con l'artista del Cinquecento. Sulla tradizione che connette genio artistico e follia cfr. il capitolo quinto «Genio, pazzia e melanconia» in *Nati sotto Saturno* di Rudolf e Margot Wittkover, Torino, Einaudi, 1968 (edizione originale *Born Under Saturn*, London, 1963).

[92] C. Segre, *La funzione del linguaggio nell'"Acte sans paroles" di Samuel Beckett*, in *Le strutture e il tempo*, Torino, Einaudi, 1974.

[93] D. Bair, *op. cit.*, p. 3.

[94] S. Gontarski, *Beckett's Happy Days: A Manuscript Study*, Ohio State University Library, Columbus, Ohio, 1977, p. 59 (cap. VI).

[95] Cfr. *M. Duchamp*, London 1966, a cura di The Arts Council of Great Britain (catalogo della mostra alla Tate Gallery, 18 giugno - 31 luglio 1966), p. 7.

[96] M. Calvesi, *op. cit.*, p. 278-279.

[97] M. Haerdter, *Materialen*, cit., p. 62.

[98] *Ibidem*, 16 settembre.

[99] *Ibidem*, 17 settembre.

[100] Anche il 5 – numero che corrisponde al mese reale di nascita di Beckett, il maggio – gioca un ruolo importante: Hamm chiede 5 volte il calmante che Clov rifiuta 5 volte e le "parole della fine" sono, sottolinea Beckett, in tutto 52, numero che rovesciato dà $25=5\times5$: cfr. *Materialen*, cit., 17 settembre.

[101] *Ibidem*, p. 105.

[102] *Ulysses*, cit., p. 359.

[103] Cfr. anche dello stesso autore *L'ancien et le nouveau*, in «Revue d'esthétique», numero fuori serie dedicato a S. Beckett, 1986. Qui Jacquart amplia il discorso delle "aritmosofie" includendo nel pitagorismo – a cui Beckett si interessa per le sue potenzialità «ludiques, sémiologiques, et esthétiques» – 4 fonti principali: la filosofia greca (Pitagora e Platone), la gnosi, la mistica ebraica (la kabala) e quella cristiana (l'*Apocalisse* di Giovanni, S. Agostino, i padri della chiesa). Egli scorge anche l'influsso del buddismo.

[104] M. Calvesi, *A noir*, in «Storia dell'arte», nn. 1-2, 1969.

[105] M. Calvesi, *Arte e alchimia*, Firenze, Giunti, 1986, (*Art Dossier*), p. 44.

[106] M. Calvesi, *Duchamp invisibile*, cit., p. 350.

[107] *Ibidem*, p. 226.

[108] Cfr. capitolo primo, par. 1.

[109] Didier Anzieu, *L'autoanalyse de Freud*, Paris, PUF, 1975, trad. it. *L'autoanalisi di Freud e la scoperta della psicoanalisi*, Roma, Astrolabio, vol. I, 1976, p. 247. Anzieu fa riferimento alla minuta N acclusa alla lettera.

[110] Il saggio è stato incluso in Jean Starobinski, *L'oeil vivant*, Paris, Gallimard, 1961, trad. it. *L'occhio vivente*, Torino, Einaudi, 1970. I brani citati sono a p. 337 e p. 339.

[111] Nella scena 2 dell'atto II, ad esempio, finita la prova di un attore, Amleto, rimasto solo, proietta sulla passione simulata dell'attore un io ideale e lo confronta con la propria inerzia nel lungo passo che inizia con «O, what a rogue and peasant slave am I!», immaginandosi svillaneggiato e coprendosi di disprezzo.

[112] Freud non moltiplica le citazioni di cui potrebbe far uso e a lui certo ben note: questo infatti sbilancerebbe la formula della sua scrittura, solitamente pronta ad ammettere la memoria culturale solo accanto alla clinica e all'autoanalisi. A una citazione diretta da *Amleto* corrispondono infatti una citazione diretta dagli studi di Karl Abraham e una dalle ricerche di Karl Landauer, soli altri documenti specifici – non "casi", si badi bene – menzionati. Come nella descrizione della nevrosi di Dora, in cui esplicitamente dissocia la propria scrittura da quella del romanziere o del letterato, alla quale non intende indulgere, Freud sembra perseguire un'autonomia scientifica che lo induce a non palesare appieno un apporto che pure non può evitare. Narratività e comunicazione scientifica si intrecciano nel *Caso di Dora* (cfr. C. Segre, *Il caso di Dora: anamnesi e romanzo*, in *Teatro e romanzo*, Torino, Einaudi, 1984), come teatro shakespeariano e clinica nel saggio sulla melanconia.

[113] W. Benjamin, *Ursprung des deutschen Trauerspiels*, Frankfurt a. M., Suhrkamp, 1963, trad. it. *Il dramma barocco tedesco*, Torino, Einaudi, 1971.

[114] Cfr. T.W. Adorno, *Tentativo di capire il Finale di partita*, in Adorno, *Note per la letteratura*, Torino, Einaudi, 1979, p. 286 (il testo, inedito tradotto da Einaudi, era già stato in parte letto da Adorno in una serata organizzata da Suhrkamp nel '61, a Francoforte, e portava una dedica a «S.B.» dell'autunno '58). A proposito dello svuotamento dell'umorismo Adorno cita una battuta di Clov:

> CLOV: Things are livening up. (*He gets up on a ladder, raises the telescope, lets it fall.*) I did it on purpose. (*He gets down, picks up the telescope, turns it on auditorium.*) I see... a multitude... in transports... of joy. (*Pause*) That's what I call a magnifier. (*He lowers the telescope, turns towards Hamm.*) Well? Don't we laugh?
>
> HAMM: (*after reflection*). I don't.
>
> CLOV: (*after reflection*). Nor I.

[115] *Ibidem*, p. 290.

[116] R. Klibansky, E. Panofsky, F. Saxl, *op. cit.*, p. 222.

[117] S. Freud, *Il motto di spirito*, Torino, Boringhieri, 1974.

[118] G. Celati, *Finzioni occidentali*, Torino, Einaudi, 1975, p. 127.

[119] *Ibidem*, pp. 51-80.

[120] *Ibidem*, p. 83.

[121] T.W. Adorno, *Ästhetische Theorie*, Frankfurt a. M., Suhrkamp, 1970, trad. it. *Teoria estetica*, Torino, Einaudi, 1975, p. 331.

[122] *Ibidem*, p. 332.

[123] Cfr. W.J. McCormack, *Seeing darkly: notes on T.W. Adorno and Samuel Beckett*, in «Hermathena», 1986, p. 26.

[124] *Endgame*: 44, 51.

[125] W. Worringer, *Astrazione e empatia*, Torino, Einaudi, 1975.

[126] G. Franck, *Bathos. Immagini del tempo alla fine del tempo*, in «Materiali filosofici», n. 11, maggio-agosto 1984.

[127] D. Bair, *op. cit.*, p. 79.

[128] Cfr. i *Notebooks* da Beckett scritti per *Godot* commentati da R. Cohn, in *op. cit.*, p. 260.

[129] H. Bloom, *The Anxiety of Influence*, Oxford University Press, 1973, trad. it. *L'angoscia dell'influenza*, Milano, Feltrinelli, 1983.

[130] Cfr. D. Bair, *op. cit.*: v. il terzo foglio dell'inserto fotografico tra p. 314 e p. 315.

[131] S. Beckett, *Watt*, Paris, Olympia Press, 1953, trad. it. *Watt*, Milano, Sugar, 1967, p. 51.

[132] A. Michel, *Rhétorique et Poétique: la théorie du sublime de Platon aux modernes*, in «Revue d'Etudes Latines», 1967, p. 300.

[133] S. Freud, *Il motto di spirito*, cit.

[134] Per il concetto di "modello" cfr. C. Segre, *Le strutture e il tempo*, Torino, Einaudi, 1974.

[135] Pseudo-Longino, *Il sublime*, Milano, Minuziano, 1949, p. 49.

[136] N. Boileau, *Oeuvres Complètes*, Paris, Escal, 1966, p. 562.

[137] I. Kant, *Kritik der Urteilskraft*, 1790, trad. it. *Critica del giudizio*, Bari, Laterza, 1984, p. 113.

[138] *Ibidem*, p. 123.

[139] T.W. Adorno, *Teoria estetica*, cit., p. 28.

[140] J. Derrida, *L'écriture et la différence*, Paris, Seuil, 1967, trad. it. *La scrittura e la differenza*, Torino, Einaudi, 1971.

[141] Cfr. la lettera del 12/5/'38 a A. Ussher. Nel già citato *Notebook* indicato come MS 3000 *Whoroscope*, conservato a Reading, Beckett sottolinea come l'espressione «de nobis ipsis silemus», di Bacone, venga apposta da Kant a epigrafe della *Critica della ragion pura*: citandola, Beckett insieme conferma la propria inattività creativa a favore della lettura di Kant, e indica il testo oggetto della sua attenzione, che i già menzionati passi kantiani nel *Notebook* sull'a priori trascendentale attestano.

[142] J. Derrida, *La vérité en peinture*, Paris, Flammarion, 1978, trad. it. *La verità in pittura*, Roma, Newton Compton, 1981, p. 116.

[143] *Ibidem*, p. 128.

[144] J. Lyotard, *Le postmoderne expliqué aux enfants*, Paris, Galilée, 1986, trad. it. *Il postmoderno spiegato ai bambini*, Milano, Feltrinelli, 1987, p. 20.

[145] *Ibidem*, p. 20-21.

[146] S. Beckett, *Peintres de l'empêchement*, cit., p. 69.

[147] S. Beckett, *Bram van Velde*, in «L'Herne», cit., p. 67.

[148] S. Beckett, *Peintres de l'empêchement*, cit., p. 69.

[149] Cfr. capitolo primo, par. 3.

[150] S. Beckett, *Henri Hayden, homme-peintre*, in «L'Herne», cit., p. 70.

[151] M. Esslin, *Dionysos' Dianoetic Laugh*, in *As No Other Dare Fail*, cit., p. 22.

[152] R. Cohn, *op. cit.*, p. 241.

CAPITOLO QUARTO

IL LAVORO PSICO-SIMBOLICO

1. *La coppia, il doppio e il «double bind»*

Una linea di continuità congiunge, per dichiarazione dello stesso autore, *Finale di partita* ad *Aspettando Godot*:

> Several times, in rare unguarded moments, Beckett has said that Hamm and Clov are Vladimir and Estragon at the end of their lives[1].

Che cosa implica questa discendenza? Quale evoluzione interviene tra i due testi (scritti l'uno nel '48/'49 e l'altro dal '50 al '56) e tra le coppie di protagonisti?

In *Godot* la scena ruota intorno a una *coppia comica*, Vladimir/Estragon, per certi aspetti duplicata nel binomio Pozzo/Lucky. Una combinatoria di queste due coppie sembra alimentare la relazione Hamm/Clov: coppia padrone-cieco/servo-sempre-in-piedi come Pozzo e Lucky, ma anche, come Vladimir e Estragon, espressione di unione-disgiunzione (secondo l'esibita formula «nec tecum nec sine te»), e di specularità fino all'assimilazione.

In *Godot* il riferimento al circo e al *music hall* è esplicito. Davanti allo spettacolo di Pozzo e Lucky, Vladimir e Estragon così commentano:

VLADIMIR: It's worse than being at the theatre.
ESTRAGON: The circus.
VLADIMIR: The music hall.
ESTRAGON: The circus[2].

Il registro linguistico ricorda spesso anche le comiche del cinema: il gioco di confusione d'identità con lo scambio dei cappelli – il cappello di Lucky è più volte palleggiato tra

Vladimir e Estragon – ricorda facilmente Stan Laurel e Oliver Hardy (Stanlio e Onlio nella versione italiana) in *Hats off* o in *Do Detectives Think?*, e il tipico rapporto *one-up*[3] tra Laurel e Hardy si ripete tra Vladimir e Estragon, con analoga antitesi nei personaggi tra coscienza e istintualità.

La coppia comica, caratterizzata da un'opposizione – sociale, fisica o psichica, come padrone-servo, alto-basso, grasso-magro, abile-sciocco ecc. – e insieme dalla facilità nello scambio dei caratteri, come rilevato in un'analisi di Pietro Rizzi[4], sembra poter rinviare psichicamente a due quadri di riferimento, entrambi di particolare rilievo in Beckett: la situazione definibile come "Edipo al circo", e una dinamica di *doppio* o *gemello immaginario*, oggetto in particolare di un saggio di Bion del '50, intitolato appunto *Il gemello immaginario*[5].

La tematica edipica, bene espressa dalla coppia più tradizionale di clowns – Augusto e "Clown bianco", ai quali la critica non ha mancato di far riferimento per *Godot* – è stata analizzata da Soulé, che vede nei due clowns il rapporto tra il bambino, preda del disordine pulsionale (Augusto) e la coppia parentale, fusa e idealizzata nel Clown bianco. Di qui il piacere, o al contrario il netto fastidio, dello spettatore adulto nei confronti del circo, per lui occasione di ritorno alla fase di latenza del bambino, superata o edipicamente irrisolta[6].

Il delicato equilibrio tra differenze e somiglianze – che è all'origine del piacere prodotto dalla coppia comica, dal continuo scambio e riappropriarsi dei caratteri oppositivi – suggerisce un movimento alterno di scissione-ricomposizione e implicazione-distanziamento, che sospende la separazione tra i due soggetti della coppia. Permutazione e interdipendenza attenuano la distinguibilità tra Ego e Alter Ego, suggerendo un'analogia con la dinamica del doppio.

Mentre il fenomeno del doppio o sosia esprime al massimo la tensione della scissione e la sua componente aggressivo-persecutoria (di solito il doppio perseguita il soggetto), la coppia comica «mostra che i meccanismi di scissione, proiezione e reintroiezione dell'oggetto sono innocui; inoltre gli aspetti aggressivi e persino rabbiosi che vi sono connessi non hanno alcun effetto definitivamente distruttivo»[7]. Di qui la possibilità del riso per la coppia comica – anche se non privo di risvolti ansiosi – esclusa invece nell'ossessione tragica del doppio.

Ma nel teatro di Beckett, nella dinamica della coppia comica si instaura fin da *Godot* anche un'interazione di *double bind* o *doppio legame*, la cui presenza alimenta in modo decisivo l'effetto di *assurdo* che rende il comico tradizionale "impossibile".

Vladimir e Estragon attendono senza fine, presso un albero in campagna, l'arrivo di Godot, ipotetico personaggio di imprecisata autorità, da cui essi dipendono per un indefinito intervento risolutivo (che offra loro una rivelazione, un lavoro, un senso), ma da Godot arrivano messaggi contraddittori, che non consentono né di delineare le sue caratteristiche né di definire la sua venuta, rinviata di giorno in giorno. Il vincolo al quadro di riferimento dato – dell'attesa – basato sul bisogno psichico dei due nei confronti di Godot, si associa a una doppia ingiunzione paradossale – attendi / non attendere – espressa nel quotidiano rinvio a un improbabile incontro l'indomani. Le tre condizioni teorizzate nella *Pragmatica della comunicazione umana* da Beavin[8] per il costituirsi della dinamica schizogena del *double bind* sono così tutte presenti, dalla *rilevanza* alla *coercizione* del contesto vincolante, all'*incompatibilità* tra di loro delle due ingiunzioni che contemporaneamente e paradossalmente intervengono sul soggetto. Lo sconcerto che ne scaturisce, paralizzante, produce al limite estremo la patologia catatonica di cui si è già parlato[9].

Anche in *Finale di partita* il doppio legame struttura i rapporti. Fin dalle prime versioni la sopravvivenza di Hamm dipende da quella di Clov e viceversa: la doppia ingiunzione paradossale di Hamm a Clov è uccidimi / non uccidermi, ricambiata da un sottile e speculare vivi / non vivere di Clov a Hamm.

Ma se analoghe componenti sono rinvenibili in *Godot* e in *Finale di partita,* è tuttavia evidente che passando dall'uno all'altro testo la rappresentazione della coppia comica evolve, sul piano retorico come del gioco di proiezioni e scissioni, e questa evoluzione sembra in particolare aver luogo in *Finale di partita* nel passaggio alla versione in un atto. Le versioni in due atti sono infatti più vicine ai registri di *Godot*, mentre successivamente scompare il gioco clownesco della coppia comica e si accentuano le tensioni disgiuntive, fino ad una "implosione" o autodenuncia del quadro di riferimento: una differenza cui Beckett stesso allude indicando in Hamm e Clov, come s'è visto, un'ascendenza a Vladimir e Estragon, ma «alla fine della loro vita».

In *Aspettando Godot*, che il sottotitolo definisce «una tragicommedia» (*a tragicomedy*), il momento del piacere comico come possibile occasione di riso *si alterna* al lutto distruttivo, che investe ad esempio le forme codificate del sapere nelle parodie del discorso gnoseologico o teologico recitate da Lucky. Anche nelle due versioni in due atti di *Finale di partita* i momenti di farsa potevano aprire alla scarica del riso, ma nel testo definitivo, come sottolinea Adorno, il riso è impossibile. Che cosa è intervenuto nella relazione della coppia comica? Che cosa ha modificato un modello drammatico che pure permane riconoscibile?

La scena di *Godot* e quella di *Finale di partita* hanno ovvie analogie di fondo: due coppie di personaggi attendono in uno spazio isolato (aperta campagna o rifugio nel deserto), un evento risolutorio che non accade, l'arrivo di Godot o la fuga di Clov e la morte di Hamm. In *Godot* alla fine un ragazzo dà notizie contraddittorie sul suo padrone, Godot appunto, mentre in *Finale di partita* l'apparizione di un bambino contraddice la descrizione del mondo esterno come deserto su cui si basava il rapporto dei protagonisti.

Ma uno schema comparativo tra *Godot*, la prima versione di *Fin de partie* con 4 personaggi – Ohio I – e l'ultima stesura del dramma (p. a fronte), può bene evidenziare l'evoluzione che interviene a vari livelli sull'impianto teatrale di Beckett.

L'evoluzione investe anzitutto le scansioni del testo: ai due atti di *Godot* e di Ohio I si sostituisce un atto unico. Vengono poi ridotti tutti gli strumenti di una teatralità immediata che possa suscitare il riso, presenti sia in *Godot* che in I: i "plays in the play" comico-grotteschi, le citazioni dirette, ironico-paradossali, dai Vangeli e dalla Bibbia, i gio-

Aspettando Godot	Ohio I	*Finale di partita*
scansione in 2 atti	scansione in 2 atti	atto unico
plays in the play: 2 di Pozzo e Lucky comico-grotteschi; riflessioni metadrammatiche	*plays in the play*: 2 di B, come donna e come bambino, comico-grotteschi; riflessioni metadrammatiche	nessun *play in the play*; riflessioni metadrammatiche
citazioni ironico-paradossali dai Vangeli	citazioni ironico-paradossali dalla Bibbia	citazioni indirette dai Vangeli (Giovanni, Matteo)
battute foniche Pozzo/Gozzo/Bozzo	battute foniche Pentateuque/Pentatuque e coite/coïte	battute foniche coite/coïte
ironie autobiografiche sul rapporto Joyce-Beckett nel rapporto Pozzo-Lucky	ironie autobiografiche sul rapporto Joyce-Beckett nel rapporto tra A e B	sottintesi autobiografici del rapporto Joyce-Beckett nel rapporto Hamm-Clov
gestualità da circo: manipolazione delle scarpe o del cappello scomodi, scambio dei cappelli, calcio di Lucky a Estragon, cadute e difficoltà ad alzarsi da terra	gestualità da circo: misurazione farsesca della febbre di A, recita grottesca di B come donna o bambino, gogna e colpi di mazza in testa a P, uso di un «rouleau de patissier» come cannocchiale	"raffreddamento" della gestualità comica, ristretta a scene come quella della pulce, o quella in cui Hamm ordina a Clov di gettare a terra gli oggetti da lui raccolti per fare ordine
esibizione eccessiva del dominio di Pozzo su Lucky; allusione al castello di Pozzo	esibizione eccessiva del dominio di A su B e P; allusione al castello di A	esibizione della fine preponderante rispetto al dominio di A

chi fonici e le ironie autobiografiche più evidenti sul rapporto Joyce-Beckett. Scompaiono le più ovvie gestualità da circo e gli eccessi di esibizione del dominio, tra Pozzo e Lucky come tra A e B nella scena dei "4 ordini assoluti", o tra A e

P nella scena della gogna. E mentre vengono soppresse le modalità più clownesche, si accentuano invece i tratti dell'assurdo melanconico, già presente in *Godot*, ad esempio nel lungo monologo senza punteggiatura recitato su commissione dal "pensatore" Lucky:

> Given the existence as uttered forth in the public works of Puncher and Wattmann of a personal God quaquaquaqua with white bird quaquaquaqua outside time without extension who from the heights of divine apathia divine athambia divine aphasia loves us dearly with some exceptions for reasons unknown but time will tell and suffers like the divine Miranda with those who for reasons unknown but time will tell are plunged in torment plunged in fire whose fire flames if that continues and who can doubt it will fire the firmament that is to say blast hell to heaven so blue still and calm [...] it is established what many deny that man in Possy of Testew and Cunard that man in Essy that man in short that man in brief in spite of the strides of alimentation and defecation is seen to waste and pine waste and pine [...] and concurrently simultaneously for reasons unknown to shrink and dwindle in spite of the tennis I resume flying gliding golf over nine and eighteen holes tennis of all sorts [...] I resume but not so fast I resume the skull to shrink and waste and concurrently simultaneously what is more for reasons unknown in spite of the tennis on on the beard the flames the tears the stones so blue so calm alas alas on on the skull the skull the skull the skull in Connemara in spite of the tennis the labours abandoned left unfinished graver still abode of stones in a word I resume alas alas abandoned unfinished the skull the skull in Connemara in spite of the tennis the skull alas the stones cunard (*mêlée, final vociferations*) tennis... the tones... so calm... Cunard... unfinished... (*Godot*: 42-45)

La reiterata menzione del teschio – *the skull* – addita una follia saturnina dell'intellettuale (tale sembra essere stato Lucky nella descrizione di Pozzo), il vaneggiare, non da *clochard* ma da *fool*, di un personaggio che precede per ruolo Clov. Ove poi il teschio sembrasse evocare quello di Yorick in mano a Hamlet (dal cui nome, secondo Adorno, Hamm potrebbe discendere), il quadro melanconico apparirebbe ancor più evidente; Shakespeare è del resto menzionato nel monologo attraverso la Miranda della *Tempesta*.

Analogamente è già presente in *Godot* e in I una gamma di modalità patologiche della comunicazione, che alimenta l'effetto di assurdo, e destinata a intensificarsi e distillarsi in *Finale di partita,* una volta venute meno le modalità clownesche della coppia comica.

In termini di pragmatica della comunicazione umana, tra Vladimir e Estragon, o tra essi e Godot o Pozzo, si produce spesso una *relazione di disconferma*, alimentata da un'insistita smemoratezza e da una negazione del legame (nel linguaggio di Bion –K e –L): Estragon non sa, non condivide la memoria e le convinzioni di Vladimir, di cui frustra le richieste di convalida, e non ha storia; Pozzo ripetutamente risponde alle domande di Vladimir parlando di altre cose, e il ragazzo inviato da Godot come suo messaggero da un giorno all'altro non riconosce Vladimir, che chiama Albert, e nega ogni coerenza con quanto detto o avvenuto il giorno prima.

In I, B frustra spesso le attese di A, alle quali non conforma le sue reazioni, come avviene del resto anche tra A e suo padre P: confetti (poi biscotti) o calmante vengono promessi solo per essere negati al momento opportuno, e il gioco a sorpresa sui nomi disconferma l'identità dei personaggi.

Ma nel testo finale si aggiungono anche manifestazioni di *impenetrabilità* o totale cecità all'altro: il lutto per la morte di Nell scompare, divenuto irrilevante nel clima di fine che ne sospende l'emozione; i personaggi si negano spesso ascolto, contatti fisici, affetto, esibiscono vicende di indifferenza per l'altro, sia che si tratti del ricordo di una vecchia, che Hamm ha fatto morire negandole l'olio per la lampada, o del vecchio medico personale di Hamm, o del suo compagno Clov, la cui sofferenza sembra a Hamm ovvia e necessaria. In una scena di *Godot* Vladimir può ancora chiedersi se aiutare Pozzo cieco caduto a terra, esita ma poi interviene, anche se con scarsa efficacia, cadendo a sua volta insieme a Estragon, finché per un po' nessuno riesce ad alzarsi. Ma in *Finale di partita* il rifiuto dell'altro è rituale e sistematico, l'alternativa è solo fantasia nostalgica (retorica) di un momento, quando Hamm ad esempio pensa «a tutti coloro che avrebbe potuto aiutare a salvare». E questo atteggiamento si estende infine al desiderio di Clov di uccidere il bambino che compare davanti al rifugio.

Alla crescente disconferma, fino all'impenetrabilità, nei

confronti dell'altro, si affianca poi in *Finale di partita* l'acuirsi della *squalificazione della selezione*, anch'essa già presente in *Godot*. Qui non si comprende perché Cristo sulla croce salvi uno solo dei ladroni o Estragon scelga di stare con Vladimir, o entrambi accettino un'attesa inutile e vaga, pur dichiarando più volte «let's go». In I è la scelta stessa a divenire risibile o inane: negli infantilismi di A o P, nella comica imitazione della Bibbia di A, o nei suoi sforzi per comporre un romanzo degno del Prix Goncourt. Nel testo finale, alla squalificazione della scelta subentra, con malinconica radicalità, una demenza o *patologia del giudizio*, evidente nell'artista pazzo già amico di Hamm. Ai membri della coppia comica si impone man mano una radicalizzazione dei modelli comportamentali afferenti alla schizofrenia e alla situazione di doppio legame.

Si accresce parallelamente anche il grado di *disorientamento deittico*. In *Godot* "qui" e "là" sono indefiniti, come la collocazione regionale e stagionale, l'oggi e lo ieri, mentre l'albero presso cui attendono i protagonisti non è forse quello giusto; in *Finale di partita* il "là" dell'esterno e del bambino viene negato: il bambino "va ucciso" e Clov "non può" partire.

Antinomie logiche (come i paradossi di Sesto Empirico), *definizioni paradossali* e il gioco di *doppia ingiunzione paradossale* che caratterizza il doppio legame, sono comuni ai tre testi considerati, ma solo nel terzo concorrono a una follia esplicitamente dichiarata. Alla dislalia di Lucky, labilità di memoria, disaffezione e paranoia di Estragon (che accusa ipotetici "they" di picchiarlo la notte se si allontana da Vladimir), corrisponde infatti in *Finale di partita* lo *pseudos* della distruzione del mondo, oltre che l'infantilismo e il rabbioso edipismo di A, la schizofrenia affettiva e il sadomasochismo dei protagonisti, che culminano infine nell'immobilità "catatonica" di Clov e nel "sonno" di Hamm.

L'evoluzione da I al testo finale non è dunque solo fatto interno alla storia di *Finale di partita*: essa coincide con un'evoluzione, a partire da *Godot*, del teatro stesso di Beckett, che ha definito *Godot* «a bad play» e non ha invece nascosto la sua soddisfazione per *Finale di partita*.

Beckett attraversa le opposizioni: egli coniuga l'umiltà di un soggetto scisso e "decentrato" con la sua resistenza neosublime, la melanconia saturnina con la bassa corporeità, invadente ma mutilata, non gigantesca e tracotante come in *Gargantua et Pantagruel* (e neppure iperbolica e feroce come in Jarry), mentre le citazioni plurilivellari del suo testo preferiscono tacere la loro complessità, per non sommergere nel compiacimento di un trionfalismo intellettuale il dolore reale del soggetto. È una logica dolente ma densa che spinge Beckett a prendere le distanze dall'autoesaltazione di Joyce: «He's tending toward omniscience and omnipotence as an artist; I'm working with impotence, ignorance»[10].

Una condizione di "caduta" caratterizza il soggetto in Beckett e ne determina la selezione dei registri in funzione di un quadro simbolico-antropologico iscritto nell'irretimento e nello sprofondamento, fisico e temporale: alle relazioni vincolanti (coppia con un doppio e doppio legame) si salda un accumulo di condizionamenti fisici e psichici del "basso" – malattie, mutilazioni, umiliazioni – che definiscono un tipico quadro simbolico. Ma questo sbocca in *Finale di partita* in uno schema estremo di inversione, che ribalta in resistenza/consapevolezza la sua stessa follia di fine. L'immaginario simbolico è fortemente polarizzato e insieme polemico con se stesso, contribuendo con intensità a quell'effetto estraniante, in Beckett mai fine a se stesso ma sempre "dianoetico", che è stato denominato assurdo[11].

2. *Qualità di tempo*

Riferendosi all'opera di Beckett in occasione del conferimento del premio Nobel nel '69, in un articolo su «Les Lettres Françaises» dal titolo *J'avais voté S. Beckett*, Aragon così commentava: «Jamais peut-être ne s'était posée avec une telle violence la question de commencer et de finir». Nella violenta sovrapposizione dell'inizio e della fine, nella scomparsa del tempo, veniva rapidamente identificato un tratto distintivo dell'opera di Beckett.

Con apparente paradosso, alla "fine della storia" prodotta dalla desemiotizzazione illuminista e all'assenza di eventi (il teatro di Beckett è virtualmente privo di intreccio) corrisponde l'onnipresenza del tempo; e la dilatazione dell'*attesa*, che dà titolo alla prima opera teatrale di Beckett, *Aspettando Godot*, diviene tempo della partita nell'opera successiva, smemorazione dell'identità in *Krapp's Last Tape*, o fossa in cui sprofonda, ac-cade, la Winnie di *Happy Days*, con le sue litanie del quotidiano.

L'attesa è d'altra parte propria sia della seduta psicoanalitica[12] sia dell'angoscia, che hanno entrambe marcato l'esperienza di Beckett. Secondo Freud «L'angoscia ha una innegabile connessione con l'attesa: è angoscia *prima* e *dinanzi* a qualche cosa, ed ha un carattere di indeterminatezza e di mancanza di oggetto»[13]. L'angoscia è aspettazione di un pericolo, di un trauma, prefigurazione attenuata di un evento, che sospende il tempo. Ed è appunto nel sentimento dell'angoscia che il primo testo di *Finale di partita* del settembre '50 affonda le radici. In *Finale di partita* l'attesa di Godot diviene attesa di un evento – l'apparizione di un bambino – che risolva l'attesa di Hamm e Clov e smascheri lo *pseudos* che nega il tempo esterno, alterando quello interno.

Nella configurazione del simbolico che Gilbert Durand delinea nelle *Strutture antropologiche dell'immaginario*, si possono distinguere di fronte al tempo atteggiamenti diversi, secondo una bipartizione tra immaginario *diurno* e *notturno*, che implica rispettivamente rifiuto polemico, oppure accettazione/eufemizzazione del tempo, attraverso un'ampia gamma di schemi simbolici[14]. L'equilibrio tra diurno e notturno è definito come *androginia.*

Inteso non come esito di un conflitto tra pulsione e rimozione[15], ma come «tragitto antropologico», relazione tra un soggetto con i suoi vissuti e l'ambiente circostante, secondo una definizione mutuata da Piaget, lo schema simbolico di Durand, nato dal concorso del soggetto pulsionale con l'ambiente, si basa sulla riflessologia del neonato, di cui mette in evidenza la dominante di posizione (alto/basso) e la dominante erotico-alimentare, entrambe assoggettate alla percezione del divenire[16].

Il regime simbolico *diurno* concerne la dominante di

posizione, l'esaltazione dell'alto, la «sociologia del sovrano mago e guerriero», la tecnologia delle armi, i rituali di elevazione e purificazione. In esso spicca un atteggiamento polemico, un regime manicheo delle opposizioni, della potenza da opporre ai pericoli del basso, dell'inghiottimento, delle tenebre, intesi come minacce del tempo. L'iperbole di questi stessi pericoli, parallela e complementare all'atteggiamento eroico del diurno, produce schemi di caduta o catamorfi, di tenebre o nictomorfi, di divoramento e minaccia animale o teriomorfi.

Il secondo regime, definito *notturno*, si suddivide in dominanti digestiva e ciclica: «la prima assume le tecniche del contenente e dell'ambiente, i valori alimentari e digestivi, la sociologia matriarcale e della nutrizione, la seconda raggruppa le tecniche del cielo, del calendario agricolo come dell'industria tessile, i simboli naturali o artificiali del ritorno, i miti e i drammi astrobiologici»[17].

A un dominio simbolico del diurno rimanda in Beckett la *caduta* come condizione permanente e come mancanza generalizzata di controllo del movimento, per paralisi, incapacità a fermarsi, mancanza di arti, o per vincoli psichici, secondo un gioco di iperbole simbolica che si accentua anch'essa nel passaggio da *Godot* a I e a *Finale di partita* – in *Giorni felici* Winnie sprofonderà fisicamente in una buca – parallelamente alla progressiva perdita del riso e all'accentuarsi del senso del tempo: all'orologio da panciotto di Pozzo corrisponde la ben più esibita sveglia sul muro di *Finale di partita*.

È in quanto simbolicamente omologo al tempo che il movimento cade sotto l'interdizione temporale, provocando il moltiplicarsi di segni di crisi della motilità, intrecciati a quelli della malattia. In *Aspettando Godot* sono menomati solo Pozzo e Lucky, mentre le scarpe di Estragon fanno male, "non camminano", sono rifiutate come estranee, e Lucky si regge a stento; Estragon e Pozzo mostrano inoltre una fame che possono soddisfare. Ma in *Finale di partita* tutti i personaggi in scena sono malati/mutilati: Hamm è immobilizzato su una sedia a rotelle e sogna invano la fuga su una zattera; Clov non può sedersi (disturbo inverso, ma simbolicamente equivalente a quello di Hamm), Nagg e Nell hanno perso le gambe in un incidente di bicicletta (oggetto ricorrente anche nella narrativa di Beckett) e sono costretti in bidoni. Persino il cane di pezza di Hamm, che ha solo tre zampe, non si regge in piedi. La fame è poi endemica, le promesse di cibo non vengono mantenute. E se in una scena di *Aspettando Godot* tutti i personaggi cadono a terra e stentano a rialzarsi, in *Finale di partita* la caduta è divenuta apocalisse, la vita nel mondo esterno è cessata, pur venuto meno il riferimento al diluvio universale originariamente esibito nel testo.

La fuga è desiderata da molti dei personaggi beckettiani (Vladimir e Estragon, Clov e Hamm tra essi), ma si rivela impossibile. Inutili sono anche gli altri schemi di antitesi alla caduta, di ascesa e di "controllo visivo", espressi da Clov che sale sulla scala per guardare dalle finestre con il cannocchiale, strumento per avvicinare il cielo. Anche altrove nel teatro di Beckett, ad esempio in *Atto senza parole*, si ricorre invano a tre cubi e una fune calati dall'alto, il cui uso sbocca nell'immobilità della catatonia, come la gita in tandem di Nagg e Nell porta la coppia all'immobilità permanente nei bidoni. Alla prospettiva di caduta o irretimento adducono anche i legami fisici che vincolano i personaggi: alla fune con cui Pozzo lega Lucky corrisponde la chiave della dispensa che lega Clov a Hamm, mentre si ripetono più intense in *Finale di partita* le forme del doppio legame e dell'attesa costrittiva.

Accanto ai simboli di caduta o catamorfi proliferano, spesso in simbiosi con essi, analoga espressione di angoscia diurna del tempo, simboli *nictomorfi* o di anneramento. In *Godot* la cecità di Pozzo, l'improvviso cadere della notte, il carattere discontinuo e catastrofico del tempo, l'impossibilità del riposo notturno per Estragon (picchiato di notte secondo le sue fantasie paranoiche), la confusione di nomi e memorie, ripetono una stessa ansia simbolica. In *Finale di partita* l'intero mondo è divenuto grigio, la luce del sole come delle lampade a olio è finita, la cecità investe il protagonista al centro della scena; e ritorna, estesa al giorno, l'impossibilità del riposo, che l'esaurirsi del calmante, insistentemente richiesto, sottolinea. Una paradossale oscurità simbolica satura lo spazio dei personaggi.

Assediato in un paesaggio di schemi catamorfi e nictomorfi che esprimono angoscia del tempo, il soggetto insegue tuttavia anche fantasie diurne, di *polemica* con il tempo, in schemi di *regalità*. Alla frusta del superbo e sprezzante Pozzo corrispondono la gogna, il tamburo e la mazza di Hamm (poi sostituiti dal fischietto), mentre alla ricchezza e possesso di cibo di Pozzo corrispondono le chiavi dell'unica dispensa di Hamm. Il controllo di Pozzo sulle esibizioni del pensiero di Lucky diviene l'educazione impartita a Clov da Hamm, che espande il suo narcisismo culturale fino a tentare di imporre l'ascolto della sua narrativa a Clov o al padre.

Al dominio dei simbolismi diurni di angoscia o polemica con il tempo corrisponde in Beckett la dissoluzione degli schemi *notturni* di salvezza religiosa, vanificati in *Godot* e ancor più in *Finale di partita*, nell'allusione ai due ladroni sulla croce con Cristo, di cui uno solo inspiegabilmente si salva, o nell'impossibilità della stessa preghiera. L'irrisione degli schemi *ciclici* agrari si esprime nell'albero che in *Godot* mette d'improvviso le foglie nel secondo atto, ma ispira poi un tentativo di impiccagione, mentre in *Finale di partita* vegetazione e riproduzione sono interdette.

Immerso in un universo simbolico a dominante diurna, l'illuminismo assurdo di Beckett è negativo, eccetto che per un "residuo", anch'esso accentuatosi da *Godot* a *Finale di partita*: il residuo costituito dal bambino messaggero, che in *Godot* prometteva invano l'arrivo salvifico del padrone, ma in *Finale di partita* afferma infine un "oltre", mentre Hamm e Clov *non* si accordano per ucciderlo. Che si tratti di un residuo sottratto alla negativizzazione diurna sembra confermato anche da un altro testo di Beckett. In *All That Fall*, un radiodramma scritto per la BBC nell'estate del 1956, mentre l'autore lavorava ancora a *Finale di partita*, la situazione si accentra sul ritardo di un treno per un incidente: un bambino è finito sotto le rotaie, forse ucciso dal protagonista Mr Rooney. Il desiderio di uccidere un bambino, oggetto di domande e di realizzazione in *All That Fall*, viene invece rinunciato in *Finale di partita*, ma con questa rinuncia l'universo simbolico diurno si autodenuncia, incontra infine una soglia critica, soglia di accesso e interdizione tra un assurdo autonegatosi e un'utopia impossibile.

È la combinatoria tra codice dominante della cultura e regimi simbolici che differenzia tra loro i diversi esiti dell'illuminismo e i rapporti di Beckett con gli autori del Settecento inglese, tra i quali egli privilegia Johnson, mantenendo invece maggiore distanza da Swift, che pure inaugura, per la sua tagliente ironia, l'*Antologia* sullo humour nero di Breton, primo degli esempi proposti.

Pur accomunati dalla "distruzione della storia", *Rasselas* e i *Gulliver's Travels* divergono sul piano simbolico: all'atemporalità e alla stasi cui perviene Johnson si oppone in Swift il quadro di un'utopia che è luogo di una tregua con il tempo.

Come in Beckett, storia e socialità sono assoggettati nei *Gulliver's Travels* ad una "epoché illuminista", a una disgregante desemiotizzazione, variamente affidata all'irrisione lillipuziana, alla misura del gigantismo di Brobdingnag o alle feroci ironie sulla scienza e la Royal Society nell'Accademia di Lagado, anticipazione delle parodie del pensiero scientifico recitate da Lucky in *Aspettando Godot*.

Ma, compiuta l'epoché illuminista, a Gulliver si dischiude un luogo di utopia naturale: il mondo dei "nobili cavalli" Houyhnhnms, il cui nome significa "perfezione della natura". Sulla loro isola la specie umana è rappresentata, a un grado di regressione primitiva, dagli spregevoli Yahoos, ai cui difetti di irrazionalità, sporcizia, impudicizia, aggressività corrispondono specularmente le virtù e la razionalità dei cavalli.

Con una tecnica tipica anche in Beckett, si rovesciano nel rapporto Houyhnhnm/Yahoo di Swift i termini di un luogo comune ricorrente nei manuali scolastici di logica dell'epoca, fondati sul sistema binario dell'albero di Porfirio: l'esempio classico che opponeva l'uomo *animal rationale* al cavallo *animal irrationale*. Ma all'ironica inversione del luogo comune corrisponde anche un peculiare assetto delle coordinate simboliche.

Se una dimensione "diurna" anticipa per Gulliver le disforie di *Alice nel Paese delle Meraviglie*, con una serie ossessiva di cadute e pericoli, e degrada l'uomo a Yahoo, parallelamente una dimensione "notturna", assente in Beckett, include nella società dei nobili cavalli schemi simbolici di ciclicità agraria e generazionale, di intimità domestica, riposo e affettività, fino a dare spazio all'ipotesi utopica, inammissibile in Beckett.

Swift non celebra comunque le intensità emotive e la coppia preferenziale – si pensi agli accoppiamenti "ragionevoli" dei cavalli – allontanandosi dall'illuminismo "degli affetti", ad esempio di un Fielding o un Voltaire[18], ma al tempo stesso si sottrae, evitando un eccesso "diurno", alla stretta di uno sbocco radicalmente assurdo.

Parzialmente eufemizzando il tempo, Swift può esibire il luogo fantastico dell'utopia, mentre Beckett, vincolato alle più intense ansie diurne, avverte impossibile ogni accesso all'utopia, che tuttavia non può teoricamente né asserire né negare: di qui la sospensione finale e il problema della *soglia* tra utopia e assurdo, che né Swift né Johnson – rimanendone l'uno sostanzialmente al di qua, l'altro al di là – avevano esplorato.

3. *L'Edipo di Hamm*

Nel suo commento su Beckett, proseguendo la frase già citata, Aragon saldava alla "questione della fine" il problema dell'Edipo:

> Jamais peut-être ne s'était posée avec une telle violence la question de commencer et de finir, qui est une et mille, et qu'à l'Oedipe qui prend sa plume va toujours mortellement poser le Sphinx[19].

La presenza di ironie edipiche nella seconda versione in due atti (Ohio I) è già stata segnalata: Hamm chiedeva di avere rapporti con la madre e maltrattava il padre. Se questi materiali, con la loro dimensione parodica, scompaiono nel testo conclusivo, l'intuizione di Aragon, connettendo l'Edipo alla "questione della fine", così centrale in *Finale di partita*, addita un senso che appartiene in profondità alla genesi e alle strutture del livello simbolico-antropologico del testo.

L'indovinello della Sfinge che l'Edipo di Sofocle risolve

– qual è l'animale che al mattino cammina con 4 gambe, a mezzodì con 2 e a sera con 3? – sostanzia una rappresentazione della vita umana che ne coglie l'inizio e la fine attraverso la trasformazione corporea e le evoluzioni della motilità. L'orrore dell'indovinello non sta nella sua difficoltà, ma nel suo contenuto: il *tempo* come trasformazione e consunzione del corpo. L'indovinello prepara inoltre la crisi dello sguardo di Edipo, che supera la prova della Sfinge, vede la risposta da darle, ma non le sue conseguenze: sposerà la madre e cercherà il colpevole dell'uccisione di Laio, senza rendersi conto di essere parricida. Egli è fin d'ora "cieco", anche se la cecità diventerà fisica solo dopo il suicidio di Giocasta. Nel suo stesso nome che, ricorda Lévi-Strauss, è allusione a "piede gonfio", Edipo porta inoltre iscritto il segno di una *crisi della motilità* legata alla sua origine: egli era stato abbandonato dai genitori per sfuggire alla profezia del parricidio, con i piedi forati e legati. Cecità e crisi della motilità marcano dunque Edipo come Hamm in *Finale di partita*. I tre stadi umani dell'indovinello sono inoltre presenti nel testo di Beckett: il bambino compare alla fine, l'uomo su due gambe è ossessivamente costretto alla deambulazione (Clov), mentre i vecchi, incapaci di reggersi da soli, sono sorretti addirittura entro bidoni, che hanno sostituito il bastone.

Risolvendo l'indovinello, Edipo vince e costringe a morire la Sfinge, un mostro che secondo la classificazione di Propp è figura di serpente inghiottitore, come Medusa, il cui sguardo immobilizza chi l'affronta, o come il classico drago di tante favole, vinto dall'eroe, che può così sposare una principessa e acquisirne il regno. E come nelle favole Edipo, superata la prova, per l'appunto si sposa e diviene re attraverso Giocasta[20].

La sua vicenda sembra seguire l'intreccio classico individuato da Propp per i racconti di successione matrilineare: allontanato da piccolo dalla famiglia e dalla stirpe del padre, è asceso al trono di un regno a lui estraneo. Ma Edipo ha di fatto sposato la madre, è tornato nella propria casa e alla propria stirpe. L'intreccio è in realtà mutato, la successione matrilineare della favola, che solo apparentemente ripete, diviene patrilineare, poiché Edipo prende il posto del proprio padre. E sostituendosi a lui egli diviene "padre di se stesso": fa coincidere la sua maturità sessuale con la sua genesi, il suo inizio, *abolendo il tempo*. Lévi-Strauss legge in questa vicenda il desiderio impossibile dell'autoctonia, facendo emergere come centrale il problema della *generazione*[21].

Ma il problema di Edipo, sottolinea Propp, è anche problema regale di successione, di stirpe[22]. Da una parte la sovrapposizione del figlio al padre cancella il tempo, fa coincidere quell'inizio e fine che già erano tema dell'indovinello; dall'altra, in questa prospettiva, né l'odio per il padre né l'amore incestuoso per la madre sono primari. Secondo Propp, ai fini della successione, l'uccisione del padre di Edipo sostituisce quella, tipica di tante favole, del suocero (reale o simbolica, significata ad esempio da una sconfitta o concessione del suocero stesso) ad opera del genero. E il matrimonio del figlio con la madre sostituisce quello del genero con la principessa, che permetteva a un giovane estraneo di entrare nella stirpe di lei e iscriversi, in via matrilineare, nel regno del padre. Ritornando alla stirpe del *proprio* padre, cui succede, Edipo altera il vecchio meccanismo di successione – da matri- a patrilineare – e paga con l'incesto, la cecità, la scoronazione.

Successivamente, assistito dalla figlia Antigone, giunto a Colono, Edipo può tuttavia terminare la vicenda con un'apoteosi: la sua morte per inghiottimento nella terra è epilogo positivo (nella terminologia di Durand un'eufemizzazione dello schema di caduta a cui è stato assoggettato), che diviene mistero regale da tramandare a Teseo e ai re di Atene, di padre in figlio. La regalità di Edipo è stata restaurata a garanzia del nuovo modello di successione patrilineare.

Se nell'Edipo di Freud il desiderio della madre e l'odio per il padre sono centrali, nella prospettiva di Propp, estesa a inglobare, oltre all'Edipo re, l'Edipo a Colono, il nucleo determinante è costituito piuttosto dal problema della successione generazionale, del rapporto padre/figlio e della regalità.

S'è già visto come Clov assumesse anche volto femminile, con implicazioni incestuose, nelle versioni in due atti del testo. Come Edipo a Colono, Hamm, sovrano scoronato e cieco, è in un rifugio di campagna. Ma non lo attende l'apoteosi del re sofocleo. Collocati nella metafora dell'*endgame*, Hamm e Clov si scontrano come padre e figlio edipicamente ostili o come due re nella fase "fatale" della partita, vincolandosi a una morte sospesa che porta al rovesciamento della conclusione dell'*Edipo a Colono*. All'apoteosi del protagonista descritta da Propp subentra per Hamm uno scacco, alla successione seriale padre/figlio, che la morte di Edipo corrobora infine con la trasmissione del suo segreto, si sostituisce una situazione di blocco. Ritornando ancora una volta alla frase di Aragon, se il lettore delle «Lettres Françaises» poteva vedere nell'Edipo con la penna di scrittore un'efflorescenza retorica, alla luce dell'analisi condotta, questo gioco espressivo, apparentemente stilistico, rivela un cortocircuito profondo, probabilmente mediato dalla cecità edipica di Hamm, un'acuta intuizione sull'isotopia psicosimbolica del testo, in cui il rapporto padre/figlio investe il problema del tempo, della successione, del desiderio narcisistico di autoctonia, prima che quello dell'incesto ad esso connesso. In tale nodo si fonde una duplice serie di rapporti: con l'*Amleto* di Shakespeare e l'*Ulisse* di Joyce, come tra questi stessi due testi.

4. *Amleto, Ulisse*

Nel saggio su *Finale di partita* Adorno vede nel nome di Hamm non solo un'allusione, in forma tronca, a quello di Hamlet, ma anche a «ham actor» o istrione. Per Clov egli pensa, oltre che a *clown*, al termine "chiodo" (=*clou* in francese), in parallelo a *hammer*, martello in inglese, ancora riferibile a Hamm. Il termine chiodo potrebbe anzi, come ha suggerito l'attore Ernst Schröder, che ha impersonato Hamm nella regia berlinese di Beckett, estendersi a Nell (=*nail*) e Nagg (=*Nagel*, equivalente tedesco dell'inglese *nail*): i personaggi in tal senso sarebbero tre chiodi con un martello. Per R. Cohn persino il nome Hamm – attraverso il latino *hamus* – potrebbe rinviare a chiodo, termine che quindi investirebbe tutti i personaggi[23]. Ma essi sono iperdeterminati.

Se il nome Clov può anche rimandare, come s'è visto, alla parola ebraica per "cane", esso può inoltre bene implicare il participio passato inglese *cloven*, "spaccato", che nell'*Ulisse* – così spesso sottinteso in *Finale di partita* e nel suo protagonista – Bloom riferisce al sesso femminile, «the *cloven* sex» (*Ulysses*: 633). Nelle due versioni in due atti del dramma Clov assume, come s'è più volte ricordato, anche un ruolo femminile di moglie, come Sophie o Mélanie, e nella versione finale del testo, pur non recitando più come moglie, mantiene funzioni femminili secondo le suddivisioni simboliche tradizionali. Egli è addetto alla nutrizione, alla cucina, alla dispensa, amministra come un'infermiera le medicine, svolge ruolo di moglie: Beckett stesso menziona per Hamm e Clov, come per Didi e Gogo in *Godot*, sia sé che la moglie Suzanne[24]. Clov può dunque bene assorbire anche la valenza femminile del termine joyciano *cloven*.

D'altra parte l'associazione Clov/*clown* suggerita da Adorno può ricondurre anche a *Hamlet*: il becchino nella scena del cimitero è indicato come *clown*, e a questo passo shakespeariano già sembrava rinviare il monologo di Lucky che evidenziava il teschio e insieme ironicamente citava la Miranda della *Tempesta*.

Anche il nome di Hamm, se è leggibile come Hamlet troncato – all'*Amleto* shakespeariano rimandano certe battute di *Finale di partita* sul modo di recitare[25] – può anch'esso alludere all'*Ulisse*, nei primi capitoli del quale Stephen Dedalus, l'intellettuale già protagonista autobiografico del *Portrait* di Joyce, è associato insistentemente ad Amleto e a Elsinore. Rivolgendosi a Haines, Buck Mulligan così parla di Stephen Dedalus:

> He proves by algebra that Hamlet's grandson is Shakespeare's grandfather and that he himself is the ghost of his own father. (*Ulysses*: 21)

Più oltre Stephen Dedalus, sulla riva del mare, si rivolge a se stesso pensandosi come Amleto: «A side-eye at my Hamlet hat. If I were suddenly naked here as I sit?» (p. 59). L'ironica associazione con la nudità rimanda al principe tornato in Danimarca dal viaggio in mare interrotto dall'assalto dei pirati, in Atto IV, scena 7. Qui Amleto così descrive il suo ritorno nella lettera al patrigno: «High and mighty, you shall know I am set *naked* on your kingdom».

Stephen appare ossessionato dalla memoria dell'eroe shakespeariano: durante la lezione nella scuola di Mr Deasy, come anticipato da Mulligan, egli si pensa, mentre risolve il problema di un allievo, come colui che «proves by algebra that Shakespeare's ghost is Hamlet's grandfather» (p. 33). Più oltre così riflette sul «flutto tentatore» di Elsinore:

> So in the moon's midwatches I pace the path above the rocks, in sable silvered, hearing Elsinore's tempting flood (p. 55).

Qui egli riprende una precedente frase di Haines, «this tower and these cliffs here remind me somehow of Elsinore», cui aveva indirettamente risposto sovrapponendo la propria immagine a quella di Amleto in lutto per la morte del padre:

> In the bright silent instant Stephen saw his own image in cheap dusty mourning between their gay attires (p. 21).

Nel dramma di Amleto, con cui più volte sembra coincidere, Stephen Dedalus legge la questione generazionale, la successione padre-figlio, la "Father and Son idea" sottesa anche a tutta la parodia della messa nelle prime pagine dell'*Ulisse*.

Il ricordo del testo shakespeariano nella mediazione dell'*Ulisse* può allora confermare nuovamente il nesso con Joyce che Lionel Abel vede nel cieco Hamm di *Finale di partita*, come già nel Pozzo cieco di *Aspettando Godot*. La coppia Hamm/Clov può contenere *anche* quella Joyce/Beckett, cioè una coppia di scrittori che è inoltre coppia padre/figlio: figlio adottivo di Joyce, come lo definisce Aragon nel già citato articolo in occasione del Nobel, Beckett aspira alla successione del padre nel campo delle lettere e da lui discende, pur ponendosi, sottolinea Aragon, come suo "contraire". Di qui forse uno dei motivi di fastidio in Beckett per le indagini sui nomi di *Finale di partita*, probabile luogo di odio-amore per Joyce[26].

Ma il ricordo dell'*Amleto*, nell'*Ulisse* come in *Finale di partita*, riconduce nuovamente al tema edipico. Alcuni anni prima di *Finale di partita* era uscito (nel '49) il saggio di Ernest Jones che, come s'è visto[27], faceva dell'*Amleto* un caso esemplare di complesso edipico. Anche l'argomentazione di Starobinski, che sottolinea l'errore di petizione di principio nell'impostazione stessa del discorso di Jones (il testo di Shakespeare "corrisponde" alla struttura edipica perché la struttura edipica è nata nella mente di Freud a partire dall'*Amleto*) ribadisce comunque il nesso Amleto/complesso di Edipo.

Alla luce di queste implicazioni è ora opportuno tornare a esaminare la scena di *Finale di partita*. Vi si possono leggere tre coppie padre/figlio, due esplicite, una in trasparenza:

1) Nagg/Hamm 2) Hamm/Clov 3) Joyce/Beckett

Se la prima coppia Nagg/Hamm non presenta ambiguità nel testo finale, la seconda, Hamm/Clov, e in particolare la terza, Joyce/Beckett, risultano entrambe più evidenti dopo l'analisi di Ohio I, in cui il rapporto di apprendistato di B nei confronti di A appare fin troppo consono a quello di Beckett nei confronti di Joyce, suggerendo allora l'ipotesi che il nome James attribuito a B (cfr. capitolo secondo, par. 9) possa alludere a un'identificazione letteraria con James Joyce. Ma anche per il nome Guillaume può ora delinearsi un'ipotesi parallela: la designazione in I di A come Guillaume, francese per William, può suggerire un'allusione a William Shakespeare, il cui *Amleto* – filtrato o tradotto nella lingua e nella cultura dell'amata Parigi – è così presente nell'*Ulisse*, con particolare riferimento a Stephen Dedalus, il personaggio che più direttamente rimanda allo stesso Joyce, anche attraverso l'omonimo protagonista autobiografico del *Portrait*. L'enigmatica sovrapposizione nel primo testo della coppia A/B con quella Guillaume/James può equivalere allora a una doppia ironica paternità letteraria: ad A/Joyce corrisponde la desiderata identificazione con Shakespeare, come a B/Beckett la tensione verso il modello di Joyce.

L'allusione a tali paternità non scompare del resto nelle

diverse elaborazioni dei testi. Essa in realtà si sposta dagli autori ai loro personaggi o a loro attributi, secondo un sistema di rotazione così identificabile:

A = Guillaume = William Shakespeare	Ham, da *Hamlet* (e *Ulysses*)
B = James = James Joyce	Clov, da *cloven* in *Ulysses* e da clown in *Hamlet*

All'*Amleto* Hamm sembra rimandare non soltanto attraverso il nome. Come il principe danese egli è al centro del sistema testuale, ma è anche, con ossessiva volontà, al centro dello spazio scenico, forse non senza ironico rapporto con la battuta di Polonio – già così ironica in Shakespeare – in Atto II, scena 2: «I will find/ Where the truth is hid, though it were hid indeed within the centre». Come s'è visto, Hamm impone poi a Clov e al testo la sua rappresentazione della distruzione o cancellazione del mondo, quasi congelasse, facendone l'occasione del dramma, la battuta di Amleto in Atto II, scena 2:

it goes so heavily with my disposition, that this goodly frame the earth, seems to me a sterile promontory, this most excellent canopy the air, look you, this brave o'erhanging firmament, this majestical roof fretted with golden fire, why it appears no other thing to me but a foul and pestilent congregation of vapours.

Ad Amleto, "folle" di un orrore diurno del tempo, prodotto dalla morte del padre, ogni aspetto vitale e positivo appare dissolto, e l'uomo diviene ai suoi occhi «a quintessence of dust», come in *Finale di partita* Hamm dissolve la realtà in deserto con lo stesso sguardo d'un artista pazzo di cui egli narra. La "storia nella storia" dell'amico di Hamm assomiglia poi, per la sua funzione di *mise en abyme*, al *play in the play* dell'*Amleto* shakespeariano, che per l'appunto ripete il nucleo centrale della vicenda, l'ossessione diurna del regicidio e dell'avvelenamento del padre omonimo di Amleto.

Uno sguardo diurno, anzi "gotico", accomuna *Finale di partita* a *Hamlet*. Nel dramma di Shakespeare la visione del re che viene avvelenato nel sonno in giardino si trasforma, nella rievocazione onirico-simbolica del fantasma, in visione immediata di putredine, per l'improvvisa corruzione che investe il corpo del re percorso dal veleno; nel testo di Beckett un analogo sguardo simbolico cancella il giardino della natura e ciò che lo produce, il sole, per definire "corpsed", "cadavere", ogni cosa, assoggettandola a quel dominio della putredine espresso nel corpo del padre di Amleto e così proliferante nella simbologia di tutta la tragedia, dal cadavere insepolto di Polonio alla sepoltura di Ofelia.

È significativo che, come il Gulliver di Swift ha orrore della fisicità e della sessualità dello Yahoo, già Amleto provi ripugnanza per il sesso e per «this too too solid flesh», non meno di quanta non ne avvertano Hamm e Clov, desiderosi di finire se stessi e la natura: un'analoga combinazione di desemiotizzazione illuminista e sguardo simbolico diurno produce esiti affini in testi diversi.

Pare che a Joyce Swift non piacesse[28]: e dal codice illuminista di Swift o di Johnson, ripreso da Beckett, l'*Ulisse* si distanzia non poco. Anche se Beckett ammirò molto Joyce, che a sua volta fu tra i primi ad apprezzare Beckett, la poetica dei due scrittori suggerisce un rapporto dialettico, fondamentale per il costituirsi dell'arte di Beckett, per ironica inversione più che per assimilazione. Riassumendo il complesso rapporto tra i due scrittori, Richard Ellmann così lo descrive in un saggio del 1986:

> For his part, Beckett [...] did not subscribe whole-heartedly to all of Joyce's works. In particular he thought Stephen Dedalus's sense of mission too clamant, his own being based on abjuring claims. The play *Exiles* he found bloodless. *Finnegans Wake*, the work on which Joyce was engaged during their friendship, provoked his admiration. Beckett was the first to try to translate it into another language, and he also wrote a defense of it at Joyce's request. Still, its point of view was not one with which he could altogether agree [...] So in an acrostic on Joyce he announced himself as a defector from the Joycean world[29].

Mentre Joyce, nell'*Ulisse* come in *Finnegans Wake*, celebra la potenza della parola, eleva il monumento alla scrittura, costruisce polifonie associative che attraversano lingue ed epoche diverse, in un parossistico moltiplicarsi di combinatorie possibili, Beckett si avvia verso il silenzio di un illuminismo radicale. Dietro l'iperbole del linguaggio, i meccanismi di moltiplicazione verbale e di saturazione dello spazio narrativo di Joyce, si può forse intravvedere una "gloria barocca" della rappresentazione, assorbita con l'educazione ricevuta dai gesuiti, alla quale Beckett stesso sembra alludere in *Godot*. Se qui il cieco Pozzo può, come s'è visto, rinviare a Joyce, il nome Pozzo, su cui un gioco di battute sofferma l'attenzione, può forse ironicamente rinviare al pittore barocco Andrea Pozzo (1642-1709), autore di quel *Trionfo di S. Ignazio* che affresca la volta della chiesa di S. Ignazio a Roma, a celebrazione del programma dell'ordine dei Gesuiti e del loro fondatore, citato da Stephen Dedalus nell'*Ulisse*[30], proprio mentre pensa a Shakespeare e Hamlet (*Ulysses*: 241).

Un'intenzionalità parodica verso Joyce ispirerebbe poi, secondo Gontarski, *Molloy*, «Beckett's own, somewhat burlesque, version of Homer's *Odyssey*»[31]: la mediazione dell'*Ulisse* promuoverebbe in Beckett, «Joyce's illstarred punster», una reazione "postmoderna", che John Fletcher sottolinea come risposta di divaricazione dalla poetica (moderna) dell'*Ulisse*[32].

Rispetto a Joyce il percorso di Beckett appare comunque speculare: esso punta alla riduzione, alla povertà, traducendo una probabile tensione psichica e letteraria nei confronti del riconosciuto signore della narrativa inglese contemporanea, al cui *Finnegans Wake* il *work in progress* di Hamm ammicca. *Aspettando Godot* e *Finale di partita* si caricano in questa luce di un'implicita polemica letteraria, ben oltre la semplice allusione biografica: un costante confronto con Joyce alimenta questo teatro, la cui parola può apparire come il "doppio" di Joyce, il *fool* della parola sovrana dell'autore dell'*Ulisse*. Tuttavia il già citato riconoscimento da parte di Beckett, nel saggio su *Finnegans Wake*, dell'eroismo di Joyce – «Joyce's heroic work, heroic being» – è profondo e reale: non solo omaggio a un amico, ma affermazione di poetica, di una premessa comune al fare artistico, nonostante la pagina di Beckett sia così diversa da quella di Joyce.

Per entrambi gli scrittori l'opera è lotta, con la parola e con il testo, dovere di infinita resistenza di fronte allo smacco della rappresentazione. Mentre Joyce può ancora avvertire la gioia narcisistica, la gloria di questa lotta nel senso kantiano del sublime, Beckett fa convergere, nella sua concezione neosublime, una più acuta coscienza dell'*empêchement* con la concezione del soggetto di Bion, in cui il senso di perdita o lutto può trasformare i meccanismi di difesa in trappola autodistruttiva e smarrimento gnoseologico. Ma per entrambi gli scrittori irlandesi la parola si erge *kolossalisch* di fronte al limite naturale/temporale dell'io, che essa sa eccedere.

In *Dante... Vico. Bruno... Joyce* (il primo di una raccolta di saggi su *Finnegans Wake* intitolata dallo stesso Joyce *Our Exagmination Round His Factification For Incamination Of Work In Progress*), Beckett addita nell'opera di Joyce una «desophistication of the language», un epico tentativo di recuperare la concretezza immediata, o «savage economy of the hieroglyphs», in opposizione alle «polite contortions of 20th century printer's ink»[33]. Questa lotta con la lingua è definita «pure Vico», «includes Bruno» ed è paragonata all'invenzione di Dante di un italiano basato sul toscano, ma in realtà lingua sintetica, che nessuno parlava in Italia, lontana da quella che lo stesso Dante definiva la volgarità del dialetto toscano. In *Finnegans Wake* Joyce ha scritto «what an international phenomenon might be capable of speaking», «just as in 1300 none but an interregional phenomenon could have spoken the language of the *Divine Comedy*»[34]. La scelta di Dante contro il latino, come il suo coraggio di criticare il papato, vengono sottolineati in parallelo con analoghe forme di coraggio in Joyce. L'epos sublime della lingua, del suo polemico rinnovamento, è per Beckett criterio di valore.

Questa poetica coincide con uno dei 12 punti qualificanti del primo Manifesto di «transition», la *Proclamation* del '29, il cui sesto punto, seguito da una citazione da William Blake, è così formulato:

> 6. The literary creator has the right to disintegrate the primal matter of words imposed on him by text-books and dictionaries
> (*The road of excess leads to the palace of Wisdom...Blake*)[35]

Ma per Beckett il problema è così urgente da spingerlo

all'esilio linguistico, alla scrittura come traduzione, recuperabile nella propria lingua nuovamente con la mediazione della traduzione, come appare chiaro dalla sua insofferenza per il "paterno" «inglese ufficiale»:

> It is indeed becoming more and more difficult, even senseless, for me to write an official English. And more and more my own language appears to me like a veil that must be torn apart in order to get at the things (or the Nothingness) behind it. Grammar and style. To me they seem to have become as irrelevant as a Victorian bathing suit or the imperturbability of a true gentleman. A mask. Let us hope the time will come, thank God that in certain circles it has already come, when language is most efficiently used where it is being most efficiently misused. As we cannot eliminate language all at once, we should at least leave nothing undone that might contribute to its falling into disrepute. To bore one hole after another in it, until what lurks behind it – be it something or nothing – begins to seep through; I cannot imagine a higher goal for a writer to-day[36].

"Far buchi nella lingua" o costringersi a una scrittura come traduzione sono scelte equivalenti, tese a insistere sulla comprensione, sull'interpretazione della propria scrittura, poiché nella traduzione il contenuto diviene l'oggetto da restituire: non basta comprenderlo come lo si comprende nella propria lingua, occorre scegliere tra le sue possibilità di senso, porsi di fronte ad esso con un riferimento ermeneutico, come bene rileva H.G. Gadamer[37].

Ma mentre Beckett in *Finale di partita* si aliena nel francese per assumere una distanza "ermeneutica" dalla sua scrittura, in *Finnegans Wake* Joyce si appropria delle altre lingue per risucchiarle nel suo inglese. Il rapporto è di antitesi ma anche di complementarità, di rovesciamento ma anche conferma. Attraverso il filtro dell'ironia di Beckett il «work in progress» di Joyce diviene il *feuilleton* senza fine di Hamm, e più tardi, in *Come è* (1961), si trasforma ancora, nella versione inglese, in «ruins in prospect». Ma parallelamente l'artista che Joyce in *Finnegans Wake* aveva già definito come «Nayman of Noland», viene in *Finale di partita* coerentemente collocato in un deserto «corpsed»: il dialogo di Beckett con Joyce coincide qui con il dialogo con se stesso, pur se altrove marca irriducibili differenze nella comune economia di una scrittura "eroica". Ereditarietà e dialogicità si mescolano insieme[38].

Paradossalmente, l'evocazione enciclopedica in Beckett non è meno ambiziosa che in Joyce. Non esibita, anzi mimetizzata nei giochi di iperdeterminazione del testo, essa consente ad esempio in *Finale di partita* di implicare più volte, come s'è visto, Shakespeare, con riferimenti al *Riccardo III*, a *Amleto* (a sua volta connesso con l'*Ulisse* di Joyce), alla *Tempesta*; ma coinvolge anche, attraverso il filtro della riflessione di Bion, Leopardi e la favola settecentesca del *Rasselas* di Johnson, le massime di Chamfort, la *Melencolia I* di Dürer, Duchamp, o memorie di Eliot o Baudelaire: non per esibizionismo dotto, ma per sottile, disperante modellizzazione del soggetto[39].

I nessi che congiungono le numerose intertestualità sono complessi. Le coincidenze promosse dalla desemiotizzazione illuminista sono al tempo stesso alimentate in *Finale di partita* dalla tipologia simbolica: ma sempre secondo un criterio di fuga da biunivocità simboliche quanto dall'investimento univoco del realismo.

5. *Gli scacchi e la soglia*

Tempo e spazio, nella rappresentazione letteraria, sono tra loro connessi in un'interdipendenza che Michail Bachtin ha definito mediante il concetto di *cronòtopo*. Derivato dalla teoria della relatività di Einstein, questo termine è da lui usato per esprimere l'inscindibilità letteraria delle due categorie, che investe insieme forma e contenuto. In esso Bachtin ravvisa il «centro della concretizzazione e dell'incarnazione raffigurativa di tutto il romanzo»[40], la cui qualità varia profondamente. Nel teatro di Beckett il tratto saliente che per primo sorprende lo spettatore è costituito proprio dalla qualità inedita del suo spazio-tempo.

Nelle due antiche forme di romanzo analizzate da Bachtin, ad esempio, un analogo susseguirsi di peregrinazioni ed eventi, che separano due giovani innamorati fino alla sospirata ricongiunzione, presuppone due concezioni cronotopiche quasi antitetiche[41]. In *Leucippe e Clitofonte* di Achille Tazio, un modello poi ripetuto in innumerevoli intrecci impone ai protagonisti complicate avventure in molteplici paesi, ma consente loro di non mutare, né di invecchiare come la somma dei tempi di avventura comporterebbe. Luoghi distanti e diversi appaiono intercambiabili, privi di specificità socioculturale, perché ripetono una stessa funzione di prova della stabilità affettiva dei due giovani. A questo modello greco si rifà, parodicamente, nel Settecento, anche il *Candido* di Voltaire, i cui protagonisti, sempre innamorati e immutati attraverso un'iperbolica ridda di separazioni e disavventure, scoprono solo alla fine, d'un tratto, che sono invecchiati, e con essi le loro emozioni, anche se non intendono ammetterlo.

Nell'*Asino d'oro* di Apuleio, invece, è la metamorfosi a spiccare: viaggi e pericoli divengono occasione di educazione, percorso di formazione, e i luoghi attraversati consentono analisi differenziate di costumi e comportamenti. Alla regola del permanere è subentrata la regola del divenire: ne discendono tradizioni letterarie diverse.

Il *setting* di *Finale di partita* produce un suo specifico cronotopo, in cui uno spazio indefinito e surreale si coordina con il tempo sospeso e astratto del duello della partita a scacchi.

Analizzando la psicologia degli scacchi e dei grandi campioni della scacchiera, sia Adriaan de Groot che Reuben Fine hanno messo in evidenza il particolare rapporto del giocatore con il *tempo*. A differenza di quanto l'opinione corrente tende a pensare, il gioco degli scacchi, pur nelle sue implicazioni logico-matematiche, non consente che in pochi casi la decidibilità delle mosse: de Groot in particolare sottolinea il relativismo comportamentale che accompagna la pratica del gioco come la psicologia dello scacchista, cui di rado è dato di poter scientificamente valutare la mossa migliore. Per de Groot «skepticism and relativism in the form of atheism or agnosticism» emergono facilmente nella personalità dello scacchista[42]: e tale diagnosi si attaglia certo a Beckett e ai personaggi di *Finale di partita*.

Ma l'esperto olandese sottolinea anche la peculiare discontinuità del tempo nella percezione dello scacchista:

cui dal 1880 circa è stato imposto il limite dell'orologio, e con esso una misura di mosse in un tempo dato, per ovviare alla detemporalizzazione psichica tipica del gioco, che tende a durare illimitatamente. L'estraniamento e l'astrazione del gioco sono bene esemplificabili con un episodio riportato da Reuben Fine nella sua carrellata storica sui grandi campioni di scacchi: in un incontro tra Morphy – il probabile modello del Murphy beckettiano – e Paulsen, prima dell'imposizione dell'orologio, i due campioni rimasero immobili senza alcuna mossa o parola per 11 ore, finché Morphy, dopo così eroica attesa, lanciò un'occhiata critica all'avversario. Paulsen chiese allora, sorpreso, «Tocca a me?»[43].

Ma alla riflessione di ore per una mossa, fino alla perdita del senso dello scopo stesso dell'attesa, corrisponde, sottolinea Fine, la pratica inversa del cosidetto "blitz chess", in cui le mosse si susseguono a una velocità di non più di 10 secondi, che può divenire inferiore al secondo, in un modello di accadere improvviso o catastrofico: «the slowest game in the world becomes the fastest» commenta Fine, rilevando in questo contrasto una caratteristica propria del pensiero scacchistico. Nei tornei infatti il consueto limite di tempo è di 40 mosse in due ore e mezza e il giocatore può disporre di questi limiti come preferisce. Ma spesso egli non distribuisce equamente le sue mosse nel tempo:

> It often happens that he takes two hours and 28 minutes, say, for 25 moves. He is then required to make the remaining 15 moves in two minutes. This is known as "time pressure". Under such extreme pressure, the player who was previously unable to budge will often make the necessary moves with time to spare, and with remarkable accuracy. What, one might well ask, was he thinking about before? If it is possible to find a good move in ten seconds, why take half an hour? (Fine: 21-22)

Fine sottolinea inoltre nel gioco una continua alternanza tra tensione per la scelta della mossa e *daydreaming* negli intervalli tra le mosse, contrariamente all'immagine di continua concentrazione che il profano tende a formarsi. A questo paradossale utilizzo del tempo corrisponde un altro paradosso, verbale. Al silenzio assoluto, osservato dalla maggioranza dei giocatori, corrisponde una coazione a parlare in termini di *nonsense* da parte di una minoranza, proprio secondo le formule comportamentali tipiche dei personaggi di Beckett:

> While as a rule for most players there is no talking, a curious exception is found among some who in off-hand games go to the opposite extreme and never stop talking. Some recite verses from Lewis Carroll. Some build up a special kind of nonsense language which has no meaning, even to the person himself. One man would say whenever he gave check: "Shminkus krachus typhus mit plafkes schrum schrum". Another would say: "Let us go to Vera Cruz with four aitches". The one thing that is never found is ordinary language. It is as if to say: any kind of physical activity that is permitted must be kept at an infantile level. Of course, the dissociation of words from their original meaning is characteristic of obsessional thinking. (Fine: 23)

Se da una parte la scacchistica implica un esercizio di strategia – di qui il ricorso al gioco nelle accademie militari – dall'altra essa si rivela, come riteneva anche Duchamp, creazione artistica:

> Like music, art and literature it can become a world of its own, divorced from practical concerns and devoid of any application to everyday affairs. It is particularly the opportunity for imaginative expression which links chess with the world of art. The opportunity for identification (with the King and other pieces) provides another link. (Fine: 25-6).

Il tempo della scacchiera è dunque peculiare delle peculiarità stesse che si ripetono nel dramma di Beckett, nella sua dilatazione dell'attesa e nel "daydreaming" di Vladimir e Estragon come di Hamm, o nell'accadere improvviso e catastrofico in *Godot* e nell'ultima scena di *Finale di partita*.

Anche lo *spazio* di Beckett è costrittivo e regolamentato quanto quello in cui si muovono i pezzi di una scacchiera: in *Finale di partita* sono dunque ravvisabili tratti specifici di un *cronotopo degli scacchi*. Ma la costrizione della scena beckettiana, evidenziata nella situazione di doppio legame, è connessa anche a una frontiera psicologicamente invalicabile, che in *Finale di partita* coincide con il perimetro del rifugio di Hamm e Clov. Le due finestre e il cannocchiale per guardare fuori sottolineano, tra interno ed esterno, non una mediazione ma una separazione, sancita da una totale cecità all'esterno. L'apparizione del bambino "fa esplodere", delegittima, il confine tra i due spazi, negando il supposto vuoto dell'esterno: la valicabilità della frontiera diviene allora il problema al quale tende l'intero testo, anticipato negli spazi onirici già evocati da Hamm, in cui una natura fertile contrasta con la desertificazione del mondo pattuita tra Hamm e Clov. Limite oltre il quale la *folie à deux* dei protagonisti diviene falsificabile, soggetta essa stessa alla regola della fine, *la soglia del rifugio ridefinisce a ritroso* in termini di *pseudos* la dimensione spazio-temporale del testo, che il titolo aveva impostato in funzione degli scacchi: al cronotopo degli scacchi si salda e sovrappone allora un *cronotopo della soglia.*

Gli occhi di Mosè morente, attribuiti al bambino che marca questa soglia presso il *kolossos* della «pierre levée», rinviano biblicamente, sia pure con ironia, a un passaggio dal deserto alla terra promessa, non raggiunta ma raggiungibile: e questo sguardo è forse anche quello intuito da Beckett davanti alle rovine di Saint-Lô, come necessità di ripensamento, ovvero rielaborazione del lutto secondo le teorie di Bion.

Se il cronotopo degli scacchi è la dimensione spazio-temporale dell'attacco al legame, dell'ansia diurna del tempo e dell'Edipo, il cronotopo della soglia che ad esso si salda è la dimensione in cui il riconoscimento dell'oltre impone alla fine, allo spettatore se non ai personaggi in scena, un inizio (del bambino), potenzialmente riaprendo il circuito gnoseologico e affettivo: in termini bioniani –L(ove) e –K(nowledge) possono aprirsi verso L(ove) e K(nowledge). È parlando di *Finale di partita* che già Martin Esslin in *The Theatre of the Absurd* avverte in Beckett, con felice intuizione, «a process of catharsis and liberation analogous to the therapeutic effect in psychoanalysis of confronting the subconscious contents of the mind»[44].

Al carattere terapeutico di questo teatro Esslin associa quello che chiama il suo carattere poetico – e lirico – o la preminenza di una realtà interiore di fantasmi, sogni, allucinazioni, in polemica con la tradizione del realismo, ancorato alla superficie esterna del soggetto. Entrambi i cronotopi di *Finale di partita* sfuggono infatti alle convenzioni del realismo, anche se la scena di Beckett è sempre colma di dettagli realistici. Come sfuggono del resto alla tradizione tragica, di cui pure ripetono l'unità di tempo, luogo, azione[45], ma dopo aver parimenti desemiotizzato le tre categorie, sostituendo all'azione "l'attesa della catatonia". Essi costituiscono una delle più efficaci strutture di innovazione e sorpresa estraniante.

La polemica, esplicita in Beckett, contro «the grotesque fallacy of realistic art – that miserable statement of line and surface and penny-a-line vulgarity of a literature of notations»[46], è da Esslin estesa a tutto il teatro dell'assurdo, capace di comunicare i suoi simbolismi senza farne accessori di un intrigo convenzionale, con un inizio, uno sviluppo e uno scioglimento. Se in *The Theatre of the Absurd* Esslin accosta *Finale di partita* ai *Mysteries* medievali e parla di "monodrama", in cui non un soggetto e degli eventi, ma le componenti separate di uno stesso soggetto sono rappresentate, in *Beyond the Absurd* (1970) egli scorge in questo teatro l'analogo dell'astrattismo e dell'avanguardia pittorica, perché ostende direttamente l'intimità psichica, suo oggetto immediato.

Ma l'arco di autori dell'assurdo considerati da Esslin – che include, insieme a Kafka, Jonesco, Mrozek o Arrabal, anche Joyce – è troppo ampio per consentirgli l'identificazione di categorie proprie di Beckett che lo differenzino da così diversi autori. L'assurdo è da lui inteso in senso lato come emozione della fine di ogni valore assoluto conseguente alla nietzschiana "morte di Dio"[47], come angoscia di un soggetto in disarmonia con se stesso, non come effetto di specifiche procedure estranianti. "Assurdo" significa anzitutto per Esslin, etimologicamente, "disarmonico" in un contesto musicale, e perciò incongruo, illogico o irrazionale. Per definirlo egli allude al divorzio tra il soggetto e la sua vita, l'attore e la sua scena, o l'angoscia metafisica della deprivazione di scopo sottolineata da Jonesco nel saggio su Kafka[48]. Esso investe così tutta un'epoca, come avverte anche Jan Kott, per il quale l'assurdo è interazione tra un soggetto ignaro e un meccanismo dominato dal caso, il cui esito è una frustrazione incontrollabile. Di qui le immagini proposte da Kott: quella dello scultore Segal, di un giocatore alle prese, di notte, con le *slot-machines* dei casinò di Las Vegas, o il «Paganini violin», realizzato da un artista (Christo), un violino strettamente avvolto in bende[49].

Volendo aggiungere, a quest'ampio inquadramento nella contemporaneità, categorie atte a definire più specificamente l'assurdo di Beckett, si può ora, sintetizzando le analisi fin qui condotte, rievocare il gioco delle principali fonti che incidono sulla composita sintassi dell'assurdo in *Finale di partita*: il Settecento scettico di Johnson e Chamfort, Leopardi, la patologia dell'io secondo Bion, la *Melencolia* di Dürer, l'arte di Duchamp. In termini *logico-strutturali* sono la desemiotizzazione illuminista e i vincoli dello *pseudos*, o del doppio legame e delle turbe della comunicazione, a definire con azione congiunta l'effetto assurdo, insieme all'eccesso simbolico del diurno (e dei suoi schemi catamorfi) e alla peculiare duplice dimensione cronotopica.

Intriso di black humour, l'assurdo di Beckett va oltre il *nonsense*, sia espresso nella dimensione di ludica – e onnipotente – liberazione dalla razionalità (nei *limericks* per bambini), che nei suoi aspetti verbalmente più aggressivi e violenti; ma certo lo attraversa e incrocia continuamente, per contiguità psichica.

Definito il *nonsense* come sospensione tra il serio (senso) e l'assurdo (negazione di senso), Tomaso Kemeny, riferendosi ad *Alice nel paese delle meraviglie* di Lewis Carroll, acutamente nota:

Tra i personaggi dell'universo *nonsense* non vi sono rapporti di amicizia, né di inimicizia: l'amore, l'odio non hanno luogo in questo contesto. La stessa bellezza, anche quella fisica dei personaggi, viene totalmente bandita. I tratti del volto vengono distorti (anche nelle illustrazioni di John Tenniel), esagerati; il corpo viene riarrangiato. La stessa Alice si deforma accorciandosi e allungandosi mostruosamente. La bellezza, questo attributo dell'«oggetto sessuale», presuppone quel desiderio di congiunzione-fusione che massimamente il *nonsense* esclude. Così dicasi, per motivi opposti, per la bruttezza. I rapporti di Alice, verbali e gestuali, con i vari personaggi, sono sgradevoli. Ma le parole, i gesti, le azioni non sono dettati da sentimento alcuno. Sono necessari come le mosse delle pedine della dama e degli scacchi relativamente alle specifiche regole di gioco. Come il motto umoristico nella definizione freudiana, il *nonsense* trasforma ogni tipo di sentimento in occasione di piacere a spese dell'odio, dell'amore, del ribrezzo e dell'attrazione, ecc.[50].

Il quadro è lo stesso descritto da Bion come "evacuazione" dell'io o distruzione sistematica del legame: –H(ate), –L(ove) e, poiché il *nonsense* annulla il senso, –K(nowledge). La cancellazione di odio, amore, conoscenza, consente di raggiungere, nota Kemeny, «quell'anestesia totale e generale» che «pare l'effetto dell'attività *nonsense*, un tipo di discorso davvero impareggiabile per quanto riguarda il risparmio del dispendio emotivo»[51].

Ma Beckett va insieme più lontano – fino all'assurdo come negazione totale di un senso – e al di là, come ostinata sopravvivenza terapeutica dell'io, oltre il lutto e la risata, con lucida *dianoia*, fino alla falsificazione del quadro di riferimento. È in questo senso che dovrebbe essere inteso il commento di Jonesco, per il quale *Finale di partita* è più vicino al *Libro di Giobbe* che al teatro di boulevard o degli chansonniers[52].

6. *L'eccesso patologico*

In un saggio del 1953 sulla Trilogia *(Molloy, Malone muore* e *L'innominabile)* intitolato *Où maintenant? Qui maintenant?*, poi incluso in *Le livre à venir* (1959), Maurice Blanchot s'interroga sul soggetto affabulante di Beckett, scorgendovi i tratti salienti del protagonista narrativo futuro, la via del «libro a venire» aperta da Proust, presentita da Rousseau, segnata dalla perdita del centro e dell'unità, dalla «morte de Virgile» come vertigine logica.

Agli occhi di Blanchot lo sgomento del soggetto indefinibile si fonde con l'evanescenza spazio-temporale del contesto di Beckett: «Qui parle dans les livres de Samuel Beckett? Quel est ce "Je" infatigable qui apparemment dit toujours la même chose? – si chiede Blanchot – Quel est ce vide qui se fait parole dans l'intimité ouverte de celui qui y disparaît? Où est-il tombé? "*Où maintenant? Quand maintenant? Qui maintenant?*"»[53].

Lungo la linea del silenzio o "parola neutra", già esaltata in Beckett due anni prima da Georges Bataille in occasione della pubblicazione di *Molloy*, Blanchot colloca quindi Beckett nel dibattito sulla letteratura contemporanea. Si avvia così la rilevanza di Beckett nella prospettiva critica del Novecento, destinata anzitutto a confermarsi con Adorno – nella sua controversia del '57/'58 con Lukács, nel suo *Tentativo di capire il "Finale di partita"*, come nella *Teoria estetica* del '70 – e con il citato saggio del '61 di Martin Esslin sul teatro dell'assurdo.

Ma al tempo stesso Blanchot esalta con ambiguo piacere il carattere patologico dell'opera di Beckett, additandovi quella resa impietosamente distruttiva del soggetto già delineata da Bataille.

Intesa la "verità" come «malattia di cui siamo malati», già Bataille aveva infatti visto nel *Molloy* di Beckett un'*essenzialità* solitamente evitata per l'angoscia che produce, una «réalité fondamentale», un «fond de l'être», in cui si svela "un'assenza di umanità", un oblio dell'essere, che è parodia del senso della morte e del silenzio, e come tale oscura il mondo stesso dei significati. Esplorazione delle possibilità estreme dell'indifferenza e della miseria, Molloy rivelerebbe la chiave della sua soggettività nella dimenticanza «dorata» che lo priva di sé, di ogni atto od emozione, persino del nome. A tale dimenticanza contraddice tuttavia la "commedia", la scrittura del suo caso: «Molloy en *vérité* n'avouerait *rien*, car il n'écrirait *rien*» aveva ammesso lo stesso Bataille, insieme legittimando l'orrore così prodotto come possibile letterario non inferiore a «les bonheurs de la poésie» o al «désespoir authentique», parimenti distanti dalla mostruosa indifferenza del soggetto beckettiano[54].

Per Blanchot, sulla stessa linea di Bataille ma ben più oltre, l'impossibilità in Beckett di rispondere alle tre domande «dove, chi, quando?» sconvolge la definizione stessa di letteratura come compito della buona scrittura e prodotto estetico, sostituendovi la rivelazione di un processo di invenzione di simulacri, il cui solo scopo è «meubler le vide», comunicare «la menace de l'impersonnel», di una parola «qui se parle seule», senza intimità soggettiva, incessante e ossessivamente ripetitiva. Un io che non può vivere né morire recita «une survivance parlante», in cui si palesa quel «mouvement d'où viennent tous les livres», originatosi in una caduta fuori dal mondo del fare e degli scopi pratici e storici, sottratti i quali non rimane che la profondità neutra del soggetto, divenuta ricerca essenziale dell'arte contemporanea.

È evidente che quanto Bataille e Blanchot affermano del soggetto nella narrativa di Beckett investe parimenti il suo teatro, anche se, come rileva Renato Barilli, sul piano dell'espressione una netta differenza separa il profondersi della parola (la "logorrea") della voce affabulante nella Trilogia, dalla brevità verbale o addirittura dal silenzio (negli *Atti senza parole*) della scena drammatica dello stesso autore[55]. La differenza dei due generi o la diversa valutazione critica dell'eventuale preminenza letteraria di uno di essi nella produzione di Beckett – per lo più a favore del teatro – non possono alterare la sostanziale coerenza, la tipicità provocatoria del soggetto, che contraddistingue tutta l'opera dello scrittore.

L'attenzione di Bataille e Blanchot per Beckett esprime in parte una *sim-patia* e pronto riconoscimento per un autore per altri difficile da accettare, in cui distinguere le tendenze di un'epoca, un *trend* di vasta portata, che costringe a ripensare le categorie letterarie. È quanto avviene in modo diverso per Martin Esslin: se le *Livre à venir* culmina con l'esempio di Beckett, *The Theatre of the Absurd* prende avvio da Beckett per dare un'identità a tanta parte del teatro contemporaneo, rintracciando poi anche a ritroso la nuova categoria dell'assurdo, nella lunga, dotta analisi di una tradizione letteraria che dal mimo latino perviene alle avanguardie parigine e alle soglie degli anni '60.

Ma Bataille e Blanchot, se bene colgono con Beckett un'occasione critica importante per discutere una svolta nella percezione artistica del soggetto, al tempo stesso forzano l'autore verso una "disumana neutralità" che non gli appartiene. Questo risulta palese, per fare due osservazioni immediate, nella contraddizione già avvertita da Bataille tra il Molloy della sua lettura e l'atto del raccontare di Molloy, o ancor più nella "volontà dianoetica", come nella ricerca estetica e musicale di questa scrittura, dichiarate dallo stesso Beckett ma ignorate da Blanchot, che ne nega ogni intenzionalità. Persino un testo come *Not I*, di poche pagine, consente, come mostra una bella analisi di Keir Elam, cinque prospettive diverse, che conducono ad altrettante interpretazioni del testo e del titolo[56], narrando quell'io più in profondità di qualsiasi autobiografia. La "patologia" di Beckett è in *Finale di partita* svolta di pensiero, confronto laico – traumatico dopo i rassicuranti racconti soteriologici della tradizione – con i rischi dell'esserci e la necessità di ridefinizione della fine.

L'importanza della fine in rapporto a un inizio e a un punto mediano, come struttura psico-antropologica necessaria per raccontare, e la necessità di ridefinirla a ogni nuova interpretazione del mondo, è già stata sottolineata da Frank Kermode[57]; e il bisogno di raccontare la fine, come la coscienza del carattere *fictional* di questo raccontare, è in Beckett bene sottolineato da Wolfgang Iser[58] nei termini di una "finzione consensuale" (non dissimile dallo *pseudos* bioniano), che come tale riapre il ventaglio delle possibilità. È l'incomprensibilità del reale a produrre la necessità del racconto-finzione, e questa necessità è tale da non poter sradicare nemmeno una finzione smascherata.

Nella narrativa come nel teatro Beckett, secondo Iser, "consuma" nel corso del testo il suo inizio, lo delegittima, e questo "impedisce la fine", provocando nel lettore o ascoltatore un effetto programmato di frustrazione progressiva. Mentre infatti egli cerca di proiettare un significato e definire un'interpretazione, il testo si rifiuta di fornirgli appigli e mantiene la sua indeterminazione. In *Godot* ad esempio questo effetto produce nel pubblico un interesse per l'arrivo di Godot molto maggiore di quello palesato dai due protagonisti. E ogni tentativo di determinare il testo è dal testo stesso aggirato, costringendo a una nuova definizione di realtà[59]. Beckett opera quindi una "critica del racconto di realtà", nel quale la fine, strutturalmente irraggiungibile perché *recita* della fine, *playing* all'interno di un *endgame*, diviene trappola senza scampo, occasione di destabilizzazione del processo stesso di ricerca del senso.

La critica del racconto di realtà e la liberazione dai modelli di rappresentazione, che Iser legge affidata da Beckett allo spettatore implicito del suo testo, non è che radicale desemiotizzazione illuminista. Rendendo la fine impossibile per svuotamento dell'inizio e del mezzo, questa desemiotizzazione suscita una "questione del racconto" insolubile e paradossale: occorre finire ma non è possibile, occorre affacciarsi a una soglia di interpretabilità necessaria ma ingiustificabile, che rovescia nel suo opposto la "plausibilità retorica" dei sofisti. Di Protagora Beckett afferma, in uno dei saggi su Bram van Velde, che se un filosofo contemporaneo gli desse ragione farebbe arretrare la filosofia di cinquant'anni[60]. Non il moltiplicarsi (sofistico) di effetti di realtà, ma la consapevolezza dell'annullarsi di ogni effetto di realtà è l'esito nel soggetto di Beckett, che un bisogno inestirpabile tuttavia spinge ad attendere, ad-tendere. Ne scaturisce, come meglio si vedrà in seguito, non un "piacere dell'intercambiabile" né "un piacere del patologico", ma una "pedagogia di introduzione al postmoderno" – alle sue più ampie e complesse responsabilità di scelta – un accesso alla duplice coscienza della necessità di un *récit* soddisfacente e della sua inadempibilità assoluta, come della "resistenza" che tale situazione comporta: resistenza che giunge fino alle ultime pagine di Beckett prima della morte, in quel *Stirrings Still* (*Stimoli ancora*) dove la riflessione melanconica di Walther von der Vogelweide giustifica di per sé l'esserci, con un'eccedenza mentale della mobilità psichica sul corpo immobile, che è ancora una volta neosublime.

Il ruolo di Beckett nel dibattito sulla definibilità del soggetto e sul lavoro letterario contemporaneo appare comunque centrale: Beckett è di fatto divenuto crocevia di due ordini di problemi, di cui il primo relativo al rapporto tra arte e storia, letteratura e impegno, che ha alimentato la controversia su Beckett tra Adorno e Lukács, dietro i quali si sono a lungo scontrati opposti schieramenti[61]. Esauritasi questa polemica, oggi datata, Beckett è tuttavia ancora (inevitabilmente) al centro del dibattito sul Novecento: quello, più recente, di riflessione sulla distinguibilità tra moderno e postmoderno.

Critica letteraria, psicoanalisi e filosofia si intersecano in questa discussione, rimandandosi l'una all'altra in una polifonia che trova in Beckett stesso l'espressione e la conferma di convergenze necessarie tra diverse competenze. L'effetto che si produce nelle opere di Beckett, di partecipazione, spesso anticipazione, del dibattito in ognuno dei tre ambiti menzionati, deriva dagli interessi reali dell'autore: scrittore ma anche autore di saggi critici, dopo un avvio come assistente universitario, e soggetto diretto di un'esperienza psicoanalitica, come di lunghe letture e annotazioni filosofiche.

Non a caso è insolitamente polifonica per molteplici competenze – dalla filosofia alla letteratura alla musica – anche la voce di Theodor W. Adorno (letterato, filosofo, musicologo e direttore d'orchestra), che nel suo celebre saggio su *Finale di partita* fu il primo a leggere positivamente "l'eccesso patologico" di Beckett, in funzione di una dialettica negativa, o critica della *ratio* del dominio. Adorno avvalora proprio l'aspetto più scandaloso del patologismo di Beckett: la compromissione intima del soggetto, che né Husserl né l'esistenzialismo avevano saputo affrontare. L'epoché va invece estesa *dentro* il soggetto, che non è unitario, né capace di affermare la propria libertà di essere, vivere o morire come ritenevano gli esistenzialisti. Di fatto Adorno teorizza quella decostruzione dell'io che Beckett oggettiva nella sua opera, scorgendovi, come s'è visto (cfr. capitolo terzo, par. 6), una parodia dell'esistenzialismo e del suo senso del tragico. Beckett mostra quanto sia rimasto del soggetto e della sua libertà, operando al tempo stesso una critica oggettiva all'opposizione hegeliana dominato/dominatore[62].

L'entusiasmo di Adorno per *Finale di partita* – coerente con l'apprezzamento di Kafka o Schönberg – insiste in particolare sul possibile effetto di rovesciamento positivo della sua "dialettica negativa". Ma le coordinate di un radicalismo che non rifugge il patologico sono in Beckett già apparse, in questa analisi, di ancor più ampia portata: si tratta di ridefinire, ricorrendo allo strumento del "riso dianoetico", la definibilità stessa del soggetto e del mondo, usando il patologico per denunciarne la deformabilità.

Come Aldo Tagliaferri sottolinea, gli effetti umoristici nascono in Beckett nel cuore del perturbante:

> Beckett [...] prende le mosse addirittura con puntiglio dal perturbante, dalle classiche situazioni che solitamente ingenerano angoscia, dalla imminenza della morte, dalla follia, dal fallimento, dalla mutilazione. Lo humour non accetta valori ipostatizzati al di sopra delle sue possibilità di rivincita[63].

Il personaggio beckettiano quindi «procede, attraverso la disgregazione e l'incertezza, alla bonifica dell'inconscio», anche se la rivendicazione dello humour e del suo edonismo, evidente soprattutto in *Godot*, non impedisce una componente di lutto barocco e una melanconia contemplativa, che anzi appare a Tagliaferri dominante a partire da *Quella volta*[64].

La «bonifica dell'inconscio» bene spiega il patologismo di Beckett, rivelandosi anzi come la prima funzione di questa scrittura, elaborazione del lutto per il suo autore e il suo lettore.

Beckett non pensa a un soggetto-limite, ma al soggetto comune, pur rappresentandone la crisi con corrispettivi fisici accentuati che fanno parte dell'impatto performativo della sua retorica[65], al tempo stesso "celebrando" la resistenza alle iperboliche rovine interne ed esterne che la psicoanalisi e la seconda guerra mondiale hanno diversamente accumulato, imponendole alla riflessione culturale del Novecento. Ed è nel contesto di questa consapevolezza che Beckett va dunque collocato; come è il rapporto con la gamma contemporanea delle altre risposte agli stessi problemi che consentirà una valutazione di qualità e funzione.

Mettendo a fuoco la frattura culturale da cui nasce il postmoderno letterario, Theo D'Haen e Gerhard Hoffmann l'hanno entrambi ravvisata nello smarrimento conseguente alla "morte di Dio", che a partire dall'inizio del secolo sembra aver prodotto una duplice risposta. La prima si sostanzia in un metaracconto compensatorio, capace di recuperare l'unità perduta, di ridare senso all'esserci del soggetto mediante una soluzione "sostitutiva". Sono analoghi in questo senso, rileva D'Haen, la "profondità delle cose" di Camus o la libertà di Sartre, il *mythic method* della *Waste Land* di Eliot e il mito usato da Joyce nell'*Ulisse*, o la natura e il "codice" di Hemingway, come il *moment of being* di Virginia Woolf[66]. Le risposte compensatorie che in questi autori arginano il "senso della rovina" qualificano l'atteggiamento *moderno*. Ma rispetto ad esso già Kafka, e ancor più lo stesso Joyce dopo l'*Ulisse*, si staccano, per una posizione diversa, in cui la risposta compensatoria si rivela elusiva, improponibile. Si delinea allora, attraverso il discredito dei *récits* moderni, un secondo atteggiamento, di delegittimazione epistemologica dei concetti stessi di verità e autenticità, magari espresso come parodia del *moderno*. È questo il "rifiuto" *postmoderno*, che altera il rapporto con la tradizione e con gli autori moderni del Novecento:

> If Postmodernists do refer to instances of earlier literature such as the Modernists used for conveying a sense of wholeness and unity to their works, they do so with exactly the opposite intention and effect. In particular, and as could have been foreseen, this takes the form of parodying the Modernists themselves, in order to show up the powerlessness of the metanarratives those Modernists themselves used for unifying their works[67].

Si è già visto come, secondo Gontarski, il *Molloy* di Beckett in effetti ironicamente evochi insieme Omero e "l'*Odissea* di Joyce", mentre Joyce era già cambiato con *Finnegans Wake*.

Ma qual è più propriamente il rapporto tra Beckett e il Novecento? E quali le implicazioni teoriche che selezionano nello scrittore accesso al passato e a spazi inediti?

Il ricorso al patrimonio filosofico, letterario o figurativo, in Beckett mai semplice rivisitazione distruttiva o compiaciuta, ma strenua ricerca dianoetica, pone numerosi interrogativi. Pur critica dell'utopia illuminista, la posizione di Beckett non nasce, come s'è visto, da un ribaltamento delle premesse dell'illuminismo, bensì dalla radicalizzazione di uno dei suoi sbocchi: non una frattura ma una continuità teorica collega Beckett a Chamfort o Johnson, ma anche alle anticipazioni della desemiotizzazione illuminista nell'*Amleto* o nella *Melencolia*, come a Leopardi o alle più recenti manifestazioni nell'arte di Duchamp e delle avanguardie parigine. Ne scaturisce anzitutto, di fatto, una proposta di *rilettura dell'illuminismo* rispetto a stereotipi interpretativi che secondo lo stesso Beckett «sont tous fous» e «déraisonnent». Di qui ulteriori domande che mettono in discussione il senso stesso dei concetti di moderno e postmoderno: ma queste possono contestualizzarsi solo confrontando Beckett con autori contemporanei, immersi nello stesso dibattito da angolazioni "spostate".

Il confronto – che cercherà di collocare Beckett rispetto a Kafka o agli esistenzialisti, nel teatro inglese come nell'ambito dalla già identificata opposizione Beckett/Eliot – consentirà di meglio acquisire il senso e la centralità di Beckett rispetto alla vicenda culturale del secolo: anticipazione di una problematica filosofica avvertita, prima che in filosofia – dove pure ne erano state gettate le premesse teoriche – nel discorso artistico e letterario, sismografo immediato del divario gnoseologico in atto.

Note al capitolo quarto

[1] D. Bair, *op. cit.*, p. 468.

[2] S. Beckett, *Waiting for Godot*, London, Faber and Faber, 1956, p. 35.

[3] V. nota 61 al capitolo terzo.

[4] P. Rizzi, *La coppia comica, il doppio perturbante*, in *Il doppio tra patologia e necessità*, a cura di Enzo Funari, Milano, Cortina, 1986.

[5] Riprendendo la tesi di Anzieu sulla funzione di Beckett come gemello immaginario di Bion, la "coppia comica" potrebbe delinearsi anche come modello per Bion di sdoppiamento tra l'analista e il paziente, ovvero la parte sana e la parte psicotica del sé. Estragon è afflitto da fantasie di persecuzione e smemoratezza.

[6] P. Rizzi, *op. cit.*, p. 145.

[7] *Ibidem*, p. 154.

[8] In Watzlawick, Beavin e Jackson, *Pragmatica della comunicazione umana*, cit.

[9] Cfr. capitolo terzo, par. 4.

[10] D. McMillan e M. Fehsenfeld, *op. cit.*, p. 14.

[11] "Assurdo" è termine ambiguo nelle sue molteplici accezioni, ma impostosi e di ampio uso (se ne parlerà oltre, al par. 5 di questo

capitolo): qui ci si limita al senso specifico discusso per Beckett, con particolare riferimento a *Finale di partita*.

[12] Cfr. F. Siracusano, *L'attesa reciproca*, in «Gruppo e Funzione analitica», n. 1, 1988, pp. 19-28.

[13] *Ibidem*, p. 21.

[14] G. Durand, *Les structures anthropologiques de l'imaginaire*, Paris, Presses Universitaires de France, 1963, trad. it. *Le strutture antropologiche dell'immaginario*, Bari, Dedalo, 1972.

[15] *Ibidem*, pp. 29-33.

[16] *Ibidem*, pp. 38-41.

[17] *Ibidem*, p. 48.

[18] Si pensi a coppie come Joseph Andrews/Fanny o Candido/Cunegonda.

[19] Aragon, *J'avais voté Samuel Beckett*, in «Les Lettres Françaises», 29 ottobre - 4 novembre 1969.

[20] Cfr. V. Ja. Propp, *Edipo alla luce del folclore*, Torino, Einaudi, 1975.

[21] C. Lévi-Strauss, *Anthropologie structurale*, Paris, Plon, 1958, trad. it. *Antropologia strutturale*, Milano, Il Saggiatore, 1966, p. 241.

[22] V. Ja. Propp, *op. cit.*, p. 101 e pp. 120-126.

[23] La tesi di Schröder è riportata in D. McMillan e M. Fehsenfeld, *op. cit.*, p. 238. Secondo l'attore, Beckett a Berlino insistette che il nome di Clov fosse pronunciato "non Clav" ma con una "o" stretta, per richiamare "clou" francese. Per R. Cohn anche il nome di Mother Pegg può rinviare a *peg*, ancora "chiodo" (piolo), mentre Hamm potrebbe rinviare a "chiodo ricurvo" attraverso il latino *hamus*, gancio. Questo potrebbe rientrare nei giochi di allusione evangelica: «every proper name in *Endgame* is a nail, and "nailhood" seems sardonically to symbolize humanity, whose role is to nail Christ to the Cross. All the characters are thus instruments working towards the play's paradoxical opening word, "Finished"». R. Cohn conclude comunque additando in *Endgame* «a revival of Beckett's early taste for puns», e rinvia a *Murphy* (cfr. R. Cohn, *The Comic Gamut*, cit., p. 233).

[24] D. Bair, *op. cit.*, p. 468.

[25] Si pensi ai suggerimenti di regia di Hamm a Clov quando si fa porre domande sulla storia che va componendo (cfr. ad es. *Endgame*, p. 40).

[26] Reazioni irritate di Beckett a ipotesi su fonti dei nomi di *Finale di partita* da parte di Adorno sono riportate, come s'è visto, in capitolo secondo, par. 3, da S. Unseld, *To the Utmost*, cit., p. 93.

[27] Cfr. capitolo terzo, par. 6.

[28] In un incontro con C.M. Cioran nell'ottobre 1974 Beckett rivelò la sua predilezione per i *Viaggi di Gulliver* (in particolare per il quarto libro) e notò che Joyce invece non amava Swift: cfr. il *cahier de* «L'Herne» dedicato a Beckett, *op. cit.*, pp. 103-104.

[29] R. Ellmann, *Samuel Beckett, Nayman of Noland*, Washington, Library of Congress, 1986, p. 29.

[30] Nel primo atto di *Godot* una serie di bisticci sottolinea il nome di Pozzo:

ESTRAGON: (*timidly to Pozzo*). You're not Mr Godot, sir?
POZZO: (*terrifying voice*) I am Pozzo! (*Silence*) Pozzo! (*Silence*) Does that name mean nothing to you? (*Silence*) I say does that name mean nothing to you? *Vladimir and Estragon look at each other questioningly.*
ESTRAGON: (*pretending to search*) Bozzo... Bozzo...
VLADIMIR: (*ditto*) Pozzo... Pozzo...
POZZO: PPPOZZZO!
ESTRAGON: Ah! Pozzo... let me see... Pozzo...
VLADIMIR: Is it Pozzo or Bozzo?
ESTRAGON: Pozzo... no... I'm afraid I... no... I don't seem to... *Pozzo advances threateningly.*
VLADIMIR: (*conciliating*) I once knew a family called Gozzo. The mother had the warts.

Nel secondo atto una cascata di battute viene imbastita sul nome di Pozzo con riferimento persino a Caino e Abele. Sulla possibile allusione al pittore barocco e a Joyce, cfr. G. Restivo, *Pozzo: does that name mean nothing to you?*, in «Paragone», n. 306, agosto 1975, pp. 62-68.

[31] S.E. Gontarski, *Samuel Beckett, James Joyce's "Illstarred Punster"*, in *The Seventh of Joyce*, a cura di Bernard Benstock, Bloomington, 1982, pp. 29-36.

[32] J. Fletcher, *Modernism and S. Beckett*, in *Facets of European Modernism*, a cura di G. Garton e C. Carstairs, Norwich, University of East Anglia, 1985, pp. 199-217.

[33] S. Beckett, *Dante...Vico. Bruno... Joyce*, in *Our Exagmination Round its Factification For Incamination Of Work in Progress*, Paris, Shakespeare & Company, 1929, e in S. Beckett, *Disjecta*, cit., p. 28.

[34] *Ibidem*, p. 31.

[35] D. McMillan, *Transition 1927-38*, cit., p. 49.

[36] S. Beckett, *Disjecta*, *op. cit.*, p. 171-2.

[37] H.G. Gadamer, *Testo e interpretazione*, in «Aut Aut», nn. 217-8, gennaio-aprile 1987, pp. 29-58.

[38] Cfr. il discorso teorico sul rapporto dell'autore con la tradizione in termini di intertestualità di C. Segre, in *Avviamento all'analisi del testo letterario*, cit., pp. 85-90.

[39] Sulla differenza teorica di un'inquadratura di questi rinvii non «positivisticamente come "fonti"», ma come "citazioni" con cui colloquiare, e "pertinentizzate" secondo un "modello ermeneutico" coerente cfr. M. Pagnini, *Semiosi, teoria ed ermeneutica del testo letterario*, Bologna, Il Mulino, 1988, p. 42 e dello stesso autore *Pragmatica della letteratura*, Palermo, Sellerio, 1980, p. 76.

[40] M. Bachtin, *Estetica e romanzo*, Torino, Einaudi, 1979, p. 398.

[41] *Ibidem*, pp. 233-277.

[42] A. de Groot, *op. cit.*, p. 346.

[43] R. Fine, *op. cit.*, p. 21.

[44] M. Esslin, *op. cit.*, p. 70.

[45] Nell'unica stanza-rifugio l'azione (un dialogo che riempie l'attesa della fine) si svolge nel tempo di un ipotetico "giorno", dal risveglio al sonno conclusivo.

[46] Cfr. M. Esslin, *op. cit.*, p. 29.

[47] *Ibidem*, p. 389.

[48] *Ibidem*, p. 23.

[49] Jan Kott, *The Icon and the Absurd*, in «The Drama Review», autunno 1966, n. 45, trad. it. *L'icona e l'assurdo*, in «Biblioteca teatrale», primavera 1971, n. 1.

[50] T. Kemeny, *Il motto di spirito e il nonsense*, in *La comunicazione spiritosa*, a cura di F. Fornari, Firenze, Sansoni, 1982, p. 223.

[51] *Ibidem*.

[52] Cfr. Jonesco, *Lorsque j'écris*, in «Cahiers des Saisons», Paris, n. 15, inverno 1959, p. 211 e M. Esslin, *op. cit.*, p. 339. In *Murphy* Beckett fa riferimento al *Book of Job* di Blake.

[53] M. Blanchot, *Le livre à venir*, Paris, Gallimard, 1959, p. 308-9.

[54] G. Bataille, *Le silence de Molloy*, in «Critique», n. 48, 1951.

[55] R. Barilli, *Nichilismo retorico di Beckett*, in *L'azione e l'estasi*, Milano, Feltrinelli, 1967, p. 131.

[56] K. Elam, *Not I: Beckett's Mouth and the Ars(e) Rhetorica*, in *Beckett at 80 / Beckett in Context*, a cura di E. Brater, Oxford University Press, 1986, pp. 124-148.

[57] F. Kermode, *The Sense of an Ending*, Oxford University Press, 1967, p. 17.

[58] W. Iser, *When is the End Not the End? The Idea of Fiction in Beckett*, in *On Beckett: Essays and Criticism*, a cura di S.E. Gontarski, New York, Grove Press, 1986, pp. 46-64.

[59] *Ibidem*, pp. 60-61.

[60] S. Beckett, *Disjecta*, cit., p. 132.

[61] Gli scontri a favore di Brecht o di Beckett sono stati spesso improntati a un'intolleranza solo parzialmente superata da posizioni critiche conciliatorie, come ad esempio nel '67 quella di Darko Suvin in *Beckett's Purgatory of the Individual* sulla «Tulane Drama Review».

[62] T.W. Adorno, *Tentativo di capire il "Finale di partita"*, cit., p. 300.

[63] A. Tagliaferri, *L'invenzione della tradizione*, cit., p. 60.

[64] *Ibidem*, p. 129.

[65] In parte studiata da G. Celati, *op. cit.* (cfr. il capitolo *Su Beckett. L'interpolazione e il gag*).

[66] Cfr. T. D'Haen, *Postmodernism in American Fiction and Art*, in *Approaching Postmodernism*, a cura di D.F. Fokkema e H. Bertens, Amsterdam/Philadelphia, John Benjamin, 1986, p. 214.

[67] *Ibidem*, p. 223; cfr. anche G. Hoffmann, *The Absurd and Its Forms of Reduction in Postmodern American Fiction*, in *Approaching Postmodernism*, cit., pp. 184-209.

CAPITOLO QUINTO

IN NOVECENTO

1. *Davanti alla legge: Kafka, Sartre, Camus, Beckett*

Di Kafka Beckett afferma nel 1956 – l'anno dell'ultima versione francese di *Finale di partita* – di aver letto "seriamente" in tedesco il *Castello*, e solo in francese o inglese altre sue opere (*Metamorfosi* apparve in inglese su «transition»). Paragonandosi con lui, Beckett accentua una duplice differenza:

> I've only read Kafka in German – serious reading – except for a few things in French and English – only *The Castle* in German. I must say it was difficult to get to the end. The Kafka hero has a coherence of purpose. He's lost but he's not spiritually precarious, he's not falling to bits. My people seem to be falling to bits. Another difference. You notice how Kafka's form is classic, it goes on like a steam-roller – almost serene. It *seems* to be threatened the whole time – but the consternation is in the form. In my work there is consternation behind the form, not in the form (Samuel Beckett, in «The New York Times», 6 maggio 1956)

Un confronto di Ruby Cohn tra *Watt* (scritto nel '42, pubblicato nel '53) e il *Castello* (pubblicato postumo nel '26), rivela molteplici analogie: comuni sono anzitutto l'allusività autobiografica e il linguaggio dell'esitazione, dell'incertezza dei due protagonisti, Sam come Samuel Beckett, e K (la K di Kafka), che ritorna poi protagonista nel *Processo*. Alla ridda di ipotesi che costella la scrittura di Kafka fa riscontro "la regola del forse" di Beckett, poi estesa al suo teatro, per esplicita dichiarazione dell'autore: «the key word in my plays is perhaps». Ai *doch*, *vielleicht*, *oder besser*, *zwar... aber*, *freilich... jedoch*, *wenn nicht... so doch* di Kafka corrispondono i *not that... but*, *not that... for*, *one of the reasons for* di Beckett[1].

Beckett tuttavia sottolinea, come s'è visto, la scissione intima dei suoi protagonisti, «falling to bits», al cui confronto gli eroi di Kafka gli sembrano coerenti e quasi sereni: la minaccia esterna è sentita "nella forma", imposta da una scelta narrativa, non dalla struttura stessa del soggetto. Ma quale può essere la serenità del personaggio kafkiano, sempre schiacciato da un meccanismo incomprensibile e inarrestabile?

È forse un breve racconto, *Vor dem Gesetz* (*Davanti alla legge*), del '14, poi inserito nel capitolo del duomo nel *Processo* (scritto nel '17/'18 e pubblicato nel '24), il più vicino in Kafka all'attesa e al "cronotopo della soglia" di *Finale di partita*. Il racconto – in cui Erich Neumann individua il nucleo centrale del *Processo*[2] – esprime la stasi assoluta di un doppio legame, che si fa coestensivo alla vita stessa.

Davanti al Palazzo della legge giunge un uomo della campagna. La porta è socchiusa, ma sulla soglia un guardiano – *ein Türhüter* – gli sbarra l'accesso e gli mostra all'interno *una fuga infinita* di sale. Alla soglia di ognuna sta un altro guardiano, uno più potente dell'altro. Se la prima soglia è forse superabile, essa è poi iterata in una serie infinita di altre porte custodite, che inducono l'uomo a fermarsi, a decidere di attendere che gli sia concesso di entrare.

Passano molti anni. Ormai vecchio, mentre sta per morire, l'uomo volge al guardiano un'estrema domanda: come mai nessun altro ha in tutto quel tempo cercato accesso alla legge? Tutti «tendono infatti verso la legge» («Alle streben doch nach dem Gesetz») egli afferma. Giunge la risposta in punto estremo: «Nessun altro poteva entrare qui perché questo ingresso era destinato soltanto a te. Ora vado a chiuderlo».

Nell'assurdo di questo racconto di Kafka, della sua soglia offerta e per sempre negata, della sua esigenza assoluta e svuotata a un tempo, Jacques Derrida coglie, in un saggio del 1984, il silenzio, l'inaccessibilità della legge. Sia all'uomo della campagna, posto *avant la loi*, prima della sua soglia, che al guardiano, posto *devant la loi*, a sua difesa, ma dandole le spalle, è precluso essere «in presenza della legge»[3].

L'interdizione della frontiera è a vita, come la pulsione a superarla: la doppia ingiunzione paradossale – entra, non entrare – è analoga a quella che regola l'attesa della fine di Hamm e Clov.

Ma anche per il protagonista del *Processo* si pone il problema dell'essere di fronte alla legge. Il tribunale che lo cita a comparire lo vincola a un'accusa mai formulata, le procedure giudiziarie sono misteriose, fino all'inspiegabile condanna a morte.

Erich Neumann individua nel tribunale che perseguita K ciò che K non riconosce: la proiezione profonda di una zona interdetta del sé. K non comprende che cosa gli succede per lo stesso motivo per il quale sa a quale ora e in quale stanza lo attendono in tribunale, pur non avendo ricevuto alcun messaggio. È la sua stessa "ombra" che cita K a comparire e si fa suo destino: non riconoscendo il processo come sua intima emanazione, K si preclude una confessione che, dissolta l'estraneità della legge, dissolverebbe anche il tribunale.

L'inconscio rifiutato da K, che Neumann definisce *trans* o mondo psichico oggettivato, si presenta così come tribunale rifiutato: K si ostina ad accusarne l'organizzazione, i funzionari, i giudici, ma detta egli stesso dal suo interno il percorso giudiziario che lo consegna agli esecutori della sentenza.

Anche il "caso Kafka", che Maurice Blanchot insegue biograficamente nei *Diari* e nelle *Lettere* dell'autore, ripete un'analoga interdizione, una soglia della norma sociale e dell'istituzione, dalla quale Kafka, figlio di un giudice, si sente attratto e insieme respinto[4]. Di qui il tormento di una tensione costante fino alla morte, per tubercolosi, che lo spinge ad amare e distruggere il legame, fidanzarsi più volte e non sposarsi mai, evocando la stessa immagine di esilio nel deserto, lontano dalla terra promessa, che detta in *Finale di partita* paesaggio e allusioni bibliche a Mosè.

Ma rimanere fuori dalla norma sociale significa anche per Kafka, come per Beckett, "uccisione del figlio", e uccisione del tempo, come bene intuisce Blanchot:

È l'eterna questione di Abramo. Ciò che è richiesto ad Abramo non è soltanto di sacrificare suo figlio, ma Dio stesso; il figlio è l'avvenire di Dio sopra la terra, poiché è il tempo la vera Terra

Promessa, il vero e solo soggiorno del popolo eletto e di Dio nel suo popolo. Ora sacrificando il suo unico figlio, Abramo deve sacrificare il tempo, e il tempo sacrificato non gli sarà certamente reso nell'eternità di un altro mondo: l'al di là non è nient'altro che l'avvenire, l'avvenire di Dio nel tempo. L'al di là è Isacco[5].

Analoga rispetto a Beckett è in Kafka persino la convinzione di una nascita incompleta, come appare da una minuta di lettera di Kafka del 18 ottobre 1916:

è come se non fossi nato definitivamente, come se venissi sempre al mondo fuori da questa vita oscura in questa camera oscura, come se avessi sempre di nuovo bisogno di cercare la conferma di me stesso, come se fossi, almeno in una certa misura, indissolubilmente legato a queste cose ripugnanti; questo impaccia ancora i miei piedi che vorrebbero correre, essi sono ancora ficcati nell'informe poltiglia originale[6].

E tuttavia Beckett, conscio dell'ovvia comparabilità con Kafka, sottolinea la sua distanza dal "classicismo" di Kafka.

La voce monologante disgiunta dal proprio corpo in un breve testo teatrale di Beckett, *Not I*, memoria di una donna di 60 o 70 anni – dall'abbandono dei genitori alla sua nascita («no love... spared that») all'afasia totale, alternata ad una logorrea coatta – si sofferma per un momento su una scena di tribunale, che suscita l'ipotesi d'un giudizio, di un bilancio del senso del suo esserci:

that time in court...what had she to say for herself...guilty or not guilty...stand up woman...speak up woman...stood there staring into space...mouth half open as usual...waiting to be led away...glad of the hand on her arm...now this...something she had to tell...could that be it?...something that would tell...how it was...how she-...what?...had been?...yes...something that would tell how it had been...how she had lived...lived on and on...guilty or not...on and on...to be sixty...something she-...what?...seventy? good God!...on and on to be seventy[7].

Ma il tribunale di Beckett non sentenzia, pone solo la domanda della colpa o dell'innocenza. Anche in *Finale di partita* la responsabilità verso l'altro, l'eventuale colpa, in particolare di Hamm, è oggetto di molte battute, ma si risolve nella *pity*, la *pietà* che regola lo scambio sadomasochista dei protagonisti. Tra il soggetto di Beckett e la legge il rapporto non è quello di Kafka: tra Kafka e Beckett si dà infatti una distanza in parte omologa a quella che detta a Adorno la distinzione, ben più nettamente evidente, tra Beckett e Sartre.

Il tribunale che sentenzia in *Huis clos* sul destino di tre personaggi non esprime esitazioni. Scritto nel '44, circa dieci anni prima di *Finale di partita*, il dramma di Sartre tuttavia anticipa non pochi fra i tratti caratteristici del teatro di Beckett: l'isolamento e la clausura dei personaggi, la minimalità della scena, i paradossi prodotti da situazioni di doppio legame, il blocco o assurdità dell'azione.

Un giornalista fucilato per diserzione, un'infanticida morta di polmonite e una lesbica uccisa col gas dalla donna di cui ha distrutto la vita, si ritrovano nell'aldilà, in un inferno presentato come "l'Albergo", dove i tre sono costretti a convivere in una sola stanza chiusa, priva di finestre e a luce fissa. Le reciproche confessioni, che rivelano in tutti la responsabilità morale di un assassinio, i bisogni psichici del loro rimorso e dei loro narcisismi, scatenano un gioco di sofferenza cui l'eternità dell'inferno e l'assenza in esso del sonno umano non lasciano scampo. La costrizione delle relazioni tra loro – che i protagonisti intuiscono programmata dalla direzione dell'Albergo – attiva fra i tre una reciproca necessità/insopportabilità, una formula «nec tecum, nec sine te», che perpetua la disperazione del gruppo. Il circuito punitivo è basato sulla memoria: sul passato di ognuno, sulle sue colpe o distanza tra esistenza reale e "dover essere".

Garin, Estelle e Inès, costretti a reciproco giudizio, pervengono a un odio/amore e a un doppio legame a incrocio che li tortura incessantemente, anche se una lucida autocoscienza li spinge invano a tentare di sottrarsi alla volontà del sistema o amministrazione dell'Albergo. Questa ha tutto previsto e finalizzato ai suoi scopi.

La triade di Sartre, continuamente scomposta e ricomposta in coppia e terzo escluso, alimenta così suo malgrado un asettico inferno tutto psichico, in cui «l'enfer, c'est les Autres». L'effetto è paradossale e assurdo come nel *Processo* o in *Finale di partita*: ma, a differenza di Kafka e di Beckett, Sartre implica in *Huis clos* un duplice piano degli eventi.

All'azione scenica dell'aldilà si oppone lo spazio terreno e perduto della storia, da cui provengono i personaggi, che ad esso ancora si volgono, tendendo l'orecchio per ascoltare le parole di coloro che sono sulla terra. Il meccanismo presuppone negli ospiti dell'inferno/Albergo un vincolo o giudizio interiore, che trasforma il ricordo delle loro esistenze vissute, e perciò immutabili, in una trappola di rimorsi e ricatti.

Lo stacco è netto rispetto a Beckett, che non rinvia a un dover essere del soggetto, né a una punizione della colpa che da esso dipenda. L'idea morale che l'Albergo rappresenta, secondo la quale viene giudicato il singolo evento o personaggio e programmato un perfetto calcolo dell'accadere psichico, implica una *regola* o Legge e un *tribunale* che fissa i significati attuando implacabile la sua giustizia: nei termini della tipologia di Lotman siamo in presenza di un programma improntato a un'Idea, di un ordine sintagmatico e insieme simbolico, di un codice "romantico", lontano dalla logica desemiotizzante dell'illuminismo radicale di Beckett.

Il dover essere – la "bravura" di adeguarvisi – non è in Beckett solo assente, ma impossibile, assoggettato a quella parodia di cui parla Adorno. Mentre il dramma di Sartre "sa" la Legge, esprime un "monoteismo" etico che un'autorità/Albergo usa imponendo con sicura efficacia il proprio inferno, *Finale di partita* non "sa" alcun imperativo categorico, e tuttavia vincola non meno i suoi personaggi a uno stallo psichico, che sospende le leggi esterne di natura e giudica ironicamente la creazione nella barzelletta del sarto, invertendo le tesi della *Teodicea* di Leibniz.

In Kafka il tribunale è inefficiente. A Joseph K esso non sa, né può notificare l'accusa; la sua organizzazione rimane carente e vaga. L'imputato può essere condannato solo perché collabora con il tribunale, di cui è anzi il vero giudice: solo questa coincidenza dà autorità alla legge. A differenza di Sartre, Kafka "non sa" la legge, inequivocabile per Sartre, ma dovrebbe saperla, non formula la colpa, ineffabile come la giustizia, ma il suo tribunale sentenzia, condanna a morte, come quello di Sartre condanna in eterno. La legge inconoscibile di Kafka, legge di collusione tra inconscio e colpa, si dà come un ordine di fatto operante con la partecipazione intima del soggetto. Se la certezza giuridico-morale di *Huis clos* è indiscutibile, "teologica" e insieme "programmatica", la comunicazione inconscia dell'imputato con il tribunale kafkiano si avvia piuttosto verso quella soggettivizzazione illuminista del mondo e del senso che culmina in Beckett. Colpa e tragedia si affermano in diverso grado sia in Sartre che in Kafka: è solo il soggetto di Beckett a sottrarvisi, pur non meno prigioniero dei protagonisti di Kafka o Sartre.

«Belli» nel *Processo* di Kafka, «attraenti agli occhi delle donne», sono definiti gli imputati del tribunale che giudica K: perché essi non sono, non possono essere tutti, ma solo una selezione, una élite di soggetti sensibili, capaci di attivare il tribunale stesso. Un paradosso ironico punisce i migliori per non essere ancora abbastanza eletti fino al punto dell'autocoscienza totale o "conoscenza" della legge. È a tali mitici personaggi che si allude nel *Processo* ogni volta che si suppone possibile uno spiraglio per l'assoluzione nel corso delle procedure penali contro K. Un'assoluzione sarebbe dunque pur sempre possibile, e ciò rende K colpevole; ma lo rende anche agli occhi di Beckett "sereno", cioè giudicabile: la sua serenità è residuo di monoteismo.

In Beckett ogni "bellezza" o ipotetica leggenda di assoluzione è fuor di luogo, come la legge stessa, con la quale cade l'opposizione colpa/innocenza. A un tribunale morale esterno e interno (Sartre) o oggettivazione dell'inconscio (Kafka), subentra in Beckett una dianoia, un "sapere attraverso" di lucida follia.

Ma la distanza autoanalitica di Hamm è *kolossalisch*: perché se in Kafka e Sartre la colpa eccede la resistenza e il soggetto subisce la condanna come destino, senza conoscersi, in Beckett il soggetto eccede la colpa, elimina la tragedia elaborandone il lutto, anziché fissarlo con un giudizio che lo giustifichi. In Kafka e Sartre è il *giudizio* a fondare la tragedia; in Beckett la fine della "fondazione" libera il soggetto dal giudizio di colpa, lo definisce "neutro" nel momento stesso in cui lo dichiara scisso e compromesso. Il soggetto di Beckett è certo più frammentato, «falling to bits», del soggetto di Kafka, ma proprio per questo accede a una dianoia

– "non serena" perché estrema, ma al di là delle ipostasi della colpa – e insieme a una *resistenza* infinita: oltre la legge della pena, della fine, dell'impedimento, che non soffocano la sua parola su di sé. Questa parola non è vana, né assolutoria, è extragiuridica, perché la legge – limite, non giustificazione del sé – non potrebbe soddisfarla: ed è, a differenza che in Kafka o Sartre, e anche tramite il distanziamento del black humour, *eccedenza gnoseologica terapeutica.*

Il confronto di Beckett con Kafka e Sartre evidenzia anche, implicitamente, la distanza che oppone, in rapporto alla legge, l'assurdo di Beckett all'assurdo di Albert Camus, il cui nome è già più volte emerso, e il cui *Etranger*, uscito nel '42, due anni prima di *Huis clos*, radica in motivazioni profonde, vicine a quelle di Hamm, la vicenda psichica di un giovane francese di Algeri. Il contesto, a differenza che in Beckett, Sartre o Kafka, è qui nettamente "realistico", ma la causalità enigmatica che investe il protagonista, la poetica del cosiddetto "atto gratuito", vi si ascrive a una modalità "assurda".

Condotto innanzi a un tribunale, Meursault, lo "Straniero" di Camus, è giudicato e condannato alla pena di morte, prima ancora che per la sua azione omicida, quasi casuale, per il suo sconcertante – "straniero" – regime emotivo.

«Try and read it, I think it is important» «Cerca di leggerlo, lo ritengo importante» scrive Beckett dell'*Etranger* in una lettera a George Ravey il 27 maggio del '46, da Foxrock (Dublino). E tuttavia altrove Beckett ironizza, come s'è visto, su Camus, e certo se ne distanzia.

A differenza della vicenda dell'uomo della campagna di Kafka o dei protagonisti di *Huis clos*, il percorso psichico di Meursault (vicino per alcuni tratti a quello di Murphy) attraversa le stesse coordinate antropologiche che caratterizzano Hamm, specie nella prospettiva dell'evoluzione dei testi che conducono a *Finale di partita*. Questo percorso si colloca tra la *morte della madre* di Meursault, subito dopo la quale avviene l'omicidio, e il quadro simbolico dell'*uccisione del padre.*

Un insistito gioco di coincidenze "realistiche" accosta

infatti il processo di Meursault in tribunale a un caso di parricidio da discutere subito dopo: l'arringa contro Meursault del Pubblico Ministero può così correlare tra loro i due casi agli occhi dei giudici, ricorrendo ad argomentazioni insieme grottesche e profondamente "pertinenti". Ma ancor più rilevante del nesso con il padre è il nesso con la madre.

L'indifferenza alla vita e il rifiuto al legame emotivo che segnano Meursault si accompagnano infatti alla stessa testimonianza della vecchiaia e fine della madre vissuta da Hamm: più vistosa nelle due versioni in due atti (nella recita di B/Clov come vecchia madre del padrone, o nel lutto cromatico imposto alla scena per la morte di M), più discreta ma non meno patetica nella versione in un atto, con la morte di Nell.

Il comune rifiuto al mondo e al legame, connesso in *Finale di partita* come in Camus alla morte della madre e all'ostilità verso il padre (quest'ultima è in Camus "celebrata" nel rapporto con la legge e il tribunale, come gli interventi del P.M. evidenziano), sbocca in omologhi "rifiuti di Dio". La violenza verbale con cui Meursault allontana da sé il prete del carcere, negandosi al suo tentativo di consolazione religiosa con un alterco alla vigilia dell'esecuzione capitale, è la stessa della più sintetica rabbia di Hamm nella scena del Padre Nostro. Ed essa incide anche nell'*Etranger* con una radicale desemiotizzazione "assurda" del sociale, dei destini e delle vicende umane. L'ultimo colloquio di Meursault con il prete è un grido sull'insensatezza dell'universale "equivalenza":

Rien, rien n'avait d'importance et je savais bien pourquoi. Lui aussi savait pourquoi. Du fond de mon avenir, pendant toute cette vie absurde que j'avais menée, un souffle obscur remontait vers moi à travers des années qui n'étaient pas encore venues et ce souffle égalisait sur son passage tout ce qu'on me proposait alors dans les années pas plus réelles que je vivais. Que m'importaient la mort des autres, l'amour d'une mère, que m'importaient son Dieu, les vies qu'on choisit, les destins qu'on élit, puisqu'un seul destin devait m'élire moi même et avec moi des milliards de privilégiés qui, comme lui, se disaient mes frères. Comprenait-il donc? Tout le monde était privilégié. Il n'y avait que des privilégiés. Les autres aussi, on les condamnerait un jour. Lui aussi, on le condamnerait. Qu'importait si, accusé de meurtre, il était exécuté pour n'avoir pas pleuré à l'enterrement de sa mère? Le chien de Salamano valait autant que sa femme. La petit femme automatique était aussi coupable que la Parisienne que Masson avait épousée ou que Marie qui avait envie que je l'épouse[8].

Ma è di fronte alla legge che il protagonista di Camus, esperto della stessa angoscia della fine propria di Hamm già nel primo manoscritto del '50, bene evidenzia la differenza che lo separa dal protagonista di Beckett: egli segue da vicino l'itinerario morale dell'assurdo di Beckett, ma solo per metà.

Di fronte alla legge egli tace, non ha nulla da dire: perché è con la violenza stessa della legge, rovesciata, che egli si identifica. Alla pietà, pur sado-masochista, che vincola tra loro i protagonisti di Beckett, si contrappone la violenza dei 4 colpi di rivoltella con cui Meursault uccide sulla spiaggia un arabo, per una debole motivazione di giustizia-vendetta (l'arabo aveva poche ore prima ferito un suo amico non privo di torti). Analogamente, nelle sue riflessioni finali, Meursault auspica per sé l'odio di una vasta folla per la sua esecuzione in piazza.

Non a caso è il suo avvocato difensore, più vicino al vero, ad apparirgli ridicolo in tribunale, e non il P.M., che lo descrive come un mostro morale, al di là di ogni plausibilità, per lui o per il lettore che conosce la vicenda. L'assurdo di Meursault si traduce in violenza, si fa colpa persino compiaciuta, e nella desemiotizzazione che lo motiva non assolve Meursault, bensì rende tutti ugualmente colpevoli: nel passo citato l'equivalenza dei destini è anche equivalenza di colpe. Ognuno è «altrettanto *colpevole*».

Camus non esenta dalla legge, bensì oppone e insieme omologa il soggetto alla legge, che è legge della pena capitale; e non abolisce la colpa, la generalizza e la "rifonda", rendendola ben più inquietante. È dalla *pietà* – la *pity* di Hamm – che egli esenta il soggetto.

La lucidità di Meursault, la sua intelligenza sottolineata dall'accusa, lo estraniano dai riti del tribunale e dell'autogiustificazione, ma ne fanno paradossalmente convergere progressivamente le intenzioni con quelle stesse del tribunale: in attesa della ghigliottina egli si sente "felice", come se il suo intreccio si avviasse verso una conclusione "giusta", cui manca ancora solo l'odio della folla: violenza del soggetto e violenza della legge si rispecchiano l'una nell'altra. Per Beckett né violenza né odio – sentimenti "inattuabili" in *Finale di partita* come in *Not I* – consentono l'identificazione rovesciata del protagonista con la legge: è la necessità di questa piuttosto a disfarsi, insieme alla colpa, in una consapevole pietà laica del rapporto io-tu.

Più vicino a Beckett del soggetto di Kafka o Sartre per le sue motivazioni antropologiche profonde, Meursault – il cui nome sembra fonicamente alludere a *meurt*, "muore" – culmina tuttavia a maggior distanza da Beckett. Nel custode del palazzo della legge o negli ufficiali del tribunale del *Processo*, come nel gioco distruttivo di Garin, Inès, Estelle, che cercano invano di allearsi contro la legge dell'Albergo, si affaccia già, pur diversamente subordinato a un giudizio "esterno" di colpa, quel senso (postmoderno) della *pietas* come "fine della violenza" e come *resistenza sublime*, divenuto dominante in Beckett.

2. *Beckett, Pinter, Bond*

Un brano di *Watt* su una rivista irlandese rivelò Beckett a Harold Pinter nel '49. Fu nel '57, l'anno della rappresentazione di *Finale di partita*, che Pinter, fino ad allora attore (con il nome di David Baron), cominciò a scrivere commedie; ma solo nel '60, come ricorda D. Bair, egli scrisse a Beckett, e nel '61 lo incontrò a Parigi: un appuntamento pomeridiano si protrasse fino alle tre del mattino seguente; poi Pinter iniziò a inviare le sue opere a Beckett per un giudizio, ricevendone commenti e indicazioni.

Fin dal saggio di Martin Esslin sul teatro dell'assurdo, che lo includeva, Pinter è stato accostato a Beckett: ma quali analogie e quali differenze definiscono la diversa qualità dell'assurdo dei due autori?

I tratti comuni sono molteplici. L'isolamento del soggetto e la sua rescissione dal sociale, la minimalità della scena e delle relazioni – a due, tre, massimo quattro personaggi – si ripetono in Pinter come già in Beckett. A differenza di Pinter tuttavia Beckett arriva anche a un solo personaggio in scena, come in *Krapp's Last Tape* o *Not I*, e magari lo priva anche della parola, come nei due *Actes sans paroles*.

Sul piano simbolico prevale in entrambi una prospettiva *diurna*: la relazione tra i personaggi si risolve in dominio, gli eventi accadono d'improvviso e al di fuori della sequenzialità causa-effetto, sul soggetto si accumulano schemi simbolici di caduta espressi da malattie, menomazioni, penuria, umiliazioni psichiche, comunicazione patologica. E spesso i protagonisti di Beckett come di Pinter riflettono l'osservazione della clinica psichiatrica. Al Murphy o al Lucky di Beckett corrisponde l'Aston di *The Caretaker*, che ha subìto la lobotomia, alla protagonista schizofrenica di 60-70 anni di *Not I*, che si riferisce a sé come *she* e "non io", improvvisamente loquace dopo anni di mutismo, corrisponde l'estraniata protagonista pinteriana di *A Kind of Alaska*, risvegliatasi a 45 anni, ma con la psiche ferma a 17 anni a causa di un sonno indotto da encefalite letargica.

Comune è anche una generale labilità del soggetto e della sua memoria, la dissociazione dell'unità di coscienza, la paradossalità come condizione di esistenza. Ma sotto quella che appare immediata affinità di gusto e situazioni, un'attenta analisi rivela strutture tipiche, sistemi d'identità e di relazione profondamente diversi, persino antitetici. Analizzare alcune di queste differenze può giovare a meglio chiarire l'universo beckettiano.

Al *doppio legame* che dà in Beckett tipica forma alla patologia di un soggetto avviato alla stasi della catatonia, corrisponde in Pinter un diverso gioco schizofrenico, basato sullo *sdoppiamento multiplo di personalità*. Una sorprendente, aggressiva, flessibile proliferazione di ruoli o scambio delle parti sdoppia o moltiplica i personaggi. Essi sono specularmente opposti, ma si scambiano più volte le posizioni, in un caratteristico *shifting* che ribalta i rapporti. Dopo un avvio, su una scena tranquilla, di relazioni simmetriche, si sviluppano squilibri sempre più violenti, si fissa un dominio *one-up* che estromette uno di loro: discontinuità e lacunosità del soggetto non sono segni di debolezza come in Beckett, ma strumenti di assalto. La libertà di contraddizione è in Pinter funzionale alle mosse per il sopravvento.

Beckett mina la volontà, l'azione e il senso del soggetto e consuma il suo tempo nell'attesa della fine; Pinter moltiplica la parola d'identità e le dimensioni ipotetiche del soggetto che, bombardato dai possibili di una plurinarratività paradossale, perde la sua univocità, per accettarsi infine come serie di effetti, cumulo machiavellico di "personae" utili nel gioco incessante di sopraffazioni per la sopravvivenza. Il darwinismo psichico di Pinter produce una lotta senza quartiere, una ridda di simulacri, usati come armi per colpire l'altro. Se Beckett riduce il senso a zero, Pinter lo promuove moltiplicandolo, secondo una sua stessa dichiarazione, per 24: vi sono infatti, egli dice ironicamente, 24 possibili aspetti di ciascuna affermazione, a seconda del momento, del luogo, delle condizioni del tempo[9].

In *No Man's Land*, forse il testo più beckettiano di Pinter, e più comparabile con *Finale di partita*, lo sdoppiamento di personalità appare evidente. Nel chiuso di una stanza due intellettuali, Hirst e Spooner, si spossessano della loro identità palleggiandosi tra loro il ruolo di intellettuale di successo, fino a smarrirsi entrambi in una terra di nessuno, la "no man's land" del titolo, luogo di stasi come il deserto di Beckett, spazio «which never moves, which never changes, which never grows older, but which remains forever, icy and silent»[10].

I due protagonisti si attribuiscono un passato, variabile quanto i nomi che utilizzano tra loro. L'abitazione di Hirst rivela un chiaro agio economico, mentre l'abito di Spooner, che fa visita a Hirst, rinvia a una modesta condizione sociale. E tuttavia Spooner inizia esibendo una sicurezza di sé, una sicurezza psico-intellettuale, che sembra rovesciare le parti, finché Hirst cede la scena uscendo carponi dal proprio soggiorno. Poi Spooner, aggredito dalle parole di Foster – servo ma forse figlio di Hirst, come Clov con Hamm – sembra rivelarsi cameriere di birreria; ma ritorna più oltre invece a descrivere la sua presunta autorità di poeta e letterato affermato e influente, amico di nobili e giudice di giovani talenti.

Alla fine tuttavia cambia nuovamente ruolo e chiede a

Hirst di assumerlo come suo segretario: lo aiuterà nei suoi compiti di intellettuale di fama, organizzandogli letture poetiche nei clubs, amministrando i suoi successi, suggerendo invece per sé un'identità di ex-intellettuale fallito. Parallelamente i vissuti dei due vengono descritti in modi diversi, oscillano tra una felicità alto-borghese, su sfondo tipicamente inglese, e fallimenti socio-emotivi, rinviano a donne, amanti, ville, studi a Oxford, viaggi all'estero, che mutano dal primo al secondo atto, passando da registri idilliaci a registri cinici e violenti, ma non biografici perché come tali incoerenti e indecidibili.

Scambio e invenzione di contesti e identità, discontinuità dei soggetti che si narrano contraddittoriamente, si ripetono nel teatro di Pinter: un caso-limite di gioco di plurinarratività è ad esempio *The Lover*, in cui Richard e Sarah, marito e moglie, giocano a sdoppiarsi in amanti, trasformandosi in molteplici personaggi, narrandosi su sfondi diversi, romantico-eleganti o volgari e violenti, pur rimanendo nel chiuso del loro soggiorno.

Situazioni schizofreniche sono dunque comuni, ma ben diverse per qualità ed esiti in Beckett e Pinter, anche se in entrambi si ripetono effetti di sconcerto e dissipazione del soggetto: al doppio legame che "volta" il quadro contro la parete in *Finale di partita* corrisponde la moltiplicazione illusionistica di Pinter, che accumula quadri d'identità – "falsificati" – dei personaggi.

La proliferazione dei possibili è in Pinter, infatti, funzione diretta di un *agone dei simulacri*: una lotta senza esclusione di colpi anima una continua gara per la supremazia, spesso strutturata secondo un tipico schema triangolare, in cui un personaggio o entità esterna si inserisce in un rapporto a due, inscritto in una stanza, tentando di alterare tale rapporto, manipolare i ruoli, spesso per subentrare in uno di essi. Da *The Room* e *The Caretaker*, da *The Dumb Waiter* a *Old Times*, da *The Homecoming* a *The Lover* o *No Man's Land* il gioco drammatico è analogo.

La dissoluzione del soggetto nei simulacri cancella il soggetto unitario ma non i simulacri, né la loro intensa carica erotico-aggressiva, e alimenta una caccia all'indizio che sfocia nel brivido del *thriller*, del giallo, più evidente in *The Dumb Waiter* ma sottinteso in tutto Pinter. All'agone turgido di invenzioni di *No Man's Land* corrisponde in *Finale di partita* un patto a due consensuale e didattico; il soggetto mente in entrambi, ma alle molteplici menzogne di alternative mondane di Pinter per assalire l'altro, corrisponde lo *pseudos* unico e difensivo della desertificazione del mondo di Beckett, in cui un soggetto incapace di simulacri e privo di eros vede dissolversi la positività della sua naturalità, finché la sua stessa negazione non giunge a negare se stessa, annullando il suo annullamento.

In *No Man's Land* il machiavellismo dei simulacri si immalinconisce, ammette il lutto, presuppone a monte una desemiotizzazione della referenzialità analoga a quella di Beckett, ma si produce nella logica di un codice dell'effetto. A un momento preliminare di illuminismo radicale come quello di Beckett, subentrano in Pinter, dominanti, una prospettiva e un gioco di relazioni *sintagmatici*: in *No Man's Land* forse meno sanguigni che altrove in Pinter, ma proprio qui esplicitati nella metafora del *con artist*, l'artista illusionista descritto da Foster. Al suo aiutante Briggs è poi affidata la metafora complementare del labirinto, ironicamente rappresentato dal senso unico d'una via londinese. In Bolsover Street, una volta entrati, si rischia di girare senza più uscirne, come nella ridda di finzioni intercambiabili della rappresentazione pinteriana. Illusionismo e assurdo sono due forme parallele di cancellazione, per eccesso o per svuotamento, del reale.

A differenza di Sartre e come Beckett, Pinter non conosce dunque la "bravura" dell'autenticità, ma esibisce spesso una bravura della strategia, un piacere-potere, forse dovere, dell'illusionismo. Il sintagmatismo di Sartre è "romantico", quello di Pinter è "rinascimentale", una machiavellica misura dell'essere per il sopravvento o la sopravvivenza. In un suo testo, *A Kind of Alaska*, Pinter cita forse *Huis clos* di Sartre, chiamando Estelle una sorella della protagonista Deborah, che stranamente immagina di parlare francese, mentre parla inglese, in un contesto vago ma presumibilmente inglese. Del dramma di Sartre il contesto pinteriano ripete, oltre a un nome, due caratteristiche: *Alaska* è come *Huis clos* un inferno a tre, due donne e un uomo, e implica, come il testo francese, il risveglio in un "aldilà", l'estraniamento in una dimensione altra, in cui gestire la propria memoria e una "solitudine vedovile" a tre. Deborah si è ridestata da un sonno patologico di 29 anni, e il medico curante Hornby dichiara di aver "vedovato" sua moglie Pauline per curare la paziente. Ma a determinare il rapporto a tre non è la norma di un dover essere mancato, bensì la dissolvenza dei vissuti e dell'identità.

L'attacco al legame, tipico in Beckett nella forma radicale che secondo Bion conduce a –K(nowledge), –L(ove) e –H(ate), è implicito anche nei tre valori che Spooner esibisce come sua filosofia ad apertura di scena in *No Man's Land*, che sono anche i tipici presupposti dello scambio verbale e della relazione dei personaggi di Pinter. Il primo valore è la «strength», la forza fattuale, non la sua idea recitata; il secondo, da cui dipende il primo, è la «indifference», una totale reticenza affettiva che consenta una relazione con il mondo solo come «peeps through twigs», sguardo dietro i rami di un arbusto, ad una adeguata distanza, tanto maggiore quanto maggiori sono i rischi emotivi. Alla "forza" e alla "indifferenza" si aggiunge quindi il narcisismo aggressivo del ricorso a «the English language», o alla "salvezza" della lingua, alla sua capacità di simulazione o illusione, cui Spooner ricorre sempre con particolare esibizionismo, vantandosi poeta e critico.

In questa sua enunciazione della "giusta misura" dell'esserci, Spooner descrive la sua relazione con l'altro in termini bellici, parla di attacchi e difese per mantenere la propria libertà, ed esalta la sua forza, che dichiara fondata sull'odio primario, anziché l'amore primario, di sua madre per lui.

La sua offerta di amicizia a Hirst, come successivamente le proteste di amicizia e cameratismo universitario di Hirst con lui, non impediscono né il più malevolo e disinvolto gioco di allusioni scandalose alla reciproca vita privata o a quella di supposti amici, né insulti letterari e morali, rafforzati da minacciosi interventi verbali di Foster e Briggs. La compromessa esibizione di costumi alto-borghesi, presenti e passati, si accompagna a una sistematica degradazione di ogni emozione di relazione: il successo e la adorniana «bürgerliche Kälte» vanno di pari passo. Parallelamente si degrada anche il successo letterario con le sue pratiche: letture private, ma non troppo, di poesia, saggi critici di apprezzamento su argomenti che la memoria evacua prontamente senza l'aiuto di un taccuino, protezioni letterarie intessute di resistenze della gelosia o invidia, desideri di morte dell'altro. Nell'orizzonte di Pinter un compiaciuto manierismo linguistico, una protratta architettura verbale, celebrano l'indifferenza del soggetto, avvertita come forza perché consente anche di cadere sotto i colpi del dominio altrui senza abbandonare il gioco, fino al possibile rovesciamento delle parti.

Il pathos è assente in Pinter, vulnerabilità e tenerezze affettive sono referenzialità troppo lontane dal suo campo di battaglia e dalla sua politica del dominio per la sopravvivenza. La soppressione delle emozioni lascia un residuo di scariche erotiche, in cui eros e supremazia si confondono.

Una profonda ostinata sensibilità soggiace invece all'implacabile irrisione di Beckett: implacabile proprio in forza delle emozioni rinunciate ma non rinunciabili a questo livello di autoconsapevolezza intellettuale. Sofferenza e *pity* («Non ti ho fatto soffrire abbastanza?» chiede preoccupato Hamm a Clov) legano insieme i protagonisti di *Finale di partita*, come impossibili patetiche tenerezze Nagg e Nell.

A differenza di *No Man's Land* e dei tre valori di Spooner, *Finale di partita* affronta le emozioni e i loro perversi problemi di "evacuazione": per questo in Beckett la catatonia è desiderata come anestesia totale, a differenza che in Pinter. Solo valore dichiarato, pur se amaro, è la dianoia: un pensiero (nous) "impedito", nella definizione di Beckett che, per la sua eccedenza sublime, è già al di là del nichilismo che ha attraversato, mentre "l'agone dei simulacri" di Pinter sembra rinviare piuttosto all'indistinguibilità delle rappresentazioni sottolineata da Deleuze, e a una pragmatica della retorica.

Momenti di implicito ma evidente dialogo con situazioni di *Finale di partita* sono presenti nel teatro del meno noto

Edward Bond, un autore del Royal Court Theatre che si è definito «postbrechtiano» per l'esplicito impegno ideologico, ma il cui dichiarato «realismo socialista» prende le distanze, negli anni '70, dalla rabbia di Osborne o di Wesker, per accogliere qualità proprie dell'assurdo beckettiano, situazioni enigmatiche e indagini socio-antropologiche, costituendo un interessante termine di confronto.

Il topo che Clov in *Finale di partita* vorrebbe subito uccidere, perché «humanity might start from there all over again», ma vede sfuggirgli in cucina, diviene ad esempio in *The Sea* di Bond (1973) oggetto di un polemico "credo nel topo", enunciato da un vecchio incline all'alcolismo ma di ostinata saggezza profetica. Con ironico rovesciamento il topo diviene icona di garanzia della storia:

> I believe in the rat. What's the worst thing you can imagine? The universe is lived in by things that kill and this has gone on for all time. Sometimes the universe is crowded with killing things. Or at any rate there are great pools of them in space. Perhaps that's so now. At other times it falls out that they've killed everything off, including each other of course, and the universe is almost deserted. But not quite. Somewhere on a star a rat will hide under a stone. It will look out on the broken desert and from time to time it will scatter out to feed on the debris. A shambolling, lollaping great rat – like a fat woman with shopping bags running for a bus. Then it scuttles back to its nest and breeds. Because rats build nests. And in time it will change into things that fly and swim and crawl and run. And one day it will change into the rat catcher. I believe in the rat because he has the seeds of the rat catcher in him. I believe in the rat catcher. [...] All destruction is finally petty and in the end life laughs at death[11].

La violenza che ossessiona la scena di Bond evoca qui la stessa desertificazione («the broken desert») che fa da sfondo a *Finale di partita*, ma per Bond essa non potrà mai essere assoluta grazie al sopravvivere del topo, simbolo di fertilità, virtuale certezza di ripopolamento o nuova evoluzione delle specie fino all'acchiappatopi o «rat catcher». Il "credo nel topo", insieme auspicio e esorcismo, risponde alla cancellazione del futuro in Beckett, impossibile per l'irriducibilità dell'essere. Su questa irriducibilità Bond fonda uno sbocco utopico al suo illuminismo, connesso, come l'illuminismo radicale di Beckett, a una desemiotizzazione del reale, ma teso a ripetere un compito emancipativo. Di qui la costante della *quest* di un "inquirente", nonostante le mutilazioni psichiche imposte al soggetto dal regime di violenza della storia[12].

Come *Finale di partita* (ma anche *Aspettando Godot*), *Il mare* di Bond evoca, non senza ironia, la *Tempesta* di Shakespeare – per dichiarazione dell'autore il titolo originario di *The Sea* era, con diretta allusione, *Two Tempests* – operando un ribaltamento: la coppia di giovani (nella *Tempesta* Miranda e Ferdinando) si ripete in Bond con Willy e Rose, ma essi sono ugualmente distanti dalla coppia shakespeariana come dalla coppia Hamm/Clov di Beckett. I protagonisti di Bond non realizzano il progetto di universale pacificazione di un programmatore saggio, ma attuano quella fuga di possibile salvezza che è desiderata e preclusa a Clov come al suo padrone, visitato dal sogno di allontanarsi in zattera su un fiume.

Alla sofferenza della creatura, all'insopportabile *villainy* della storia, si accompagna in Bond la follia, e con essa un'esplicazione pedagogica dell'accadere che ripete la consapevolezza del riso dianoetico di Beckett, ma insiste su una predicazione brechtiana – memore della lezione dei *Lehrstücke* – estranea all'opera di Beckett, per questo oggetto di intertestualità polemiche in Bond.

Con Beckett Bond condivide il richiamo all'illuminismo, ma in senso profondamente diverso. Cosciente che «the dreams of the old enlightenment have been lost», Bond auspica «a new enlightenment», rivisitando la storia con commistioni postmoderne, come in *Early Morning*, *Lear* e *Narrow Road to the Deep North*, per interrogarsi su scelte che evitino il destino storico della violenza. Ma concettualmente le sue implicazioni ideologiche potrebbero ricollegarsi al contemporaneo pensiero di Habermas, al suo ritorno a un illuminismo incompiuto[13], piuttosto che ai più radicali scetticismi dell'interrogazione ermeneutica in cui Beckett si iscrive. Di fronte allo scandalo della violenza, Bond opta per una più "ingenua" ostinazione a ricominciare, una fedeltà allo sguardo di Candido, una diretta conversione della tortura psichica della creatura in energia della rivolta o in ricerca dell'idillio – la funzione della giovane donna o *kore* desiderata dall'inquirente è costante nel suo teatro – nel sottinteso che solo la storia sociale compromette il soggetto e i suoi legami.

Se Beckett "pensa dopo le rovine" di Saint-Lô, *Finale di partita* procede per astrazione da quel traumatico scenario, mentre Bond si cala nelle "icone della storia"[14], lotta con i suoi fantasmi ancora carichi di fatti e eccidi. Nel suo distanziamento, Beckett tuttavia muove – non così Pinter – verso un'analoga "fine della violenza"[15]: da motivare – dopo Auschwitz, ricorda Adorno, ma anche dopo Stalin, sottolinea il *Lear* di Bond – più che con un'istanza etica, come in Bond, positiva ma pragmaticamente inefficace, con una necessaria delegittimazione di quell'assolutismo gnoseologico – risibilmente illustrato anche nello *pseudos* sul mondo imposto da Hamm – che, deresponsabilizzando il soggetto, ha potuto fomentare patologie sociali e politiche di intransigente distruttività.

Rispetto a Pinter o Bond, Beckett è infine, sul piano retorico, il più parco e, di molto, il più allusivo: il solo a dominare una "enciclopedia della cultura", a comprimere in forme scarne un'iperdeterminazione paragonabile a quel modello di non celata proliferazione semantica che è per il Novecento la narrativa di Joyce.

3. *La «waste land» di Eliot, il deserto di Beckett*

Al di là delle aree più immediatamente prossime a Beckett, come quella definita da Esslin dell'assurdo o come il limitrofo esistenzialismo, l'opposizione Eliot/Beckett, come s'è visto citata dalla critica a esempio di opposizione moderno/postmoderno, può ora prestarsi, alla luce delle coordinate emerse, ad un'analisi che meglio chiarisca la collocazione di Beckett nel Novecento, e insieme il senso degli stessi concetti di moderno e postmoderno.

Una figurazione centrale, delle rovine o del deserto, correlativo oggettivo della condizione storica del soggetto contemporaneo, comune in particolare a Eliot come a Beckett, può bene illustrare le risposte divaricanti dei due autori sullo sfondo di uno stesso paesaggio epocale. Quali analogie e differenze motivano la *waste land* di Eliot e il deserto di Beckett?

La *cannibal isle*, che con sfondo sonoro da music-hall riempie il campo visivo del *Fragment of an Agon* di T.S. Eliot (1927), aggredisce con ossessiva parodia l'Eden polinesiano delle tele di Gauguin. Una canzone per tamburello e ossi (*sic*) ironicamente lo rivela:

Under the bamboo
Bamboo bamboo
Under the bamboo tree
Two live as one
One live as two
Two live as three
Under the bam
Under the boo
Under the bamboo tree.

Where the breadfruit fall
And the penguin call
And the sound is the sound of the sea
Under the bam
Under the boo
Under the bamboo tree.

Where the Gauguin maids
In the banyan shades
Wear palmleaf drapery
Under the bam
Under the boo
Under the bamboo tree.

Nel gioco di battute di una coppia – Sweeney e Doris – innescato dal sogno di un'esotica vacanza su un'isola tropicale, l'estatico paesaggio di Gauguin cede alle immagini del cannibale e del coccodrillo. Un'ansia simbolica di inghiottimento trasforma lo scherzo erotico in aggressiva angoscia e malinconia esistenziale, producendo contiguità tra nascita e morte nella definizione della vita che conclude le schermaglie tra i due:

SWEENEY: I'll carry you off
To a cannibal isle.
DORIS: You'll be the cannibal!
SWEENEY: You'll be the missionary!
You'll be my little seven stone missionary!
I'll gobble you up. I'll be the cannibal.
DORIS: You'll carry me off? To a cannibal isle?
SWEENEY: I'll be the cannibal.
DORIS: I'll be the missionary.
I'll convert you!
SWEENEY: I'll convert you!
Into a stew.
A nice little, white little, missionary stew.
DORIS: You wouldn't eat me!
SWEENEY: Yes I'd eat you!
In a nice little, white little, soft little, tender little,
juicy little, right little, missionary stew.
You see this egg
You see this egg
Well that's life on a crocodile isle.
There's no telephones
There's no gramophones
There's no motor cars
No two-seaters, no six-seaters,
No Citroën, no Rolls Royce.
Nothing to eat but the fruit as it grows.
Nothing to see but the palmtrees one way
And the sea the other way,
Nothing to hear but the sound of the surf.
Nothing at all but three things
DORIS: What things?
SWEENEY: Birth, and copulation and death.
That's all, that's all, that's all, that's all,
Birth, and copulation, and death.

Della *crocodile isle* Doris esprime poco dopo il senso alludendo ai tarocchi: nel fare le carte, ha estratto per ultima la carta della bara, a cui la rimandano le parole di Sweeney:

DORIS: What is?
What's that life is?
SWEENEY: Life is death.
I knew a man once did a girl in–
DORIS: Oh Mr Sweeney, please don't talk,
I cut the cards before you came
And I drew the coffin

SWARTS: *You* drew the coffin?
DORIS: I drew the COFFIN very last card.

Nel paesaggio insulare di Gauguin, cui si aggiunge la fantasia di una flora lussureggiante come nelle tele del Doganiere Rousseau, non si è inserita solo l'immagine esterna delle fauci del coccodrillo, ma la pulsione intima e violenta di un eros-thanatos che si traduce infine in senso di colpa. Tra canzoni e allusioni, Sweeney si proietta nella storia di un imperturbabile omicida che, uccisa in casa l'amante, non per questo ha mutato le sue consuetudini domestiche: l'approvvigionamento giornaliero del latte o il pagamento mensile dell'affitto. Un coro esprime infine, come incubo notturno, l'attesa di un boia per l'esecuzione all'alba, chiusa dall'iperbole sonora di un battito alla porta nove volte ripetuto:

And you wait for a knock and the turning of a lock for
you know the
hangman's
waiting for you.
And perhaps you're alive
And perhaps you're dead
Hoo ha ha
Hoo ha ha
Hoo
Hoo
Hoo
KNOCK KNOCK KNOCK
KNOCK KNOCK KNOCK
KNOCK
KNOCK
KNOCK

Il paesaggio di Gauguin è ormai stravolto. Nel segno d'una naturalità remota dall'artificio della tecnologia moderna («There's no telephones / There's no gramophones / There's no motor cars / No two-seaters, no six-seaters, / No Citroën, no Rolls-Royce») l'isola di Eliot si è rivelata luogo di fantasie sado-masochiste: tra lazzi e note svagate si è cancellata sia l'immagine di un'utopia naturale lontana dalla storia, che l'ipotesi della coppia felice.

Il cannibalismo, che non aveva impedito a Montaigne la

scelta del primitivismo naturale degli indiani d'America rispetto alla società europea contemporanea[16], né a Melville la teoria della possibile "santità" dello squalo in *Moby Dick*[17], o la positività di Queequeg, selvaggio principe di cannibali delle Figi, è divenuto nell'americano Eliot struttura elementare della negatività del naturale.

La parodia del quadro di Gauguin rivela la comune premessa su cui si fonda il tipico paesaggio eliotiano della *waste land* nel poema omonimo (1922), o della *cactus land* in *The Hollow Men* (1925): un paesaggio d'inferno, da Mario Praz "denunciato" nella prefazione alla sua traduzione della *Waste Land*, e accostato alla *Saison en enfer* di Rimbaud[18].

Con Gauguin Eliot condivide la premessa dell'azzeramento sociale, la definizione della vita ricondotta alla sua essenzialità biologica – nascita, fecondazione, morte – e al rapporto minimale e naturale della coppia. Una stessa desemiotizzazione rifiuta l'universo urbano e i suoi avvaloramenti: la selezione è quella tipica del codice illuminista, in cui connessioni e gerarchie sociali perdono senso nel gioco di opposizione tra naturalità e convenzionalità della storia, e i termini di giudizio si trasferiscono sulla qualità delle relazioni elementari. Ma, operata la selezione, subentra in Eliot la convinzione di un'ineludibile violenza, che sconvolge, come nel *Fragment of an Agon*, il paesaggio naturale, fino a cancellarne fecondità e fertilità, e produrne un doppio speculare nel paesaggio della *waste land*. L'ossessione di morte, che qui colpisce la coppia, omologa a sé il fondale, e lo trasforma in deserto.

Arsura, sterilità, ossa, rovine, proprie della poesia di Eliot antecedente al *Fragment*, residuo di un'opera incompiuta che doveva intitolarsi *Sweeney Agonistes*, rivelano a posteriori la propria genesi e coerenza. L'ossessione della violenza attraversa ricorrente la *Waste Land* – ad esempio nei numerosi richiami al mito di Filomela e Tereo[19] – e dà struttura al teatro di Eliot, a *Family Reunion* come a *Murder in the Cathedral*, fino a motivarne il "superamento" nella metafora della "frontiera": limite etico oltre il quale avviene il trasferimento su di sé della relazione di morte con l'altro, nella dimensione del sacrificio. Tale è l'esito di *Murder in the Cathedral* come di *Cocktail Party*.

La dinamica dei tre diversi paesaggi – il trasognato paradiso terrestre di Gauguin, l'isola lussureggiante per due di *Sweeney Agonistes*, che si rivela cannibalica, e la *waste land* arida e sterile – si articola dunque nello stesso ambito di fuga dal sociale fino al limite delle determinazioni simbolico-antropologiche che impongono le differenziazioni. Se il tempo non compromette la visione della Tahiti di Gauguin, «i favolosi colori e l'atmosfera infiammata e tuttavia dolce e silenziosa» di cui parla lo stesso pittore[20], un'ansia di morte e violenza produce in Eliot uno sguardo simbolico cui il deserto si offre come correlativo oggettivo. Sulla selezione illuminista si è innestata la motivazione dell'immaginario antropologico, proiettando alternativamente sulla terra, luogo della naturalità, ora le immagini del riposo, della fecondità e della bellezza, come in Gauguin, ora la trappola del serpente nell'Eden (il coccodrillo, le pulsioni profonde di Sweeney), o ancor più nettamente l'angoscia della fine come deserto, *waste land*. È l'opzione simbolica – la percezione androgina[21] o diurna del tempo – a definire l'iconografia della natura, su cui il codice della cultura ha già orientato la selezione.

Il deserto è sfondo costante dell'opera di Beckett: se in *En attendant Godot* compare un unico albero e in *Fin de partie*, al di là del rifugio dei protagonisti, la terra, priva di sole, di pioggia, di frutti e di vita, è definita uniformemente grigia, anche in *Happy Days* la scena è un deserto dominato piuttosto da una luce violenta e un calore implacabile, che danno fuoco all'ombrellino di Winnie, la protagonista costretta in una buca in cui progressivamente sprofonda. E nell'*Acte sans paroles I* il luogo è nuovamente un deserto infuocato, in cui una palma d'improvviso offre un cenno d'ombra, per scomparire altrettanto improvvisamente, come una caraffa d'acqua, anch'essa offerta e sottratta da un'entità maligna all'agonista in scena: agonista senza scelta, più che protagonista, come lo Sweeney "agonistes" di Eliot. A entrambi non rimane alcuna opzione: nelle parole di Sweeney «We all gotta do what we gotta do».

Nel deserto di Beckett inoltre la scelta cade, come nel *Fragment* di Eliot, su una struttura negativa di relazione elementare: il costante gioco io-altro può variabilmente porsi come coppia di clowns (Vladimir e Estragon), o coppia padrone/servitore (Pozzo-Lucky o Hamm-Clov), oppure marito/moglie (Nagg e Nell o Willie-Winnie); o ancora come relazione tra un soggetto e un'entità tirannica che dall'alto lo educa alla catatonia, nell'*Acte sans paroles I*[22], o persino come scissione tra testa e corpo in *Not I*.

In *Happy Days*, nel rapporto di Willie e Winnie, si itera l'istinto assassino di Sweeney verso Doris: Willie è pronto a impugnare il coltello contro la moglie che gli parla con grottesca ostinazione, assolutamente inascoltata, sciorinando una patetica quanto assurda lode della loro "felice" quotidianità. A impedire il gesto di aggressione di Willie è solo la sua afasica inerzia: Willie non giunge a usare il coltello come Winnie non usa (per suicidio o difesa) la sua pistola da borsetta. Come tanti personaggi beckettiani (ad esempio in *En attendant Godot* o in *Fin de partie*) essi non raccolgono abbastanza forze o motivazioni per suicidi o omicidi pur desiderati.

Arsura/deserto e necessità/insopportabilità dell'altro costituiscono binomi comuni a Eliot e Beckett, elementi di uno stesso paesaggio di negatività del naturale, a cui il soggetto storico-sociale è stato preventivamente ridotto.

La sorpresa di uno spazio di analogie tra Eliot e Beckett, tra loro peraltro così diversi, emerge anche in una lunga serie di parallelismi testuali, tra cui alcune citazioni di Beckett da Eliot, sintomatiche quanto finora inosservate o trascurate. Alla negazione dell'acqua e della pioggia in *Fin de partie*, *Happy Days* o nell'*Acte sans paroles*, o all'inutile albero di Godot corrispondono molteplici immagini della *Waste Land*[23]: in *The Burial of the Dead* ad esempio la terra è divenuta «A heap of broken images, where the sun beats, /And the dead tree gives no shelter, the cricket no relief, /And the dry stone no sound of water». E in *What the Thunder Said* si odono «voices singing out of empty cisterns and exhausted wells» come in *Finale di partita* le voci di Nagg e Nell dai loro bidoni. Anche in *The Hollow Men* (1925) la terra è deserta, né vi manca un'immagine di «pierre levée» («Here the stone images /Are raised»), certo *non* allusiva a una resurrezione:

This is the dead land
This is cactus land
Here the stone images
Are raised, here they receive
The supplication of a dead man's hand
Under the twinkle of a fading star.

È anzi proprio sul celebre finale di questa poesia

This is the way the world ends
Not with a bang but a whimper

che si impernia, con diretta allusione, una delle ultime battute di Hamm in *Finale di partita*, non nella versione francese, ma in quella inglese, così resa dallo stesso Beckett:

HAMM: Then let it end! With a bang!
Of darkness!

A questa citazione da Eliot, ironicamente invertita, fa infatti eco poco più oltre un'altra diretta allusione allo stesso testo. Ai versi di Eliot nella sezione V

Between the idea
And the reality
Between the motion
And the act
Falls the Shadow

For Thine is the Kingdom

Between the conception
And the creation
Between the emotion
And the response
Falls the Shadow

Life is very long

Between the desire
And the spasm
Between the potency
And the existence
Between the essence
And the descent
Falls the Shadow

For Thine is the Kingdom

corrisponde in Beckett, nell'ultimo monologo di Hamm, che Clov sembra aver abbandonato, «It FALLS: now cry in darkness». Al «falls the Shadow», tre volte iterato in Eliot, corrisponde il maiuscolo usato da Beckett per FALLS e l'equivalente *darkness* (oscurità) per *Shadow* (ombra). Degli «hollow men» di Eliot – per i quali tuttavia lumeggia una trascendenza («*For Thine is the Kingdom*» afferma una voce fuori campo, rivolgendosi a un ipotetico Dio) – Hamm e Clov sono dunque memori: loro estrema evoluzione laica, al di là di ogni possibile consolazione di trascendenza.

È questa memoria testuale – e la sua sottile parodia – che può giustificare il diverso registro linguistico usato da Beckett nella traduzione inglese del passo, rilevato ma apparso *sine causa* da parte di Peter Hughes[24]:

> HAMM: [...] You prayed – (*Pause. He corrects himself*) You CRIED for night; it comes – (*Pause. He corrects himself*) It FALLS: now cry in darkness. (*He repeats, chanting*) You cried for night; it falls: now cry in darkness. (*Pause*) Nicely put that. (*Endgame*: 52)

Se in francese lo stile è colloquiale, alzandosi solo nella menzionata citazione (fedele) di un verso dal sonetto *Recueillement* di Baudelaire[25], l'inglese altera stile e livello retorico, trasformandosi «into something baroque and prophetic», pur oggetto di ironica autoriflessione.

Il tono appare qui a Hughes quello di un «drastic imperative», di un «reversed De Profundis» o ancora, con intuizione che si ferma subito prima del riconoscimento testuale, di «a nekuia by Pound or Eliot or Joyce». Eliot, il cui nome giustamente affiora nella percezione del «grand style» usato in *Endgame*, ma la cui presenza in Beckett il critico ritiene di dover negare – «does not exist in *Fin de Partie*» – è in realtà presente più di quanto non si potesse sospettare, e la sua interferenza altera il registro in inglese.

Della poesia di Eliot, il maggior poeta contemporaneo, Beckett si era inevitabilmente interessato, avendo iniziato la sua carriera come poeta e avendo esordito con un poema, *Whoroscope*, corredato di note, proprio come, insolitamente, la *Waste Land*. Ma non mancano altre analogie.

L'ossessione per i denti – simbolo cannibalico di sadismo e inghiottimento, connesso sul piano dell'immaginario all'ansia del tempo che divora – percorre la *Waste Land* di Eliot: dalla raccomandazione alla donna che attende il marito reduce di guerra «to get yourself some teeth» (*A Game of Chess*), al paesaggio di una «Dead mountain mouth of carious teeth that cannot spit» (*What the Thunder Said*). Parallelamente in tutta la narrativa di Beckett spiccano immagini di vecchi dai denti perduti o rovinati, un'immagine che si presenta in Eliot in *Ash Wednesday* (1930) attraverso una similitudine:

the stair was dark,
Damp, jaggèd, like an old man's mouth drivelling, beyond repair,
Or the toothed gullet of an agèd shark.

Accanto all'ossessione per i denti, anche l'ossessione delle ossa, recursiva nella *Waste Land* come nel *Fragment of an Agon*, trova riscontro in Beckett, nel titolo e nelle poesie della sua raccolta *Echo's Bones*, in cui affiorano continue immagini di morte – dall'avvoltoio ai vermi divoratori di carne, all'uomo delle pompe funebri della poesia *Malacoda.* Al vasto paesaggio di morti per acqua suggerito dalla *Waste Land* in *The Burial of the Dead*, in

A crowd flowed over London Bridge, so many,
I had not thought death had undone so many,

con il tramite della citazione dantesca «Ch'io non avrei mai creduto che morte tanta n'avesse disfatta», corrisponde il vasto paesaggio di morti e delle loro "voci" in *Aspettando Godot*, così reso in inglese da Beckett:

ESTRAGON: All the dead voices.
VLADIMIR: They make a noise like wings.
ESTRAGON: Like leaves.
VLADIMIR: Like sand.
ESTRAGON: Like leaves.
Silence.
VLADIMIR: They all speak together.
ESTRAGON: Each one to itself.
Silence.

VLADIMIR: Rather they whisper.
ESTRAGON: They rustle.
VLADIMIR: They murmur.
ESTRAGON: They rustle.
Silence.
VLADIMIR: What do they say?
ESTRAGON: They talk about their lives.
VLADIMIR: To have lived is not enough for them.
ESTRAGON: They have to talk about it.
VLADIMIR: To be dead is not enough for them.
ESTRAGON: It is not sufficient.
Silence.
VLADIMIR: They make a noise like feathers.
ESTRAGON: Like leaves.
VLADIMIR: Like ashes.
ESTRAGON: Like leaves.

(*Godot*: 62-63)

E ancora:

VLADIMIR: Where are all these corpses from?
ESTRAGON: These skeletons.
VLADIMIR: Tell me that.
ESTRAGON: True.
VLADIMIR: We must have thought a little.
ESTRAGON: At the very beginning.
VLADIMIR: A charnel-house! A charnel-house!
ESTRAGON: You don't have to look.
VLADIMIR: You can't help looking.
ESTRAGON: True.
VLADIMIR: Try as one may.
ESTRAGON: I beg your pardon?
VLADIMIR: Try as one may.
ESTRAGON: We should turn resolutely towards Nature.

(*Godot*: 64)

L'ironia finale di questo passo di Beckett si commenta da sé: è volgendosi alla natura che i protagonisti si accorgono delle moltitudini dei morti. Di qui la negazione stessa della vita, in Eliot come in Beckett. Se la donna di *A Game at Chess* nella *Waste Land* ha preso le pillole per abortire, in *Fin de partie* Hamm e Clov condividono un orrore per ogni manifestazione di fecondazione e procreazione che essi vorrebbero sopprimere, nel topo che sfugge a Clov, nella pulce che Clov ha nei pantaloni e distrugge con l'insetticida, nel bambino presente sia nella storia narrata da Hamm che nella scena finale del dramma.

È la dissoluzione della storia e della cultura come architettura di valori la premessa comune che motiva nei due autori – anche se più radicale in Beckett – l'ossessione dei brandelli e delle rovine del passato, della biblioteca e della memoria. Il problema centrale della *Waste Land* si oggettiva così nello stesso paesaggio di rovine che Beckett si pone come compito dopo Saint-Lô: «These fragments I have shored against my ruins» sottolinea Eliot. E con il verso immediatamente successivo il problema diviene anche quello della follia. La citazione dalla *Spanish Tragedy* di Kyd, «Why then I'll fit you. Hieronimo's mad againe», denuncia il vuoto di una distruzione: la quotidianità della Londra del primo dopoguerra nella *Waste Land* non può attingere senso alla memoria, che pure si ostina a proporre frammenti di una cultura desemiotizzata e franta. Gli ultimi due versi del poema, tratti dall'*Upanishad*, che culminano nella quadruplice iterazione della parola indiana "shantih", pace, non risolvono, come bene nota Alessandro Serpieri[26], il messaggio del testo, divaricato tra il proprio paesaggio deserto e la nostalgia dei paesaggi antecedenti.

La follia che qui si affaccia nel richiamo a Kyd "anticipa" la funzione esplicita e centrale dello *pseudos*, o cosciente *folie à deux* di Hamm e Clov, che rovescia sul paesaggio la violenza delle sue proiezioni.

La desemiotizzazione che impone l'epoché del soggetto culturale alimenta la poesia di Eliot, ma non la sua opera di saggista e critico. Alla sintesi tutta biologica della vita nella famosa definizione «Birth and copulation and death» di *Fragment of an Agon*, si oppone la riflessione di una poetica dell'organicità culturale che caratterizza Eliot fin dagli inizi.

A partire dal 1914 Eliot infatti va elaborando una teoria che culmina nel '19 nel suo primo noto saggio *Tradition and the Individual Talent*, in cui si definisce la funzione dell'artista. L'artista non conta in sé, per una sua eccezionale personalità (contro il culto nietzschiano del "Superuomo" Eliot definisce l'artista «a member of the mob himself»), ma per la sua capacità di depersonalizzarsi, di farsi parlare dalla tradizione che in lui agisce. L'opera d'arte si produce in lui come reazione chimica in presenza di un catalizzatore – la sua mente – e modifica l'intero patrimonio artistico preesistente. L'artista è dunque strumento del farsi della storia, intesa come vita organica del corpus dei suoi testi, in continua evoluzione. Unitaria entità sovratemporale, l'insieme delle opere d'arte si accresce e muta a ogni nuova acquisizione, appropriandosi del lavoro e del tempo dei singoli artisti, per riversarli nel proprio senso collettivo, nella propria lunga durata culturale. Non la dimensione del singolo, i suoi vissuti personali e le sue emozioni individuali sono chiamati ad esprimersi nell'opera d'arte, ma l'intero spessore della tradizione, nella sua incessante metamorfosi.

Tra la tesaurizzazione del patrimonio culturale, nel quale soltanto l'artista trova collocazione e senso (di qui l'ammirazione per la "poesia archeologica" di Pound), e la definizione elementare della vita nel *Fragment of an Agon* in termini strettamente naturali, in cui storia e cultura si dissolvono come artificio, inessenzialità, la divaricazione è netta. Nella *Waste Land* questa divaricazione produce una duplice contraddittoria tensione. Accanto agli inariditi schemi antropologici (naturali) del rinnovamento e della fertilità si accumulano i frammenti del labirinto della memoria culturale; si producono così due serie parallele di "rovine", che deprivano la quotidianità contemporanea di ogni possibile modello di riferimento.

La *Waste Land* diviene elegia di due opposte nostalgie: del paradiso terrestre di Gauguin e di una civiltà "sincronica" di unità storico-culturale. Entrambe implicano una sottrazione di specificità storica. Se avvaloramenti ed epicentri del giudizio risultano antitetici, provvede ad azzerarli un unico gioco di fine del tempo.

Nel 1917 compariva in due puntate, sulla rivista «The Little Review» (mesi di maggio e settembre), uno strano pezzo – tuttora poco noto[27] – firmato da T.S. Eliot, a metà tra finzione narrativa e critica letteraria. I due personaggi che danno titolo ad esso sono peculiari.

Su un comun denominatore di scetticismo, si innestano nell'uno – Eeldrop, dotto in teologia – un «taste for mysticism»; e nell'altro – Appleplex, «a materialist» – una passione per le scienze fisiche e biologiche. Proiezioni di uno sdoppiamento culturale, di due tendenze oppositive, entrambi i personaggi rifiutano gli stereotipi, si interrogano sul «generalized man» al di là della veste sociale, dell'identità convenzionale. Il crimine appare a entrambi l'esperienza-limite, la frontiera estrema su cui cogliere il soggetto: effrazione della norma sociale o segno metafisico del male, esso produce insieme bisogno di punizione e rimorso, conducendo alla scoperta della legge etica. All'attenzione di Eeldrop e Appleplex si propongono casi che già contengono nuclei del futuro teatro di Eliot. L'uomo che ha ucciso la sua amante e, preda del rimorso, è morto ancor vivo, «already in a different world from ours», precorre la situazione di Harry Monchensey in *Family Reunion*, con parole che torneranno uguali nel dramma: l'omicida, dice Eeldrop, «has crossed the frontier», né può tornare indietro. La situazione del «generalized man» è d'altra parte quella dei futuri personaggi di *Family Reunion* e *Cocktail Party* che, «unaware of themselves», non hanno ancora attraversato la frontiera.

Le due scissioni – tra l'attività critica e la pratica poetica espressa nel paesaggio della *waste land*, come tra Eeldrop e Appleplex, cui corrisponde un'ulteriore scissione tra poesia della *waste land* e teatro della frontiera etica – riflettono un'oscillazione e un'evoluzione di Eliot, che divengono intelligibili se intese come progressiva determinazione di gerarchie diverse dei codici della cultura.

Al codice della desemiotizzazione – dominante nell'irrisione sociale del dadaismo e in buona parte dell'avanguardia, che il primo Eliot, prossimo all'identità di Appleplex, aveva considerato con interesse[28] – si giustappongono altri codici. Il sodalizio con Pound, cultore di poeti provenzali e di Dante, l'ammirazione per Henry Adams, cultore del medioevo, e la gerarchia letteraria cui Eliot presto perviene, anteponendo, lui inglese, Dante a Shakespeare come a Goethe (poi escluso nel giudizio finale «Dante and Shakespeare divide the world into two: there is no third»), rivelano l'esigenza di un codice simbolico e gerarchico, o "medievale"[29]. A tale codice Eeldrop può rivolgere le sue interrogazioni metafisiche, per colmare il suo desiderio simbolico, e raggiungere valori che lo difendano dal deserto del suo stesso scetticismo e della sua consapevolezza del sadismo omicida: un deserto da cui Appleplex non sembra invece potersi difendere.

Ma alla desemiotizzazione illuminista e al simbolismo medievale si aggiunge, nella "contraddittorietà" di Eliot, anche un'esigenza sintagmatica[30]: espressa nella sua teoria del patrimonio artistico e riflessa, nel suo teatro, dalla socializzazione dei protagonisti, la cui esperienza si rivolge alla comunità come luogo immanente della loro ragion d'essere. In *Family Reunion*, *Cocktail Party* o *Murder in the Cathedral* gli eventi rimandano insieme a un sistema di valori trascendenti, fonte di selezione e giudizio etico, e a un'economia della coesione in sé, della testimonianza come aggregazione sociale: della famiglia, del gruppo, della comunità del popolo di Canterbury. Il desiderio di morte (di uccisione della moglie in *Family Reunion*, di sacrificio in *Cocktail Party* e *Murder in the Cathedral*) sfugge infine al cannibalismo (volto agli altri o a se stessi) per divenire esperienza di fondazione assiologica.

Motivata dalla tesaurizzazione che la concatenazione di un sistema semantico consente, dall'economia di accumulo che la teoria della letteratura di Eliot già proponeva, dal riscontro pragmatico del suo effetto, l'esigenza sintagmatica di Eliot si incontra dunque con il bisogno simbolico del suo medievalismo: ne scaturiscono, in termini di tipologia della cultura, cortocircuiti semantico-sintagmatici o romantici[31], in cui il senso di una sovrarealtà ideale e il bisogno della sua concreta efficacia sociale convergono nella selezione di valori capaci di sospendere la figurazione del deserto e della sua desemiotizzazione.

Il caso del protagonista di *Murder in the Cathedral* è in questo senso il più esplicito: medievale anche per l'ambientazione storica, e sorretto, nelle sue esitazioni, da motivazioni romantiche.

Vescovo di Canterbury, Thomas à Beckett sceglie di morire per celebrare la sua autonomia di prelato contro il sovrano

Enrico II. Le motivazioni del protagonista vengono messe in discussione da quattro "tentatori", di cui tre sono facilmente respinti. Ma Thomas esita di fronte alla denuncia del quarto: a Enrico, che vuole proseguire il suo progetto di accentramento del potere, il vescovo si ribella forse più che per fede per desiderio di potenza. Più volte definito «proud», egli vuole forse, grazie alla sua investitura religiosa, sentirsi superiore al re. In questo gioco di analisi delle motivazioni è il sistema dei valori – etici ma anche semiotici, ai fini della struttura del testo – che Eliot sta indagando: e se esso franasse, non solo la vicenda storica di Thomas, ma anche la scrittura stessa del dramma, la "necessità" che consente di proporre il testo come tragedia, si svuoterebbe.

Se con l'occhio di Appleplex, dopo le accuse del quarto tentatore, Thomas avrebbe dovuto ripetere l'inazione di Prufrock – il protagonista della omonima poesia di Eliot del 1911 – incapace di «disturbare l'universo» perché incapace di dare un senso ad alcuna scelta, con l'occhio di Eeldrop Thomas può invece risolvere la tragedia. Ma al suo gesto religioso, ormai epistemologicamente incerto, egli sovrappone una motivazione romantica: fondare la coesione culturale della comunità, costituendosi come modello simbolico e mitico, offrendo alla gente di Canterbury ciò che manca ai londinesi del primo dopoguerra.

Thomas non è Prufrock; Eliot si è allontanato dalla *Waste Land* e dal paesaggio condiviso con Beckett.

Allo scivolamento dei codici della cultura che spinge Eliot verso epoche passate, o ad accogliere strutture romantiche che come critico aveva rifiutato[32], corrisponde in Beckett la radicalizzazione di un'esplorazione univoca. Mentre per Eliot a Prufrock succede Thomas, per Beckett a Vladimir e Estragon succede l'agonista dell'*Acte sans paroles I*, con la stasi assoluta della sua catatonia finale, in cui nessuno stimolo, nessuna azione ha più senso.

Se Eliot recupera nei *Four Quartets* la visione dantesca – sottolineata da Praz – a sostituzione del paesaggio della *waste land*, Beckett spinge all'estremo il suo illuminismo radicale.

Alla comune disforizzazione della natura compromessa

dal tempo, corrisponde in Eliot e in Beckett una *diversa insopportabilità* del paesaggio che ne scaturisce: anzitutto etica per Eliot, di fronte al cannibalismo o al nichilismo morale (di qui lo sbocco religioso); precipuamente gnoseologica per Beckett, in cui si verifica evidente quella possibilità di assurdo – in opposizione a un'utopia avvertita solo come paradosso[33] – che Lotman scorge entro lo stesso codice illuminista[34]. Perso il riferimento a una realtà metafisica che assicuri una distinzione di valore delle azioni, può subentrare in Beckett un senso di inanità assoluta del giudizio, di "sradicamento", che già il Settecento aveva conosciuto (in Swift, nel *Rasselas* di Johnson o nel *Candide* di Voltaire), ma non aveva condotto al limite dell'autoribaltamento. Osare persistere, resistere in questo sradicamento, è avvertito da Beckett come dovere eroico, un compito, come s'è visto, neosublime.

Alle scelte di Eliot come di Beckett contribuisce il parallelo sodalizio letterario rispettivamente con Pound e Joyce. Il medievalismo di Eliot converge con gli studi romanzi di Pound, il suo ecumenismo letterario può alimentarsi all'eclettismo dell'amico, che non esita a incrociare la poetica degli ideogrammi dei documenti lasciatigli da Fenollosa con l'*imagismo* contemporaneo e la letteratura provenzale: l'amalgama cui Eliot perviene gli consente di accostare i metafisici inglesi a Dante, e Shakespeare a entrambi, volgendosi dall'avanguardia al passato, anziché rileggere il passato dalla contemporaneità, come fa Beckett.

Con Joyce Beckett non può invece convergere: dapprima "paralizzato" dalla sua scrittura "ipersemantica", Beckett se ne libera poi come s'è visto per antitesi, insieme oltrepassando un limite entro il quale Joyce si era trattenuto, e che Eliot aveva intravisto nella *Waste Land*: il limite della follia. Parlando di *Ulysses*, il suo stesso autore lucidamente rilevava: «questo libro era terribilmente pieno di rischi. Un foglio trasparente lo separa dalla follia». Sottrarre questo foglio pur mantenendo la distanza dianoetica, misurare da vicino la follia stessa con il gesto estremo di un codice che radicalizzandosi sospende la distinzione tra logos e follia, diviene allora il senso stesso di Beckett. Ed è risalendo alla tradizione – cui Eliot attinge invece certezza e "salvezza" – che ironicamente Beckett "prova" la necessità di tale follia, anticipando le analisi di qualche anno dopo di Jacques Derrida e dei filosofi francesi: rivisitando Cartesio Beckett si imbatte nella follia e si predispone alla desemiotizzazione illuminista.

Su due autori, delle sue molte voraci letture, Beckett si è soffermato in particolare, studiandone come s'è visto anche la vita nei dettagli, ricercando ogni informazione possibile e riempiendo quaderni di appunti: su Réné Descartes e Samuel Johnson. Di Johnson si è già parlato, ma l'insistita ironia di Beckett su Descartes (fino ai particolari della biografia ad opera di Adrien Baillet, "sfruttati" per *Whoroscope*) costituisce un necessario antecedente. Beckett attraversa il dubbio cartesiano, lo scetticismo che fonda i *Discours de la méthode* e il diritto al pensiero del soggetto, e ne emerge irridendone la soluzione rassicurante come aberrazione non più accettabile, di fatto anticipando le conclusioni cui perverrà Derrida.

Come rileva Derrida nella sua analisi del *Cogito* cartesiano, i *Discours* affrontano due diversi stadi del dubbio: il «dubbio naturale», che scaturisce dalla possibilità dell'errore soggettivo dei sensi, di cui la follia sarebbe ancora un caso, e il «dubbio iperbolico» o assoluto che, uscendo dall'ambito naturale, accede alla dimensione metafisica dell'ipotesi del Demone Maligno. Tale ipotesi suscita la possibilità di una "follia totale", non riferibile al soggetto perché vittima di un demone che lo costringerebbe costantemente all'errore. Essa compromette dunque la stessa *res cogitans* in sé, espressa ad esempio nelle verità matematiche, ma non per questo esclude il *Cogito*. Con audacia anch'essa iperbolica, sottolinea Derrida, Descartes accetta la follia nel pensiero – «che io sia folle o no, *Cogito, sum*»[35] – consentendo a senso e nonsenso di ricongiungersi nella loro comune origine, al punto zero del *Cogito*, come già nel pensiero dei presocratici greci[36].

Descartes sfugge poi all'ipotesi del Demone Maligno mediante il postulato dell'esistenza di Dio, che non può consentire la presenza di un tale demone. Egli recupera così la certezza del logos: certezza tuttavia che non si fonda nell'istanza stessa del *Cogito*, aperta in sé a ospitare la follia[37].

Beckett sembra fissarsi, arrestarsi all'ipotesi cartesiana del dubbio iperbolico rappresentato dal Demone Maligno: e poiché nessun Dio può garantire il suo orizzonte gnoseologico, la desemiotizzazione può radicalizzarsi, ospitare la follia, negando la «luce naturale» di Descartes e i suoi assiomi (ad esempio la causalità, spesso indecifrabile in Beckett), a loro volta garantiti solo dalla veracità divina.

Beckett esplora dunque l'eccesso che Descartes aveva dischiuso e insieme precluso, ritorcendone il dubbio iperbolico, anticipando le conseguenze che Derrida scorge nella sua analisi del *Cogito*, dalla "vertigine della follia" fino al limite che alla follia impone la storia[38]. Analogamente, per la stessa via, Beckett anticipa di Derrida, come della riflessione filosofica francese degli anni '60, la "filosofia della separazione" o "del deserto". Se *En attendant Godot* è del 1952, *Fin de partie* del '57, *Krapp's Last Tape* del '58, *Happy Days* del '61 e *Not I* del '73, nei primi anni '60 escono, per dare qualche indicazione, l'*Histoire de la folie* di Foucault[39] (1961), lo studio sulla poesia di E. Jabès di Blanchot (*L'interruption*, 1964) e molti dei saggi di Derrida che confluiranno più tardi in *L'écriture et la différence*: ad esempio su Foucault, su Levinas o su Jabès, tutti del '63 o '64. La "filosofia della separazione" di Levinas, "l'interrogazione del libro", frammentata e ai margini del deserto di Jabès, che Derrida mette in risalto, e le critiche di Foucault al *Cogito* cartesiano ripetono analoghi tratti del paesaggio intellettuale beckettiano. Uno stesso rifiuto del "sintagma" come colonialismo, un'affine radicalizzazione illuminista, sembra guidarne la critica dell'ordine, dell'universale, della globalità o della teoria come dominio della congiunzione.

Ma su questa via Beckett – *prima* – è andato *oltre*: del codice scelto ha esplorato fino in fondo gli esiti paradossali e distruttivi, le perdite, la necessità, la follia, la soglia oltre la quale esso si autonega. Mai il codice illuminista era stato così rigorosamente e lucidamente esplorato nella più radicale delle sue accezioni come nell'assurdo di Beckett.

Osando ciò che Eliot rifiuta di osare, anche nel rapporto

con la tradizione, Beckett recede da ogni sintagmatismo come da ogni progettualità utopica: di qui la distanza da Eliot anche nella comune memoria della *Tempesta* di Shakespeare, in entrambi gli autori evocata per contrasto con il comune paesaggio del deserto.

Eliot menziona *The Tempest* in *The Waste Land*, cogliendone anzitutto i segni del "naufragio" cui il titolo rinvia. Due citazioni si riferiscono al supposto annegamento di Alonso. La prima, da una canzone di Ariel,

> I remember
> Those are pearls that were his eyes

introduce ironicamente un ritmo jazz:

> O O O O that Shakespeherian Rag
> It's so elegant
> So intelligent.
> What shall I do now? What shall I do?

Il ritmo sincopato del *rag-time* o *Rag*, sottolineato, come rileva Serpieri, nel quadruplice "O" e nell'alterazione dell'aggettivo Shakespe*he*rian per Shakespearian, si inserisce nella sezione II del poema, il cui titolo, *A Game of Chess*, può a sua volta rimandare alla partita a scacchi di Ferdinando e Miranda[40].

La seconda citazione, «the king my father's death», nella sezione III, *The Fire Sermon*, rimanda all'allusione di Ferdinando a suo padre Alonso in *The Tempest* I, 2. I due passi forniscono entrambi un'immagine di morte, che nella *Tempesta*, tuttavia, è apparente: Alonso non è annegato. La terza ed ultima citazione, «This music crept by me upon the waters» (ancora da *The Tempest* I, 2), al verso 257 di *The Fire Sermon*, non si situa più come in Shakespeare in un contesto di "armonia", ma in un collage sonoro eterogeneo. L'armonia, impossibile in *The Waste Land*, tornerà tuttavia nei *Four Quartets*: sonora e simbolica, a espressione di una conciliazione metafisica dell'inizio con la fine[41].

Beckett invece assoggetta *The Tempest* al vaniloquio filosofico-parodico di Lucky in *Aspettando Godot* e all'irrisione di Hamm in *Finale di partita*. Distruggendo la riflessione filosofica, Lucky distrugge infatti anche il quadro utopico di Shakespeare nominando Miranda[42]; e Hamm ripete le parole di Prospero «Our revels now are ended», mostrando non una nostalgia per la felicità utopico-arcadica, cui *The Tempest* alludeva, ma una grottesca deformazione, mostrando quale Prospero sia qui possibile, quale isola, quale partita a scacchi, in un gioco di molteplici rinvii. Dalla *Tempesta* infatti *Endgame* ripete in Hamm/Clov il rapporto padrone/servo e insieme educatore/"educando raccolto da piccolo" tra Prospero e Calibano, ma anche il rapporto parentale e ancora educativo di Prospero e Miranda, come, in senso più lato, il rapporto di coppia. Al desiderio di libertà di Ariel e Calibano, ribelle al proprio padrone, corrisponde inoltre la ribellione di Clov a Hamm. L'intertestualità shakespeariana serve qui come reattivo di contrasto, per misurare il dominio della fine.

Se inizio e fine coincidono nella catatonia dei personaggi di Beckett, essi coincidono anche nell'armonia dei *Four Quartets* di Eliot, ma assorbiti nella stasi estatica dell'eterno: la negazione del tempo storico si conferma, ma come contemplazione di una dimensione extra-storica, mentre la gerarchia dei codici della cultura nella poesia di Eliot è mutata.

Dopo l'epoché illuminista Beckett, consapevole del senso gnoseologico della sua esplorazione, non può volgersi indietro a recuperare un tempo della trascendenza: può solo riammettere il tempo denegato, come nella conclusione di *Fin de partie*, che riscopre il divenire meteorologico e della generazione. È in questa differenza, tra il recupero di un *récit* consolatorio del passato e un'epica fedeltà alla disillusione acquisita, che si delinea il confine tra moderno e postmoderno – o meglio la soglia del postmoderno – che separa Beckett e Eliot, accomunati da tanti tratti condivisi, ma differenziati da combinatorie ben diverse di codici della cultura.

Nell'analisi condotta da Umberto Eco, nel saggio compreso nell'antologia di Vattimo e Rovatti sul pensiero debole[43], è un modello prediletto dalla cultura *medievale* – l'albero di Porfirio – ad apparire matrice di un pensiero "forte", di una costrizione razionalista rigida, intesa come *dizionario* o serie di definizioni univoche, che si rivelano all'analisi "impossibili", contraddittorie e paradossali. Il modello del pensiero debole è invece rinvenuto nella cultura *illuminista*:

È il modello che è stato scelto da un pensiero debole per eccellenza, quello degli enciclopedisti del XVIII secolo, un pensiero della *ragionevolezza* illuministica, non della *razionalità* trionfante[44].

La citazione di un passo di D'Alembert, dalla *Prefazione* all'*Encyclopédie*, bene esemplifica la coscienza della relatività del codice illuminista, ricorrendo all'immagine del labirinto per definire il carattere congetturale e contestuale di un sapere che si sa mobile (mutevole), ma anche ragionevole perché aperto alla verifica intersoggettiva. È dunque nel duplice ambito della flessibilità del divenire e della desemiotizzazione del codice illuminista individuato da Lotman, che si delinea la *gnoseologia del labirinto*, in cui, nelle parole di Rosenstiehl[45] l'astuta abilità, la *metis* di Teseo, si avvale dell'*algoritmo miope*. Giocata intera la sua partita, la corrosione critica del codice illuminista si è imbattuta nella necessità della propria misura.

Come rileva Lotman, se il codice illuminista fosse stato (fosse) non codice che crea i segni della distruzione dei segni, ma negazione diretta dei segni, esigenza assoluta di silenzio anziché di critica e interrogazione continua, la sua cultura non sarebbe esistita (non esisterebbe):

non sarebbe stata un tipo particolare di cultura, ma sarebbe stata un'anticultura, e distruggendo gli altri modi di conservare e trasmettere l'informazione, non avrebbe potuto svolgere la funzione di sistema comunicativo[46].

Anche Derrida, nel saggio sul *Cogito* cartesiano, già rilevava, nel nome della storia, la necessità di una "soglia"[47]. Ed è oltre questa soglia che inizia lo spazio di un grado nuovo di responsabilità delle scelte, più "mobili" dopo la fine delle certezze. Ma in tal senso la funzione della desemiotizzazione del codice illuminista ripete la dinamica stessa della tipologia della cultura: tipologia della mobilità storica, della sperimentazione delle combinatorie senza gerarchie preventive.

La teoria dei quattro codici dominanti della cultura, nel cui ambito è stato definito il codice illuminista esplorato da Beckett, non consente infatti una scelta univoca, il primato teorico di un codice. Essa risponde piuttosto alla logica della non-delimitabilità, di un continuo scivolamento da un codice, o meglio una combinatoria di codici, a un'altra, ogni volta creandosi zone di luce e zone d'ombra, inclusioni ed esclusioni che producono la crisi di innovazione. Alla cogenza classica assoluta, alla verità come Codice, si sostituisce la pluralità dei codici, la relatività dello sguardo. Per tal via le diverse combinatorie, gerarchie e dosature, possono bene rendere atto di interdizioni, *revivals*, oscillazioni del gusto, istituendosi come scelte o necessità storiche, forme contingenti di un logos parziale. Capace di una *logica* di semiosi *illimitata*, il sistema semiotico della cultura fa dei quattro codici di base quattro centri provvisori sincronicamente potenziali e diacronicamente attivabili[48]: poiché ognuno di essi convoca un'area di significanza relativa, escludendo i possibili aperti agli altri codici, il modello gnoseologico risulta dinamico per intrinseca carenza, impossibile esaustività. Nello spazio dei codici esclusi, nel limite della loro misura, rinasce ogni volta il silenzio, e con esso la nuova parola da nominare.

Beckett *inscena* la relazione tra fine del Codice (dominante) e conseguente sensazione di "fine della storia", rendendo irreversibile la via della congetturalità al di là di essa, Derrida ne *critica* il senso, che il "pensiero debole" *recupera* in una topologia deprivata del centro. Eliot invece recede sotto la spinta di un imperativo etico che lo spinge all'indietro, rifugiandosi in un assoluto metafisico, chiudendosi alla traumatica responsabilità della riflessione illuminista cui era pervenuto.

Nell'esperienza di Eliot come di Beckett appare comunque evidente e comune il carattere marcato di soglia che la radicalizzazione del codice illuminista acquista nel Novecento: una soglia di intensità senza precedenti nella cultura occidentale, che per la prima volta non sembra offrire una "novità di superamento" o, nei termini della tipologia di Lotman, un nuovo codice dominante, come era accaduto per secoli, nel passaggio dal medioevo al rinascimento, come poi all'illuminismo, o al romanticismo. Stasi (Beckett) o arretramento (Eliot) sono in tal senso manifestazioni analoghe (anche se epistemologicamente ben diverse) di una stessa difficoltà, di quella "cerniera gnoseologica" che la discussione sul postmoderno registra e tenta di individuare.

4. *Calvino/Beckett*

Non meno esplicativa, dopo il confronto di Beckett con Eliot, può essere un'analisi comparata con Calvino: se tra Eliot e Beckett corre la distanza di chi, di fronte agli stessi angosciosi ostacoli, arretra per recuperare una tradizione o resiste "in prima linea", tra Calvino e Beckett opera invece una diversa disposizione ormai al di qua della stessa soglia.

Beckett avverte intero il trauma della perdita dei *récits* – che ossessivamente accumula implicandoli con irrisione – soffre le mutilazioni inferte ai racconti sul mondo, parallele a quelle del corpo sottoposto al tempo. Calvino è invece attratto dall'analisi dei frammenti culturali e gioca con sapiente divertimento con parallele frammentazioni del corpo, come nel *Visconte dimezzato*. Egli è già a suo agio nella ricomposizione successiva, è già pronto – al di là della soglia – alle nuove "relative" combinatorie. Più pragmatico e diversamente orientato sul piano simbolico, Calvino si mostra disponibile alle ricostruzioni del possibile, mentre Beckett scava nelle profondità delle sue perdite. Ma come si motiva in Beckett e in Calvino il diverso grado di gioco e serietà, che così altera il registro espressivo e gli effetti di un'analoga fine della dominanza di un codice forte?

A Maria Corti, che lo interrogava sulla sua genesi di scrittore in un'intervista rilasciata ad «Autografo», Italo Calvino così risponde: «Se una continuità può essere ravvisata nella mia prima formazione – diciamo tra i sei e i ventitré anni – è quella che va da *Pinocchio* a *America* di Kafka [...] che ho sempre considerato il romanzo per eccellenza nella letteratura mondiale del Novecento e forse non solo in quella».

Regista di «una pendolarità fra la soluzione ludica e la serietà del messaggio», come sottolinea M. Corti[49], Calvino oscilla dunque tra la favola e l'assurdo. È infatti ricorrendo alla narrativa di Kafka che Martin Esslin, nel suo *Theatre of the Absurd*, individua una delle prime definizioni di assurdo come categoria poi dominante a partire da Samuel Beckett nel teatro europeo del Novecento.

Al binomio evocato da Calvino, *Pinocchio*/Kafka, in un recente commento sullo scrittore, Umberto Eco oppone un'altra provocatoria polarità tra Voltaire e Leibniz, la stessa che nel *Candide* separava il protagonista dal filosofo Martino, sostenitore paradossalmente ostinato della tesi di Leibniz sul nostro mondo come il «migliore dei mondi possibile». In Calvino, Eco vede accanto a un illuminismo «vicino allo spirito dell'*Encyclopédie*», una tentazione per la "stasi della fine", documentabile con un passo da *T con zero*[50]: questo illuminismo sembra volgere verso il *Rasselas* di Johnson, perché condizionato dal desiderio di «fermarsi nello spazio e nel tempo», per arrestare un movimento e uno scorrere «inutili», a vantaggio di un'attesa «di qualche decina di migliaia di anni» o magari «definitiva». Attesa e fine, dunque, come nel teatro di Beckett.

A un Calvino "illuminista voltairiano" e incline alla fine dell'accadere, Asor Rosa sembra invece opporre, in occasione dello stesso "dibattito" sullo scrittore in cui si è espresso Eco, un Calvino discepolo di Propp, «impegnato a decifrare la curiosità delle combinazioni», ma anche a ripetere una "sfida al labirinto" – non una "resa" al labirinto[51] – profondamente motivata dalla volontà dell'utopia. Questa volontà utopica non si esprime come «un di più rispetto all'esercizio di quel dubbio metodico», ma come «persuasione che l'esercizio dell'indagine» sia irrinunciabile, positivo e autogiustificantesi, «anche quando tutto sembra invece tendere alla disgregazione e all'insignificante»[52]. Pronunciandosi proprio su Beckett e su Robbe-Grillet in una discussione con Angelo Guglielmi sul *Menabò*, nel '63, Calvino stesso ha insieme ammesso l'utilità della loro «abrasione della soggettività», e la propria determinazione – "sublime" – ad avvertirla non come "fine della letteratura" ma come soglia oltre la quale «reinventare una prospettiva di significati»:

> Mi vuoi convincere, Beckett e Robbe-Grillet alla mano, che la realtà non ha senso? Io ti seguo, contentissimo, fino alle ultime conseguenze. Ma la mia contentezza è perché già penso che arrivato all'estremo di questa abrasione della soggettività, l'indomani mattina potrò mettermi – in questo universo completamente oggettivo e asemantico – a reinventare una prospettiva di significati[53].

La conclusione è pertanto:

> Insomma voglio che la disperazione di Beckett serva ai non disperati. Tanto, i disperati – ossia gli obbedienti cittadini del caos – non sanno che farsene[54].

I due rapidi ritratti di Eco e di Asor Rosa, apparentemente contrastivi, sono in realtà complementari, e tra essi si colloca la gamma delle limitrofie di Calvino: dall'assurdo all'insofferenza per esso, dalla stasi alla tensione utopica, che illuminismo e semiologia parallelamente alimentano, motivando le "contaminazioni elettive" di una scrittura capace, come si vedrà, di "attraversare" con Propp o Voltaire, *ante* o *post litteram*, anche le categorie del teatro di Beckett o le teorie semiotiche di Lotman, con una stessa ludica serietà didattica.

Sotto la differenza immediata delle due scritture e dei due generi – narrativa e teatro – *Il Visconte dimezzato* di Calvino (1952) e *Finale di partita* di Beckett (1957) rivelano sorprendenti analogie. Queste consentono di evidenziare prossimità inattese, tipologie parallele e soglie di contaminazione, nella cui identificazione si schiudono i presupposti di tanta parte della letteratura contemporanea e di una migliore comprensione del teatro di Beckett come dell'opera di Calvino.

Il protagonista del *Visconte dimezzato* (primo della trilogia *I nostri antenati*) ridotto alla propria metà longitudinale da un colpo di cannone nella guerra con i Turchi, vive un singolare esperimento. Alla scissione fisica – che gli ha lasciato metà testa, con un viso «di profilo», un solo braccio e una sola gamba, con quel che li congiunge – corrisponde la scissione etica: del visconte è tornata a Terralba, suo feudo, la metà cattiva, stimolata al sadismo dalla sua stessa infelicità. E tuttavia, parlando con il nipote, Medardo teorizza la superiorità conoscitiva conseguente al proprio dimezzamento:

> Se mai tu diventerai metà di te stesso, e te l'auguro, ragazzo, capirai cose al di là della comune intelligenza dei cervelli interi. Avrai perso metà di te e del mondo, ma la metà rimasta sarà mille volte più profonda e preziosa. E tu pure vorrai che tutto sia dimezzato e straziato a tua immagine, perché bellezza e sapienza e giustizia ci sono solo in ciò che è fatto a brani[55].

Sempre più eroe "gotico" per le sue malefatte, il visconte rivela singolari manie: dimezza con la spada fiori, piante, animali, appicca incendi e amministra una giustizia sommaria quanto crudele, terrorizzando il paese. Perseguita inoltre la vecchia balia Sebastiana e, dal momento in cui si innamora di Pamela, aspira alla sua fanciulla-vittima da rinchiudere nel castello avito. Assume poi un nome sintomatico – il Gramo – allorché giunge a Terralba l'altra sua metà positiva, anch'essa miracolosamente salvatasi dalla guerra, e denominata «il Buono», per il ruolo antitetico di eroe-*fool* pio e ingenuo. La precedente immagine del visconte dimezzato lascia ora spazio al quadro di due metà speculari, la cui vicenda esplica e inverte il tipico *intreccio di doppio*[56] e il cui duello finale per amore della stessa donna, anziché condurre all'omicidio-suicidio che solitamente conclude il rapporto tra soggetto e suo doppio, diviene duello di congiunzione. Le ferite riportate dai contendenti non producono infatti la morte di entrambi: consentono invece all'eccentrico medico inglese Trelawney di suturare tra loro i due mezzi corpi. Ricostituita la propria unità ed equilibrio etico, Medardo può così sposare intero la sua Pamela, a lungo contesa dai due mezzi visconti: saldando infine gli estremi della sua duplice funzione nell'intreccio.

Ma il *Bildungsroman* delle metà parallele del protagonista, didatticamente esibito agli occhi del nipote, un ragazzino di sette o otto anni che a sua volta è il narratore della vicenda, produce un dimezzamento non solo nel corpo o nell'etica del visconte, ma nella sua stessa dimensione intellettiva, le cui componenti, disgiunte dalle consuete combinatorie, possono così rivelare un gioco metariflessivo: quello cui alludono le parole citate di Medardo, tese a celebrare la «riduzione a brani» o segmentazione del reale, come tecnica conoscitiva. Sia il Gramo che il Buono esprimono infatti sul piano semiotico una sistematica scissione: il linguaggio di entrambi si articola secondo due serie antitetiche di messaggi, parlati da codici opposti.

Con tutti il Gramo ricorre all'inganno: agguati, trappole, parole infide, falsa bonomia gli consentono machiavellici e plateali effetti di malvagità, in cui la referenzialità segnica viene sistematicamente negata. Lo sottolinea il bambino-narratore che, dopo le prime esperienze a sue spese – con finta generosità Medardo gli regala ad esempio dei funghi velenosi perché vada a farseli fritti – impara a leggere il senso delle parole dello zio, sempre orientate a danno dell'interlocutore.

Ma con Pamela, la pastorella amata, il Gramo ricorre a una costante fedeltà simbolico-referenziale: dopo aver annunciato il suo amore tagliando a metà le corolle dei fiori nei prati da lei frequentati, le dà appuntamento la sera in riva al mare mediante il singolare messaggio di metà pipistrello e metà medusa (che "stanno per" il crepuscolo e il mare), o ancora all'alba nel bosco, esprimendosi nuovamente non con parole ma con un gallo (=alba) appeso per le ali al ramo di un albero e infestato da processionarie, bruchi che, vivendo solitamente sui pini, "stanno per" il bosco di pini.

Il linguaggio qui usato, fondato sul principio di *sostituzione*, contrasta con l'altro linguaggio dell'inganno machiavellico, che si basa invece sul rapporto di *congiunzione* tra le mosse stesse dell'inganno, e totalmente privo di referenzialità simbolica. Se il codice di quest'ultimo linguaggio è nella terminologia di Lotman sintagmatico, la logica dell'altro, logica dello "stare per", è semantica, e iconicamente visualizza un rapporto biunivoco tra cose esibite e intenzione comunicativa.

Analogamente il Buono si esprime mediante gli stessi due principi, semantico e sintagmatico, scissi nelle due serie di messaggi e di effetti che producono. Ma essendo con tutti buono, il Medardo positivo non differenzia il suo linguaggio rispetto al destinatario come il Gramo, bensì solo rispetto alla duplice leggibilità del senso, chiaramente evidenziata nella narrazione.

Così ad esempio il Buono, impegnato a favorire il bene segnalando al medico inglese i potenziali pazienti da assistere nel suo giro giornaliero, addita il mal di denti di Baciccia fasciando «con una pezzuola annodata intorno» i frutti maturi del suo melograno; indica il mal di cuore della vecchia Giromina con una fila di grosse lumache sui gradini che conducono alla sua porta per segnalare cautela, e anticipa la «cagarella» del priore Cecco con lo sterco di tre galline legate alla ringhiera di casa sua.

Ma a questi messaggi simbolici, fondati sul principio di sostituzione, corrisponde ogni volta anche un effetto concreto, un altro senso che opera in un diverso ordine di codificazione. Le pezzuole che avvolgono i melograni di Baciccia, infatti, non solo significano il malato di denti, ma impediscono ai frutti maturi di aprirsi e rovesciarsi al suolo per il ritardato raccolto; i lumaconi sui gradini sono anche un regalo per il pranzo di Giromina, che deve stare tranquilla a casa, e le tre galline sulla ringhiera del priore fertilizzano il girasole stento che Cecco cerca di coltivare. L'effettività e la causalità espresse qui dal Buono sono l'equivalente positivo del machiavellismo del Gramo, come il simbolismo diagnostico usato per i malati è l'equivalente dei messaggi di appuntamento del Gramo a Pamela.

La peculiare schizofrenia linguistica dei due visconti dimezzati contribuisce certo al comico e allo straordinario della narrazione di Calvino, come il ludico raccapriccio della sua "anatomia". Ma i due rapporti tra cose e segni, che si ripetono opponendosi nel linguaggio del Gramo come del Buono – i rapporti di sostituzione e congiunzione identificati da Lotman nella sua tipologia della cultura come la matrice binaria del senso e delle sue combinatorie – investono la totalità del possibile semiotico.

Scindendo il Gramo dal Buono, Calvino mette dunque in scena la polarità istitutiva della cultura, ma i due "mattoni di base" dell'edificio dei codici al tempo stesso rappresentano le due metà del quarto codice: il codice romantico è infatti basato sulla sintesi dei due rapporti di sostituzione e congiunzione, ed è il codice che il Medardo intero esprime all'inizio della narrazione.

Il visconte decide infatti di presentarsi all'imperatore e di partecipare alla guerra contro i Turchi che lo dimezzerà, senza saperne nulla ma per motivi di "congiunzione" sociale: «per compiacere certi duchi nostri vicini impegnati in quella guerra». La sua logica è inoltre ingenuamente simbolica: prima della battaglia egli apprezza lo schieramento cristiano contro i Turchi, che ai suoi occhi sta per un vasto esercito, senza verificare cosa ci sia dietro la prima fila di soldati. La reale esiguità dell'esercito cristiano – disposto su un'unica fila – sfugge a Medardo, incapace di leggere l'effettività delle cose, contrastivamente evidente al suo scudiero Curzio, sempre pronto, come un Sancho Panza, a spiegare gli eventi reali della guerra e tutto ciò che il visconte mai vede o sa. Di Don Chisciotte Medardo condivide l'istinto simbolico e la gestualità eroica, lanciandosi con la spada in pugno contro i cannoni turchi, che subito lo fanno a pezzi; ma egli non si batte in singolar tenzone, né per alcuna Dulcinea, secondo un codice medievale cavalleresco-cortese, bensì per un senso romantico – sintagmatico – di partecipazione alla storia. Il *nonsense*, insieme divertente e gotico, della favola di Calvino vuole poi dimezzato con il corpo anche il codice del protagonista.

Ma alla scomposizione, nei due visconti dimezzati, della sintesi romantica dei due rapporti semiotici, si accompagna parellela una negazione o desemiotizzazione di questi stessi rapporti. Una "critica illuminista" li investe nella logica che regola i tre "cronotopi" o dimensioni spazio-temporali alternativi al paese di Terralba: il mondo agreste e naturale della pastorella Pamela, sempre accompagnata da una fida capretta e da un'anatra, il ghetto dei lebbrosi libertini di Pratofungo, e la comunità rurale di Col Gerbido.

Il dialogismo dei codici realizzato da Calvino e la duplice "procedura di smontaggio" della semiosi (per scissione e per desemiotizzazione), non solo implicano-anticipano la coscienza della grammatica dei codici di Lotman, ma si alimentano a quella logica della simmetria speculare o enantiomorfa – basata sull'opposizione greci-barbari o centro-periferia, in continuo movimento e scambio tra loro – che Lotman rivela tipica nello sviluppo della "semiosfera"[57]. Una palla di cannone turco consente a Medardo di creare il proprio "barbaro" nel Gramo, e il Gramo trova la sua antitesi nel Buono, evidenziando le regole del gioco che alimenta la macchina semiotica, nel suo divenire o innovazione per differenza di potenziale. Non v'è civiltà o conoscenza senza un deposito di "barbarie" cui riferirsi, sia esso al di là dei confini o in una cultura remota nel tempo e nello spazio, o magari collocato nell'inconscio. O, come in Calvino, nella libertà delle scomposizioni che la favola consente.

È quindi un'unica legge che regola lo scarto elementare buono/cattivo, la sorprendente esibizione dei "radicali semantici" (rapporto di sostituzione o di congiunzione), come la contrastiva topologia. I due visconti dimezzati attraversano spazi polemicamente alternativi, che ripetono la discontinuità conoscitiva tipica del racconto, vantata nelle parole di Medardo al nipote in lode del dimezzamento: «bellezza e sapienza e giustizia ci sono solo in ciò che è fatto a brani».

Lo spazio-tempo originario del protagonista, Terralba, include il castello del visconte, gli sbirri che eseguono la macabra giustizia del Gramo, così incline all'uso della forca, e il villaggio che ne riconosce la legge e ospita il "tecnico" del Gramo, mastro Pietrochiodo, abile nel costruire macchine di tortura o per l'esecuzione dei condannati. Ma la topologia del racconto si arricchisce, come già accennato, di altri tre poli spazio-temporali, diversi tra loro, e tuttavia accomunati da un codice illuminista che li oppone al mondo di Terralba.

Un paesaggio di prati, boschi e attività contadine fa da sfondo a Pamela che, neppure agghindata per le nozze con il visconte, dimentica le corse per i boschi, in compagnia della sua capra e della sua anatra. Il Gramo tenta invano di sottrarre Pamela al suo paesaggio per rinchiuderla in un'ala del castello, non riuscendo ad amarla nel suo ambiente naturale: solo in questo aperto spazio rurale lei si dichiara disponibile a corrisponderlo.

La forza polemica del cronotopo di Pamela – che l'incapacità del Gramo ad amare la pastorella in riva al mare o nel bosco sottolinea – sta nell'implicazione illuminista della *naturalità* di cui la ragazza è portatrice. Insensibile, a differenza dei genitori, al prestigio o al potere del visconte, Pamela vede in lui solo l'uomo, né cede a lusinghe o minacce. Fugge infine a vivere sola nel bosco piuttosto che entrare nel suo castello. La rescissione illuminista dei rapporti sociali è totale, e include i genitori, rei di subire l'influenza del signore di Terralba.

La desemiotizzazione degli avvaloramenti sociali che muove dalle scelte istintive di Pamela, così prossima al linguaggio averbale degli animali, consente infine la felice realizzazione della coppia: nel cronotopo di Pamela il lavoro della desemiotizzazione predispone la sintesi che compone la vicenda e insieme elabora l'equilibrio simbolico, "androgino", della coppia naturale.

Luogo della malattia, Pratofungo, il paese dei lebbrosi, risponde anch'esso a una norma di rescissione illuminista dal mondo socio-storico e dalla sua organizzazione: i lebbrosi non lavorano, si nutrono delle pietose elargizioni degli abitanti di Terralba, che uno di loro, Galateo, riscuote giornalmente, e si dedicano a continue feste. Musica, suonata da tutti, anche con insoliti strumenti di invenzione locale, canti e persino orge, in un clima di costumi permissivi e di intensa partecipazione collettiva, per evitare di esser soli di fronte alla malattia, movimentano la scena del paese, che il narratore-bambino, nipote di Medardo, visita con ansia e stupore.

Con lo sguardo di Candido che sempre caratterizza le sue descrizioni e il linguaggio dell'intero racconto, il fanciullo coglie insieme la libertà e la deformazione dell'utopia prodotte dal "regime della lebbra": la musica onnipresente è stonata, la festa si fa orgia, il piacere del corpo osceno. La presenza di Sebastiana, detentrice delle erbe mediche naturali, conferma il carattere "illuminista" del cronotopo, ma essa sottolinea anche l'ossessione della caduta che lo domina, oggettivata nella malattia come nel "peccato" che la vecchia balia astiosamente denuncia nei costumi di Pratofungo. L'intervento moralista del Buono, che infine impedisce la licenza del paese, conduce a una significativa conclusione: la restrizione produce più male che bene. La "carnevalizzazione"[58] degli usi e costumi della comunità, se non poteva esprimere un'utopia positiva, mitigava il male ineludibile della lebbra. La coscienza della malattia e della licenza minavano tuttavia la libertà di Pratofungo, pur esente dalle costrizioni del mondo storico.

La terza sperimentazione illuminista alternativa, la comunità ugonotta di Col Gerbido, appare invece compromessa dalla carestia e dall'ossessiva necessità d'un lavoro senza soste che consenta di sfamarsi. La gelosa autonomia rurale, la diffidenza per la fallibilità della parola, che induce la comunità religiosa ad un culto senza più formule verbali, e il rifiuto assoluto della menzogna e dell'inganno, anche quando sarebbero giustificati dalle necessità dell'autodifesa, rimandano ancora una volta a valori illuministi. Se per Lotman l'illuminismo è predilezione della naturalità contro il sociale e l'artificio storico, il silenzio prevale sulla parola falsa. Ma la penuria oscura tutto il quadro: il figlio del capo della comunità, Esaù, non è un piccolo Emile, ma il leader di una banda di ragazzini esemplari per malefatte, e alla prima occasione offerta dal mercato – un buon raccolto di segale in un momento di carestia altrove – la speculazione diviene tentazione irresistibile.

La solitudine nel bosco di Pamela, l'egalitarismo libertario della "comune" di Pratofungo o il silenzio e la ruralità degli Ugonotti, suscitano dunque poli di logica illuminista e di desemiotizzazione nel sistema del testo: l'*anatomia del significante* si avvale di tutti i meccanismi di scomposizione e di negazione delle formule semantiche.

Nonostante il lieto fine, la narrazione del nipote di Medardo non termina nel segno dell'indiscriminato finale favolistico "vissero tutti felici e contenti". Il matrimonio del visconte, tornato intero, e l'esaurirsi della situazione abnorme, integrano Medardo con la logica di Pamela, riconducendolo alla simmetria e insieme consentendogli, dopo l'eccezionale esperienza, maggiore saggezza, «vita felice, molti figli e un giusto governo». Ma parallelamente viene riconosciuta la troppo facile speranza di «un'epoca di felicità meravigliosa».

L'integrazione cui Medardo perviene (come quella di Pietrochiodo, che ha ora imparato a costruire mulini invece di macchine di tortura) rende triste il narratore, al quale è sottratto con il conflitto ogni possibile movimento narrativo. Cessa persino il suo sodalizio con il medico Trelawney, che improvvisamente parte sulla nave dell'esploratore Cook, apparso in porto a riprenderlo con sé.

Non la composizione finale, ma la scomposizione antecedente, scoperta di una grammatica del senso, del lavoro "autogiustificantesi" di ricerca in sé utopica, secondo Asor Rosa, fa del *Visconte* un gioco pedagogico e iniziatico, di cui il primo destinatario è nel testo il bambino-narratore.

A conferma di questa intenzionalità didattica e utopica, va ricordato come negli anni '68/'71 Calvino si sia dedicato a studiare l'opera di Charles Fourier, incluso, come Swift, da André Breton nella sua *Antologia dello humour nero.* Di Fourier, nel saggio introduttivo alla raccolta di scritti curata per Einaudi nel '71, Calvino sottolinea la preliminare desemiotizzazione – il *doute absolu et l'écart absolu*, rimozione del detto e pensato – insieme all'ansia scompositiva delle sue tassonomie, e ad una hegeliana sistematicità organizzativa; e ancora la radice naturalistica delle passioni che fondano la società utopica di Armonia, e il suo carattere illuminista. «Figlio del Settecento in ogni piega del suo pensiero», nonostante l'apparente rivolta antisettecentesca, Fourier, eminente satirico, apparirà a Calvino capace di dissolvere «col minimo sforzo», con la sua teoria del piacere positivo, «la gigantesca pietra d'inciampo» all'utopia posta dall'eros distruttivo di Sade. Di questa lettura di Fourier *Il Visconte dimezzato* sembra già anticipare non pochi tratti.

Favola traumatica, in cui la risata clownesca e il lutto si risucchiano a vicenda, ridicolizzati e resi impossibili l'una dall'altro, *Finale di partita* sembra estranea a contatti con il *Visconte dimezzato.* Ma il dramma, a prima vista poco confrontabile con il racconto di Calvino, rivela, rovesciata negli esiti, un'analoga duplice pedagogia gnoseologica della scomposizione e della desemiotizzazione.

L'occasione iniziale muove in entrambi i casi da un "lutto di fine" e insieme da una surreale sospensione della condizione stessa di fine: da quella che dovrebbe essere la morte di Medardo, innaturalmente sopravvissuto dimezzato, e dall'innaturale cumulo di mutilazioni che grava sui protagonisti di *Finale di partita*.

Sulla "menomazione iperbolica" di avvio si innestano in Beckett componenti estranee alla più ludica scrittura di Calvino: uno humour nero dominato dall'*ossessione* della fine, l'immobilità e la clausura dello spazio interno di *Finale di partita*, la casa-rifugio in cui Hamm e Clov attendono l'esaurirsi delle scorte. Ma genesi del quadro di riferimento e gioco dei codici rivelano procedure sostanzialmente affini in due testi dominati da un codice illuminista, anche se una radicalizzazione patologica preclude a Beckett il dibattito sull'utopia consentito alla favola di Calvino.

Su un analogo nucleo iniziale del lutto si innesta una stessa logica di diffrazione analitica delle strutture del senso, che motiva alla base la poetica dei due autori: enantiomorfismo, iperbole, discontinuità, desemiotizzazione sono invarianti della strategia dei testi, che consentono una comparabilità elevata, nonostante i diversi regimi emotivi e lo scompenso dei generi di appartenenza, narrativa e teatro.

Una polarità non dissimile da quella della coppia Gramo/Buono fissa in *Finale di partita* le caratteristiche della coppia dei protagonisti: alla paralisi di Hamm sulla sedia a rotelle corrisponde il moto coatto di Clov, che non può sedersi, alla cecità del primo l'intenso scrutare dalle finestre del secondo, con l'aiuto di un cannocchiale, mentre al narcisismo letterario di Hamm, ansioso di un pubblico per la storia che va narrando, corrisponde il rifiuto di ascolto di Clov.

Inoltre nelle versioni in due atti di *Finale di partita* viene espresso e poi cancellato un rapporto di gemellarità speculare tra Hamm e Clov; al tempo stesso il nome di Clov rimanda alla spaccatura o dimezzamento: come s'è visto, Clov può venire da *cloven*, spaccato in due.

Alla polarità dei protagonisti si affianca lo scompenso radicale tra bisogni e loro soddisfazione fisica e psichica, che caratterizza tutto il dramma, con continui effetti sado-masochisti, intensificati dal piacere dell'iperbole: equivalenti dei più immediati sadismi gotici del Gramo, anticipati fin dalla descrizione dei campi di battaglia nelle prime pagine del racconto.

Considerando i manoscritti preparatori di *Finale di partita*, in cui lo spazio d'origine di Hamm era, come per Medardo di Terralba, un castello, regalità e nobiltà ineriscono inoltre a Hamm come al protagonista di Calvino. Entrambi provocano anche indirettamente "in scena" la morte di uno dei genitori, emarginato in modo peculiare fin dall'inizio. Il padre di Medardo, Aiolfo, già chiuso nella voliera dei suoi amati uccelli, muore dopo che il figlio ha tagliato in due l'uccello messaggero da lui inviato, mentre il padre di Hamm, confinato in un bidone per la spazzatura, subisce le violenze psichiche del figlio (ancor più accentuate nella seconda versione in due atti del testo), e la madre di Hamm muore nel bidone accanto al suo.

Alla sorte inflitta dal Gramo alla vecchia balia Sebastiana, costretta a trasferirsi nel paese dei lebbrosi, corrisponde in Beckett l'allusione alla morte della vecchia Mother Pegg che Hamm ha fatto morire negandole l'olio per la lampada. Ai tre cronotopi illuministi di Calvino – di Pamela, di Pratofungo, di Col Gerbido – corrisponde infine l'illuminismo radicale, la totale desemiotizzazione del sociale nella scena beckettiana, in cui tornano concentrate molteplici funzioni già presenti nel *Visconte dimezzato*. La malattia, che caratterizzava la comunità dei lebbrosi, e la carestia, che dominava il collettivo degli Ugonotti, sembrano confluire insieme nel gioco di paralisi, cecità, motilità coatta e mutilazione che marca il testo beckettiano, in cui la scarsità di cibo consente il ricatto della fame.

Ma le simmetrie si intrecciano con le opposizioni. Accanto ai due illuminismi negativi di Pratofungo e Col Gerbido, il pastoralismo selvatico di Pamela fornisce in Calvino un'alterità illuminista positiva che, affiancata al Buono, "l'altro dell'altro" di Medardo, contribuisce allo scioglimento finale, alla nuova saggezza del Medardo tornato intero. La doppia unione Gramo/Buono e Medardo/Pamela esprime un momento di equilibrio, che bene rientra nel percorso di Calvino, ma sarebbe estraneo ai movimenti dell'assurdo illuminista di Beckett.

Hamm e Clov muovono dalla disgiunzione non alla congiunzione, come il Gramo e il Buono, ma alla supposta separazione definitiva, al silenzio della parola che Clov impone a Hamm, fingendo di partire: e il duello della loro partita a scacchi ha esito opposto rispetto al duello alla spada che salda il Gramo al Buono. Alla coppia Medardo/Pamela corrisponde la coppia «nec tecum nec sine te» di Hamm e Clov che, nelle dichiarazioni dell'autore, alludono anche a una relazione marito/moglie.

Le polarità in Beckett appaiono dunque permanenti e conducono verso la catatonia. Il polo positivo che pure d'improvviso appare a contraddire il "patto di follia" di Hamm e Clov, il bambino, può solo interrompere l'affabulazione nel rifugio. Se le simmetrie speculari del *Visconte dimezzato* offrono un'esperienza didattica al bambino-narratore di Calvino, che alla fine perviene alla crescita e alla responsabilità nel mondo, in *Finale di partita* la pedagogia è rovesciata: non il bambino all'esterno del rifugio può apprendere da Hamm e Clov, ma Hamm e Clov possono/devono recepire dalla sua presenza la lezione della loro fine, del limite del loro folle contratto semiotico, che assurdizza il proprio assurdo. In termini derridiani, la follia non può cancellare il logos in assoluto, più di quanto il logos non possa/debba cancellare il silenzio della follia.

L'antitesi che in Calvino si compone in fisiologica normalità, alternando scissione e congiunzione, in Beckett si ferma solo per autodesemiotizzazione.

Illuminismo e coscienza semiotica confluiscono in Calvino a produrre un movimento di compensazione gnoseologica. Il codice illuminista può motivare esiti contrastivi – il desiderio utopico (o il residuo che di esso la storia oggi consente) e la stasi dell'assurdo – ma li rende tra loro implicitamente "correggibili". Tuttavia la coscienza semiotica delle matrici del senso impedisce in Calvino il monopolio del codice illuminista, facendo piuttosto affiorare un "circuito di codici". Nella già citata intervista a Maria Corti, Calvino stesso lucidamente vede nella propria opera la probabilità di intuizioni teoriche e, interrogato sulla simbiosi tra riflessione metapoetica e scrittura, rileva: «L'importante sarebbe aver pensato in anticipo qualcosa che sia poi servita anche ad altri».

Se Beckett *prevede* la "filosofia del silenzio" di Derrida, Calvino *pensa* nei termini del "circuito semiotico" della semiosfera di Lotman. Ma la soglia su cui Beckett trattiene il lettore è una soglia oltre la quale non può che darsi, anzi fondarsi, il circuito semiotico, che è forse il vero esito dell'esperienza postmoderna, esperienza estesa e autocritica dello *pseudos*. Il cammino della scrittura, per più tratti omologo nei testi dei due autori, divarica sul *limen* che separa il codice illuminista dall'accesso agli altri codici. E in questa divaricazione il confronto Calvino/Beckett apre sulla relazione postmoderno/ermeneutica.

Il nero mantello, dotato di cappuccio, che copre la metà assente di Medardo di Terralba, evidenzia in Calvino l'utilità dell'oscuramento, dell'ombra polemica. La polarità Gramo/Buono, leggibile psichicamente come sdoppiamento della personalità, esprime una "dinamica dell'ombra" come quella descritta da Jung[59]. La "corsa nell'opposto" o enantiodromia è per Jung regola di sviluppo della psiche, che compensa la distanza tra la "persona" o maschera sociale e le potenzialità interne del soggetto, socialmente scartate o comunque inerti. La «corsa enantiodromica» è tanto più netta quanto più è rigida la codificazione sociale dell'identità: l'omeostasi dell'ordine sociale produce un effetto reattivo pari alla sua costrizione, e il miglior equilibrio sta nel ventaglio delle escursioni di identità accettate, in un continuo movimento di integrazione.

Questa logica, nel suo dinamismo, coincide anche con la concezione della semiosfera teorizzata da Lotman, e riconduce alla destabilizzazione dell'intero e del suo ordine, che sta alla base dell'opera di Calvino: un Calvino insofferente della "bonaccia", come in uno dei suoi racconti[60], intrinsecamente aperto allo "scivolamento ermeneutico"[61].

Ma il Medardo tagliato in due dalla guerra esprime al tempo stesso, nei termini della teoria dell'immaginario di

Gilbert Durand, una dominante simbolica diurna. Regime della divisione o "diairesi" schizomorfa, della separazione violenta, del taglio della spada, la percezione diurna è per Durand fortemente polemica, armata e inconciliante, sia nelle sue forme eroiche, regali e guerriere, che in quelle ascetiche e martirologiche. Tale dominante investe in Calvino sia il Gramo che il Buono, esiti antitetici di uno stesso versante simbolico.

Il Buono non conosce compromessi morali e la sua rigidità gli sottrae positività: fortemente diairetico, egli non aiuta gli equilibri né della comunità degli Ugonotti, né di Pratofungo, pur prodigandosi con tutto se stesso. Il Gramo, dispotico, insofferente alle critiche moralistiche della balia Sebastiana, piromane e pronto a usare la spada persino con il nipote bambino, accumula in sé molti dei più tipici simbolismi diurni, regali, ignici, eroici. La diairesi o spaccatura che esprime è la stessa che lo istituisce come Gramo, prodotto di un colpo di cannone, di un "taglio", che egli ripete dimezzando con la spada tutto ciò che si offre alla sua ossessione.

Persino il matrimonio con Pamela, fino all'ultimo incerto per l'oscillazione della ragazza tra i due visconti dimezzati, diviene occasione di un culmine diairetico: il duello alla spada tra le due metà.

Ma nello scioglimento finale la dominante diurna cede a un regime di sintesi, già prefigurato in Pamela, nella sua disponibilità eufemizzante. A differenza di Sebastiana, Pamela non stigmatizza ma corregge, non respinge ma attende il Gramo, che mai nettamente oppone al Buono, fino alla stessa cerimonia in chiesa, in cui non sa a chi dei due si unirà. L'esito della vicenda converte infine nell'*androginia* della coppia le tensioni diurne scatenate all'inizio dalla guerra che dimezza Medardo. Processo conoscitivo, norma di funzionamento semiotico e dinamica dell'immaginario, scorrono tra loro paralleli, scissioni e composizioni si rivelano simmetriche.

In *Finale di partita* Beckett non compone invece gli eccessi della diairesi: la netta dominanza, anzi il monopolio di un regime diurno, della sua esigenza di regalità (cui allude il riferimento della partita a scacchi) e della speculare ossessiva insistenza sulla caduta, come l'angoscia del tempo-fine, non conosce correttivi. Testo radicalmente "altro" nel rapporto con la norma del discorso quotidiano, di cui pure mima estraniati gli spazi, nuovo della sua "barbarie", ma anche saggio del territorio che scopre ed esplora, *Finale di partita* fissa insieme il suo massimo di novità e la fine della sua innovazione.

Un'intenzionalità dianoetica si accompagna in Calvino come in Beckett alla desemiotizzazione, che investe le prospettive analizzate, tutte parziali, per la segmentazione dei codici operata (Calvino) o per la radicalizzazione di un solo codice (Beckett). La parzialità dello sguardo è in entrambi evidenziata, svolge funzione critica. Calvino argomenta, non senza ironia, che "fare a brani" consente profondità conoscitiva, mentre Beckett radicalizza il suo illuminismo per sperimentare un'epoché rigorosa, ma produce autonegazione, accerta la propria falsificabilità.

In entrambi gli scrittori l'intenzionalità conoscitiva non cede né a un volgersi indietro rispetto agli esiti dell'analisi condotta, né a un'autorinuncia. Priva di una meta positiva definitiva, essa sembra risolversi in un movimento e in un gioco di sguardi: lo sguardo che a lungo scinde i due Medardi, o Hamm e Clov dal mondo esterno dove appare il bambino.

È additando la soglia che separa uno sguardo dall'altro che Calvino e Beckett, anche se con diverso "rientro narrativo", tracciano il culmine di un dovere conoscitivo che ne motiva la scrittura.

5. *Scrittura e gnoseologia: la prospettiva ermeneutica*

È poco prima della messa in scena nel '57 di *Finale di partita*, negli anni '50, che comincia a diffondersi nella critica letteraria il termine *postmoderno*, inteso a registrare la differenza universalmente avvertita tra due generazioni di scrittori quali Eliot, Pound e il primo Joyce da una parte – "moderni" – e Beckett, il Joyce di *Finnegans Wake*, Borges, Calvino o Marquez, dall'altra. Ma il suo significato è apparso a lungo di difficile definibilità, né vi è stato facile consenso sulla datazione. Pur estendendosi l'uso del termine negli anni '70 e propagandosi dalla letteratura alle arti figurative, dall'architettura e urbanistica alla sociologia, esso è rimasto incerto finché, attraverso il *pamphlet* di Lyotard *La condition postmoderne*, del '79, non è stato accolto nel dibattito filosofico, che negli anni '80 lo discute, riconducendolo poi alla riflessione sull'ermeneutica.

Nel '76, tracciando la storia del termine in *Postmodernismo: un panorama storico-concettuale*, Michael Köhler sottolinea anzitutto la pluralità dell'origine del termine[62]. Nato dapprima in ambito di lingua spagnola (esso compare nella *Introducción* alla *Antologia de la Poesia Española y Hispanoamericana* uscita a Madrid nel 1934 a cura di Federico de Onis[63]), ricompare poi, verosimilmente senza alcun nesso con tale precedente, nell'edizione del 1947 di *A Study of History* dello storico Arnold Toynbee: "postmoderno" designa per lui la quarta fase dello sviluppo della civiltà occidentale, apertasi con il 1875 e ora in corso, in cui si passa dagli ambiti nazionali a una prospettiva di interazione globale. Da Toynbee il termine filtra nella critica letteraria americana, ma i saggi sull'argomento di Ihab Hassan, Charles Olson, Leslie Fiedler, William Spanos, Richard Palmer, inducono Köhler a non ritenere, ancora nel 1976, di poter pervenire a una definizione univoca.

Non mancano in questa fase oscillazioni: anche John Barth, critico oltre che scrittore in causa, riferendosi al postmoderno (in cui accetta di includersi) titola un primo saggio del '67 *The Literature of Exhaustion*, *La letteratura dell'esaurimento*, e un secondo intervento nel 1980, *The Literature of Replenishment: Postmodernist Fiction*, ridefinendo lo stesso fenomeno come "letteratura della pienezza", per collocarvi due opere a lui care, le *Cosmicomiche* di Italo Calvino e *Cent'anni di solitudine* di Gabriel Garcia Marquez[64].

Il rinvio per Beckett al postmoderno è ricorrente nella critica. Dai saggi di Ihab Hassan – il primo a usare con rilievo il termine postmoderno nella critica americana[65] – ai già citati articoli di John Barth o, in Italia, al testo con cui Paolo Spedicato apre la raccolta di saggi *Postmoderno e let-*

teratura (1984), il carattere postmoderno di Beckett viene considerato esemplare[66]. In un articolo del 1987 Alfred Hornung pone Beckett primo nella lista da lui prescelta di «major European and American writers, invariably classified as postmodern: Samuel Beckett, Thomas Bernhard, Peter Handke, John Barth, and Alain Robbe-Grillet»[67]. Se per Barth Beckett è «tra i padri del "movimento"», insieme a Louis Borges o Vladimir Nabokov, per Hassan egli rappresenta il punto di arrivo di una linea di tendenza, di un percorso già avviatosi con Sade. Mentre di Joyce sia Hassan sia Barth affermano che oscilla tra il moderno del *Portrait* e il postmoderno del *Finnegans Wake* (e per molti critici *Ulysses* è "misto"), nessuna incertezza è dai due critici avanzata sull'intera opera di Beckett. Ma che cosa si è inteso e si può oggi più precisamente intendere per postmoderno e con quale rapporto rispetto alla modernità?

Il dibattito filosofico degli anni '80 concorda sostanzialmente sulle derivazioni post-heideggeriane e sulla parte critico-distruttiva del concetto, differendo poi sulla valutazione e i possibili sbocchi apertisi. Spiccano le posizioni di Habermas, Gadamer, Ricoeur, Vattimo, Rorty, mentre il decostruzionismo di Derrida diviene riconoscibile come articolazione specifica del postmoderno. Si apre così sul postmoderno una gamma di concezioni tra loro alternative, nel momento stesso in cui genesi e datazione si fanno più chiare.

L'analisi filosofica, risalendo duplicemente a Nietzsche e Heidegger, può indirettamente spiegare, ad esempio, in un saggio di Gianni Vattimo, *Nichilismo e postmoderno in filosofia* (che chiude il volume *La fine della modernità*), l'incertezza di datazione che era emersa nella critica letteraria[68], esitante tra l'ultimo quarto del secolo diciannovesimo e gli anni '60/'70. In scritti di Nietzsche tra il 1874 e il 1882, da *Sull'utilità e il danno degli studi storici per la vita* (verosimilmente noto a Toynbee) alla *Gaia scienza*, Vattimo scorge già la formulazione di un concetto dal quale ritiene si possa avviare la definizione filosofica del postmoderno, riconducibile alla *Verwindung* di Heidegger.

Il problema dell'epigonismo nell'arte, di un passato «grande deposito di costumi» che impende come «malattia storica», si pone infatti già nella «analisi chimica» con cui Nietzsche nel 1874, procedendo a una critica dei valori, dissolve la nozione stessa di verità e con essa di fondamento e modernità. Nella *Gaia scienza*, annunciando la "morte di Dio" e la fine della metafisica, si annuncia quindi la fine dell'epoca del superamento, del *novum*, non senza toni nichilisti. Nietzsche tuttavia parla anche di "filosofia del mattino", in cui il pensiero diviene non pensiero dell'errore ma dell'*erranza*, del divenire, con propositi "decostruttivi"[69].

Con Heidegger la fine della metafisica si sviluppa come distorsione/convalescenza o *Verwindung*, in cui il pensiero, privato del fondamento, si fa rimemorazione del passato (*Andenken*), ripetizione (*Wiederholung*) e trasmissione (*Überlieferung*): l'essere si scopre epocale, il relativismo storico si sostituisce al fondamento e produce una *pietas* verso il passato. La filosofia di Heidegger deve essere dunque definita una *ermeneutica*[70], e apre al postmoderno le prospettive che Vattimo chiama della fruizione, della contaminazione e della tecnologia moderna o *Ge-stell*, scorgendovi l'occasione di «un'ontologia debole» o «pensiero debole», come «possibilità di uscire dalla metafisica» con un "nuovo cominciamento"[71].

Ripetizione e *distorsione* qualificano per Vattimo il pensiero postmoderno, all'insegna della duplice equazione heideggeriana essere=linguaggio e linguaggio=interpretazione. Questa elaborazione di Heidegger, datando dal 1957 con *Identität und Differenz*, "spiega" il determinarsi più esplicito del clima postmoderno negli anni '60/'70, dopo la fase precedente e affine registrata in concomitanza con l'influsso del Nietzsche fine Ottocento sull'arte[72].

La serie di confronti con Beckett qui proposta, da Kafka a Sartre o Camus, da Pinter a Bond, o da Eliot a Calvino, per chiarire caratteristiche e implicazioni, consente ora, in una valutazione di sintesi, di comprendere perché Sartre, Camus e Eliot siano generalmente considerati "moderni" che precorrono per più tratti il "postmoderno", mentre la produzione di Kafka o Joyce si colloca a parte, e quella di Beckett apre su un orizzonte diverso, che include sia un

Pinter, da Hassan definito postmoderno, che un Calvino, come vuole Barth «vero scrittore postmoderno» «ad alto potere nutritivo». Appaiono qui evidenti due esiti opposti del postmoderno, analoghi ai due esiti opposti dell'illuminismo, utopico e assurdo: di "esaurimento" o "deiettivo"[73], e ludico-gioioso, o "della pienezza". Chiudendo le garanzie rassicuranti del fondamento, il postmoderno apre infatti, o su un vuoto di certezza, o alternativamente su un versante ricco come mai di possibili, tra i quali assumersi la vertigine o la responsabilità della scelta. Una scelta vincolata alla consapevolezza, all'analisi e selezione degli inevitabili *pre-giudizi*[74].

Sartre e Kafka alienano come s'è visto il soggetto dalla legge che egli subisce, ma insieme, con analogo presupposto (moderno) di fondazione (legittimità), lo vincolano a un tribunale morale che da un ipotetico e metafisico aldilà (Sartre), o da un misterioso inconscio (Kafka), lo giudica colpevole. Beckett "eccede" invece la legge. La sua parola "extragiuridica" esenta il soggetto dalla colpa, lo rende in tal senso neutro, con una funzione terapeutica pari all'infondabilità (postmoderna) del tribunale stesso. Con la colpa scompare la violenza della legge: la soglia tra moderno e postmoderno diviene limite della violenza, l'oltrepassamento della metafisica equivale all'oltrepassamento del pensiero di violenza, ancora presente nel soggetto come nel tribunale che lo giudica nell'*Etranger* di Camus[75].

Ma anche l'intercambiabilità caotica dei simulacri e "l'indifferenza" del soggetto nel teatro di Pinter si oppongono alle scelte di Beckett, al silenzio e al pathos/sofferenza dei suoi protagonisti. Montaggio di ruoli comportamentali, il soggetto "in guerra" di Pinter si *decostruisce* passando da un simulacro all'altro e sottraendosi a un'emotività vulnerabile, per mantenere l'illusione di una forza, il senso di una belligeranza; al suo soggetto *unhappy* Beckett consente invece, nel più degradato contesto di caduta e doppio legame, il perdurare di una *pity* e di una dignità emotiva, un orgoglio di «soffrire abbastanza», per accettare la difficile, "debole" relatività delle emozioni, e insieme resistere senza fine, senza i drammatici rovesci che quasi sempre distruggono o escludono uno dei personaggi sulla scena di Pinter. È dunque secondo due diverse accezioni del postmoderno – rispettivamente *decostruttiva* e *debole* – che Pinter e Beckett sembrano operare.

Anche rispetto alla fuga all'indietro di Eliot, la stasi espressa in *Finale di partita* si differenzia, nell'ambito di uno stesso codice illuminista radicale, per la sua capacità *kolossalisch* di resistere/attendere, perdurando in una *pity* o dignità emotiva pur nell'ironica coscienza di grotteschi paradossi: di fronte alla cerniera gnoseologica del postmoderno, mentre Eliot si ritrae verso un recupero del passato, Beckett si ferma a "contemplarla", pur nell'immagine di "rovina". Se è l'aspetto negativo della secolarizzazione[76] a dominare la scena di *Finale di partita,* il testo ammette infine, con la dimensione neosublime, anche un'ironica potenzialità di recupero.

Di Calvino Beckett condivide il bisogno dell'utopia impossibile; ma se la forma della favola consente a Calvino di ricomporre in unità il frazionamento postmoderno del soggetto, alla scissione Beckett risponde "scomponendo" la stessa desemiotizzazione, senza accedere alla favola utopica, ma anche senza escludere che, come nella poesia da lui dedicata a Saint-Lô distrutta dalla guerra, lo spazio della rovina sia ricostruibile. Egli può dunque insieme essere terapeutico per i "disperati" e "servire ai non disperati" di cui parla Calvino.

Alla domanda "quale postmoderno?" nell'opera di Beckett si è così già delineata una prima risposta, che tuttavia non esaurisce le domande dell'orizzonte dianoetico di *Finale di partita*: l'accezione più prossima tra quelle finora indicate sembra infatti essere per più aspetti quella proposta da Vattimo e integrata dalle citate riflessioni di Umberto Eco. Concludendo un suo intervento, *Postmodernità e fine della storia* (1985), Vattimo stabilisce un nesso tra postmoderno e elaborazione del *lutto* singolarmente "coerente" con la prospettiva soggiacente a *Finale di partita*:

Prendere atto della fine dei "metaracconti" non significa, come nel nichilismo reattivo e vendicativo descritto da Nietzsche, rimanere senza alcun criterio di scelta, senza alcun filo conduttore. La fine dei metaracconti, pensata nell'orizzonte della storia della metafisica e della sua dissoluzione (dunque, entro un paradossale "metaracconto"), è il darsi dell'essere nella forma della dissoluzione, dell'indebolimento, della mortalità; ma non della decadenza, perché non c'è alcuna struttura alta, fissa, ideale da cui la storia sarebbe decaduta. Le difficoltà del pensiero della postmodernità mostrano che non si può lasciare semplicemente vuoto il posto prima occupato dai "metaracconti" e dalle filosofie della storia. Sarebbe come non elaborare un lutto, lasciandolo gravare su di noi nella sua forma immediata, di perdita a cui si reagisce solo in maniere catastrofiche; o come lasciarsi guidare da un pregiudizio non, ermeneuticamente, tematizzato. La reazione di Habermas è appunto il rifiuto del lutto, il ritorno ad un "metaracconto" del passato, l'illusione che si possa far rivivere una metafisica della storia. Si esce da queste *impasses* solo facendo tema di una nuova paradossale filosofia della storia: la fine della (filosofia della) storia[77].

Insieme al lutto, "fine" e "resistenza alla fine" sembrano essere qui le parole chiave come in Beckett. La già citata metafora della "astuta intelligenza" di Teseo nel labirinto, che Eco riprende da Rosensthiel per descrivere i procedimenti del pensiero a enciclopedia[78], può completare il passo.

I principali concetti su cui si fonda la definizione di postmoderno elaborata da Vattimo trovano d'altra parte buon riscontro in *Finale di partita* anche se, come si vedrà, non esauriscono il senso della sua funzione postmoderna: dalla "svolta" (*Kehre*) del primato del linguaggio sull'essere alla "secolarizzazione" come evoluzione della metafisica o sua *Verwindung*, dalla *Wiederholung*, o ripetizione, all'evoluzione economico-tecnologica o *Ge-stell.*

Mondo e oggettualità sono in *Finale di partita* funzione della *parola* di Hamm e Clov, di un patto linguistico istitutivo dell'esserci, tanto più evidente al limite dello *pseudos*; e gli stessi personaggi si danno consapevolmente come "orizzonte retorico", recitano la propria soggettività, ostentatamente attingibile come messa in scena, gioco di ruoli, sia nell'interazione con l'altro che nell'intimo della coscienza: di un teatro della psiche *Finale di partita* è possibile rappresentazione, se la stanza di Hamm e Clov può anche essere interpretata come una scatola cranica[79]. Di qui la necessità di Hamm di narrare la sua storia di cui è il solo uditore.

La secolarizzazione o emancipazione dal teologismo e dalla metafisica è in Beckett evidente e rappresenta, come s'è visto, uno degli aspetti originari del testo – presente fin dal manoscritto del '50, insieme al tema della fine e della desemiotizzazione – ed è stato considerato dall'autore tratto non modificabile, nemmeno a costo del permesso di andare in scena a Londra.

Ma anche la coscienza della *Wiederholung* come ripetizione nella differenza è, come già argomentato, principio di scrittura in *Finale di partita*, fin dal suo primo nucleo del '50. E la coscienza della doppia evoluzione della metafisica occidentale, nella secolarizzazione ma anche nel senso economico-tecnologico (*Ge-stell*), affiora ironica in Beckett, in cui il divino, *God-ot*, è pensato da chi lo attende in termini bancari e finanziari. Né le angosce esistenziali di Hamm erano esenti, nella fase di *Avant Fin de partie*, dall'incarnarsi in riferimenti e problemi di inflazione e scelte di investimenti.

Nella struttura del cronotopo beckettiano, in presenza di una soglia che non viene più istituita perché l'eroe la superi, come nell'intreccio tradizionale, ma per denunciare la clausura di protagonisti statici, campioni di un gioco «pas encore / ça avance» senza differenziazioni temporali, la *Wiederholung* assume poi una funzione dominante. Essa assorbe il divenire del soggetto e degli eventi, e la loro dimensione dianoetica: *Finale di partita* si costituisce come serie di slittamenti successivi, che si accumulano attraverso ripetizioni "differenti", come nel paradosso dei chicchi di grano «che fanno il mucchio impossibile» o fino all'apparizione "destabilizzante" del bambino. La distanza tra la menzogna sul mondo, o *pseudos* che Hamm e Clov si narrano, e l'esterno della cosa in sé rimane incommensurabile, e tuttavia produce, con una retorica dell'attesa, un *indice dianoetico* che apre sulla "soglia". La ripetizione "dichiara" lo spazio dell'innovazione che pure si preclude.

Ma sul piano dianoetico *Finale di partita* formula tre affermazioni – fonte di una costellazione di domande – che non si racchiudono propriamente nella formulazione del postmoderno che Vattimo deriva da Heidegger.

La coscienza della soggettività affabulante come filtro e limite ineludibile del mondo porta alla prima affermazione facilmente deducibile dal testo: *il sapere è racconto*. Ma il gioco delle difese narcisistiche, le dinamiche del legame e della sua evacuazione, conducono, al limite della loro radicalizzazione, alla seconda affermazione "illustrata" da *Finale di partita*: *il racconto può farsi annullamento*. Ciò non impedisce tuttavia la coscienza del carattere *pseudos* di tale annullamento, che pure si presenta come psichicamente coercitivo. «Nessuno ha mai pensato in modo così deforme come noi» dice Hamm, con questo enunciando con chiarezza ciò che l'apparizione finale del bambino infine prova dall'esterno, definibile come terza affermazione dianoetica del testo: *l'annullamento è falsificabile*.

Ma come si collocano queste tre affermazioni in cui *Finale di partita* può sinteticamente riassumersi nel quadro concettuale del postmoderno fin qui delineato?

Il sapere è racconto: la "sostituzione" del mondo e del soggetto in *Finale di partita* con una *fiction* psichica (ben diversa dal vecchio concetto che il soggetto è *vanitas* perché contingente rispetto ad altri valori stabili, religiosi o ideologici) *anticipa* di alcuni anni la *centralità gnoseologica della narratività*, su cui a partire dagli anni '60 *convergono*, con la ricerca letteraria, la ricerca filosofica (l'ermeneutica) e la riflessione storiografica. A entrambe la semiotica, che elaborando la narratologia ha mediato questa svolta, potrebbe oggi offrire, con la tipologia della cultura, fondamenti esplicativi e prospettiva.

L'«orizzonte retorico» di cui parla Vattimo, come Gadamer o in modo ben più radicale Rorty; la teoria gadameriana del pregiudizio e tutta la tematica che contrappone l'ermeneutica alle pretese fondative dell'epistemologia, argomentano e testimoniano la consapevolezza di un sapere che è racconto: non i grandi *récits* dell'emancipazione "garantita" sviluppatisi in passato, ma serie di possibili narrativi, la cui molteplicità ha suggerito, nel dibattito sul postmoderno, una vertigine del senso tipica dello smarrimento gnoseologico postheideggeriano.

Meno traumatico e più immediatamente consapevole delle sue responsabilità di scelta, il dibattito storiografico, da Arthur Danto a Hayden White e Paul Ricoeur, dagli anni '60 ad oggi, ha accompagnato in parallelo, dal proprio specifico versante, quanto psicoanalisi, letteratura e semiotica erano andate chiarendo, fino a intersecare quell'atteggiamento della filosofia contemporanea che è oggi indicato con il termine *ermeneutica*, nel quale il versante filosofico del problematico concetto di postmoderno è stato più recentemente riassorbito, evitando interferenze con usi differenti di diversa matrice, letteraria o figurativa. Il confronto con questo versante storiografico può essere utile perché spiega esiti analoghi con un cammino insieme non "apocalittico" e più vicino ai problemi retorici ed estetici propri della letteratura.

Pensata per secoli come memoria di vite ed eventi, la storia sembrava aver abbandonato, dagli anni '30 ai '50, le premesse stesse che ne avrebbero consentito una prospettiva narrativa. La tradizione inaugurata dalle *Annales* a partire dal '29 e gli studi di Braudel e della sua scuola avevano sostituito al concetto di individuo, di evento e di passato, i concetti di fatto sociale totale, di tempo sociale e di lunga durata, che trascendevano l'agente umano specifico e la singolarità dell'evento. Il modello nomologico, mutuato dall'ambito delle scienze naturali, secondo il quale la storia è spiegata da *leggi* generali che causano gli eventi e consentono previsioni (*covering-law model* di Hempel[80], 1942), sembrava compromettere ancor più le "possibilità narrative" della storia e allontanare la disciplina dalla finzione narrativa. Ma la critica al concetto di legge e l'esame del concetto di spiegazione (W. Dray e G.H. Von Wright[81]) hanno messo in crisi il modello nomologico, né i tempi della lunga durata sono stati esentati da critiche, perché colgono più le permanenze che i cambiamenti, lasciandosi sfuggire i fatti più specifici. Di qui il succedersi di una fase di "difesa del racconto" a quella precedente di "eclissi del racconto", secondo le definizioni di Ricoeur in *Temps et récit* (1983-1988).

Partendo dalla prospettiva della filosofia analitica, nel 1965, Danto giunge ad additare, in *Analytical Philosophy of History*[82], nella *frase narrativa* il farsi del discorso storico. La storia non può coincidere con la trascrizione istantanea, testimoniale e definitiva di un Cronista Ideale, perché egli non potrebbe vedere il rapporto tra il proprio tempo e quello di fruizione della descrizione storica. È infatti sul rapporto tra due tempi diversi – la «doppia referenza» temporale – che si costituisce la storia, la cui descrizione coincide d'altra parte con la sua spiegazione, mentre questa spiegazione obbedisce al principio di *pertinenza*, così sboccando in un *intrigo*, e quindi in una *comprensione narrativa*.

Ma è con Hayden White che si giunge a una svolta radicale. Per White il discorso della storia diviene problema di stile storiografico: cadute nella sua prospettiva le barriere teoriche tra finzione e storia, storia e letteratura e storia e storiografia o filosofia della storia, la scrittura dello storico gli appare organizzarsi secondo tipologie diverse ben definibili, che tra loro si combinano. Tre delle cinque fasi della narrazione storica – cronaca, *story*, *plot*, *argument* e ideologia – comportano infatti ognuna una quadruplice differenziazione: per il *plot*, White distingue *romance*, tragedia, commedia e satira; per l'*argument*, formalismo, meccanicismo, organicismo e contestualismo; per l'ideologia, anarchismo, radicalismo, conservatorismo e liberalismo. A queste tre serie tipologiche se ne aggiunge una quarta, anch'essa quadruplice, fondata sulle figure retoriche (tropologia): metafora, metonimia, sineddoche e ironia. Se le prime tre serie producono gli effetti esplicativi, la quarta fornisce protocolli linguistici metastorici – di qui il titolo del saggio di White del 1973, *Metahistory*, preceduto da *The Structure of Historical Narrative* (1972) – che consentono di definire una teoria dell'opera storica (insieme poetica, scientifica, filosofica) come discorso narrativo. Il rapporto dianoetico tra il soggetto e il mondo, il soggetto e gli eventi, è anche per lo storico racconto.

Analogamente Ricoeur conclude la sua lunga analisi del rapporto tempo-racconto accostando una "storia come finzione" – in quanto *illusione controllata* da una vigilanza critica, e memoria con intenti di commemorazione o esecrazione (vincolanti per la spiegazione storica) – a una "finzione narrativa come storicizzazione": la narrativa infatti imita il racconto storico, legandosi a un *come se*, a una verisimiglianza, un patto col lettore per una *quasi storia*, peraltro da non confondersi con la pretesa realistica. Accettando da Koselleck i concetti di spazio d'esperienza e orizzonte d'attesa, Ricoeur[83] immette poi nel discorso la dimensione dei vissuti e dei fini soggettivi, orientati verso un'antropologia filosofica piuttosto che la psicoanalisi, che egli preferisce per due motivi: l'eventuale prezzo di conferire ai medici un potere esorbitante, e il rischio di eliminare o patologizzare il conflitto di opinioni.

L'eccesso narrativo di Hamm e Clov nei confronti del mondo e della storia, se è paradossale per il radicalismo del suo *pseudos*, muove dunque sul piano teorico nella stessa direzione, non solo dell'ermeneutica postheideggeriana, ma anche della riflessione storiografica "narrativista", di diversa discendenza, riconfermando per altra via la sua pertinenza dianoetica.

Ma a convergere con la proposizione "il sapere è racconto" provvede anche, su un versante ancora differente, quella tipologia della cultura di Lotman che ha già consentito di leggere la dominanza di un codice illuminista assurdo in Beckett.

La fine postmoderna dei "*récits* di emancipazione", come li ha chiamati Lyotard, può bene coincidere con la fine della descrivibilità e progettualità del mondo secondo un codice dominante, e semioticamente spiegarsi – come già accennato a chiusura del confronto Beckett/Eliot – con l'esaurirsi nella cultura contemporanea del circuito dei quattro codici di base della tipologia della cultura. I quattro codici – medievale, rinascimentale, illuminista e romantico – la cui dominanza si è "ordinatamente" susseguita per secoli, dando a ogni passaggio da un codice all'altro la sensazione di un progresso, di un movimento di "correzione" e superamento, hanno consumato, sviluppandosi storicamente, la propria "gamma primaria" di possibilità originata dalla matrice semiotica binaria – rapporto di sostituzione o semantico e rapporto di congiunzione o sintagmatico – culminando in una lunga sperimentazione delle combinatorie tra gli ultimi due codici (illuminista e romantico) per tutto l'Ottocento e nel Novecento, dopo la quale si è oggi smarrito il senso stesso della dominanza di un codice.

A mediare i passaggi, a svolgere *funzione di mutazione* in quello che si potrebbe definire *circolo* o *circuito semiotico*, è sempre intervenuto, come rileva Lotman, il codice illuminista. Tra codice medievale e rinascimentale, più ovviamente nella gestazione del secolo dei lumi, ma anche tra illuminismo e romanticismo, il codice della desemiotizzazione non ha cessato di operare, improntando di sé la cultura dell'Ottocento in un inestricabile gioco di "creolizzazioni" con il codice romantico[84]. Molla interna del sistema semiotico e della destabilizzazione del centro, esso sembra oggi essersi "autoprocessato" (come in Beckett), perdendo con la crisi dell'unità del soggetto la sua ultima fonte di legittimazione, di definibilità e naturalità. Se già nel Johnson del *Rasselas* il soggetto non sapeva attingere a un proprio canone interno o naturale per fondarvi l'utopia[85], in Beckett il codice illuminista, già esposto alle correzioni romantiche della sua distruzione del senso, rivela infine il suo destino di "esaurimento", e con esso una funzione decisiva di *soglia* per l'accesso alla coscienza postmoderna: ovvero alla fine della dominanza.

Nella prospettiva teorica di Lotman le combinatorie possibili permangono, per dosaggi ed equilibri, infinite: come lo sono, si può aggiungere, le diversità tra gli individui determinate dal codice genetico del DNA, regolate da soli quattro elementi di base[86]. Ma il senso della novità come linearità progressiva, cancellazione o emancipazione dal falso al vero, è oggi venuto meno, insieme all'esperienza della dominanza. La «secolarizzazione» o «mondanizzazione del monoteismo»[87], la perdita del centro o della componente faustiana del modernismo, può allora configurarsi, alla luce della tipologia della cultura, come compimento di un ciclo, al termine del quale è subentrata l'acquisizione di un senso non più monoteisticamente "alternativo", ma "accumulativo" o "politeista".

E quella che è stata avvertita apocalitticamente come "fine della storia", non è necessariamente tale, né è fine della raccontabilità del mondo: se questa si era rinnovata ogni volta nel passaggio correttivo (e quindi avvertito come emancipativo) da un codice all'altro, oggi essa non scompare, ma muta qualità, acquistando uno spessore senza precedenti, semioticamente esplicabile.

La seconda e la terza affermazione dianoetica "predicate" da *Finale di partita* – che il racconto del sapere può farsi annullamento e che questo annullamento è falso – accentuano ma insieme modificano la prossimità di Beckett all'accezione di postmoderno/ermeneutica, le cui possibilità nichiliste possono bene trovare riscontro nella clausura di Hamm e Clov, ma non accedono alla denuncia di scorcio dello *pseudos*, ovvero all'oltre dell'oltre che il testo implica, pur imperniandosi sulla costrittività delle trappole mentali che impongono le angosce dello *pseudos*. La tipologia della cultura e la "storiografia narratologica" aprono invece direttamente su una relativizzazione gnoseologica già *aldilà* dello sgomento del soggetto, aliena da nichilismi.

Può essere allora interessante sul piano teorico, per interrogarsi sul "dopo Beckett", ovvero sulle implicazioni della provocazione con cui si chiude *Finale di partita*, rilevare come sia alcuni presupposti elaborati dalla prospettiva ermeneutica, sia la tropologia di Hayden White, possano convergere senza difficoltà con la prospettiva aperta, ma finora non discussa, dalla teoria dei codici della cultura, confermandone la capacità di spiegare l'attuale "momento gnoseologico" con l'esaurirsi della dominanza.

I concetti che si accompagnano all'effetto postmoderno come descritto da Vattimo, ed evidenti come si è visto anche in Beckett, di *secolarizzazione* – come *Kehre*, *Verwindung* o *Gestell* – ovvero di *epocalità*, come "orizzonte retorico" e ripetizione *(Wiederholung)*, possono "concordare" con lo sguardo o la riflessione che la tipologia della cultura di Lotman induce, in tal modo acquisendo una nuova connotazione.

La *Kehre* o svolta – in Heidegger riconoscimento dell'essere come preminente sull'uomo e l'esistenza, e dell'accadere dell'essere come linguaggio – ha dato avvio a una meditazione sul linguaggio, o come ontologia ermeneutica (nel Gadamer di *Verità e metodo*) o come decostruzione (Derrida), ma queste due vie comportano entrambe «il rischio di un ritorno alla mentalità metafisica», se non si connette la svolta con la "distorsione" (*Verwindung*), in cui «si annuncia l'epocalità dell'essere come tratto costitutivo di una ontologia non più metafisica (dell'attualità, dunque, anche nel senso soggettivo del genitivo)»[88].

Ma questa acuita *coscienza secolare dell'epocalità* si rivela necessità teorica nell'intrinseca "storicità" della tipologia della cultura. Evoluzione storica di dominanze o, come oggi, esaurite le quattro dominanze di base, "traversata" di combinatorie ricche di una tradizione culturale, la tipologia di Lotman esalta l'appartenenza epocale insieme alle matrici logiche che la determinano pur non senza sfasature temporali che, si può aggiungere, con il postmoderno divengono occasione autocosciente. Dal nuovo accesso alla totalità del circolo semiotico per fine delle dominanze nasce poi l'importanza della *ripetizione* e della *differenza*, di una *Wiederholung* come memoria e riappropriazione o ritorno infinitamente innovativi.

Ciò che dal versante postmoderno o dell'ermeneutica può apparire come caduta dell'essere nel divenire retorico e nel caos temporale – additando un'ambigua *pietas* verso le appartenenze e i legami, un avvaloramento dell'interpretazione non come decifrazione o responsabilità ma come semplice espressione, formulazione (*hermeneia* appunto), in cui l'essere si trasforma in trasmissione, *Überlieferung*, procedure retoriche – appare invece, nei termini di Lotman, come necessità logica operativa semioticamente definibile, la cui acquisizione teorica ci pone di fronte al più vasto panorama – e responsabilità d'iniziativa – che la nostra cultura abbia mai potuto pensare, a una veduta a 360 gradi[89], cui ogni codice partecipa consentendo un'angolazione, cogliendo qualcosa ma nascondendo altro, "pregiudizialmente". Come la cartografia, la tipologia della cultura ci rende consapevoli che non è possibile produrre che mappe a errore variabile: l'errore nella trascrizione dalla superficie sferica al piano, dalla dimensione reale alla scala di riduzione, dalla realtà locale al modello geometrico generale e ideale, è inevitabile, funzione della proiezione scelta, ma per questo "correggibile" nel confronto con altre mappe, sempre ugualmente approssimate, scelte "strategicamente" in rapporto agli usi specifici e agli obiettivi del momento. La garanzia gnoseologica sta solo nella pluralità degli sguardi, e nella difficile gestione di tale pluralità, secondo dominanze variabili in funzione dei fini.

La "suddivisione dello sguardo" appare d'altra parte altrettanto inevitabile nei quattro tropi o forme preconcettuali – metastoriche – che White individua nella sua raccontabilità del mondo. Dalla descrizione che egli dà, per il loro utilizzo, di metafora, metonimia, sineddoche e ironia, emerge una sintomatica accostabilità con i quattro codici dominanti identificati da Lotman: una analogia che può confermare la presenza di strutture elementari della significazione come rapporto col mondo, a fondamento della sconcertante molteplicità che oggi scuote la pretesa gnoseologica. Per il suo carattere simbolico la metafora sembra rinviare al codice semantico medievale; mentre la descrizione dell'ironia come negazione di corrispondenza tra livello figurativo e livello letterale, che accede alle forme desemiotizzanti della catacresi, dell'aporia e dell'ossimoro, condivide con la descrizione del codice illuminista di Lotman, insieme allo spiccato carattere dialettico, anche la più netta qualità transtorica. Per White l'ironia è "metatropologica" e ha marcato la storiografia illuminista, provocando le reazioni romantiche idealistiche e positivistiche, per ritornare ad affiorare nell'attuale crisi dello storicismo.

La sineddoche, figura «organica» dell'integrazione della parte – intesa come *qualità* specifica – nel tutto, sembra additare invece il codice sintagmatico, mentre la metonimia infine, utilizzando il *nome* della parte per il nome del tutto, sembra insieme implicare la semioticità simbolica e il riferimento a una totalità (che White chiama "meccanica" per suggerirne il carattere vincolante), riconducibili al codice semantico-sintagmatico romantico.

Teoria semiotica della *non trasparenza istituzionale* del senso, la tipologia dei codici può suggerire, per il suo duplice ancoraggio alla storicità immediata e all'astrazione della razionalità nella sua matrice logica binaria, un'*integrazione epistemologica* a sostegno dello sguardo postmoderno: in questo il *circolo semiotico* può differire dal *circolo ermeneutico* di cui parla Gadamer[90], e potrebbe aprire vie non dissimili da quelle con cui ci si accinge oggi a studiare le combinazioni del DNA, al di fuori, come ormai anche la ricerca scientifica, di una mitica descrivibilità assoluta.

Il "racconto di decadenza" inscenato in *Finale di partita* non è nuovo in quanto tale, ma *per la sua spiegazione*, che precorre come s'è visto la riflessione gnoseologica degli anni successivi. Per Lyotard «il grande racconto della decadenza è già presente ai primordi del pensiero occidentale, in Esiodo e Platone. Esso accompagna quello dell'emancipazione come un'ombra»; e come rileva non senza polemica Paolo Rossi, in un saggio intitolato *Idola della modernità*, il senso postmoderno dell'assurdo trova non poche anticipazioni nei secoli precedenti, in Francis Bacon o in David Hume, in Diderot o in Vico[91]. Il codice della desemiotizzazione infatti, di natura insieme diacronica e sincronica, si esprime nella dominanza storica del Settecento, ma appartiene alla logica transtorica della semiosi, e si attiva in modo particolare, come rilevato da Lotman, proprio nel passaggio dal medioevo al rinascimento, espresso ad esempio in Bacon. Non sono dunque casuali le coincidenze segnalate da Rossi: che bene sottolinea come la «ragione illuminista» non sia quella di certi manuali, "forte", "fondante", "totalizzante", che «è stata spazzata via da più di mezzo secolo di studi», ma quella "critica", o desemiotizzante, che s'è visto coincidere con l'illuminismo di Lotman.

E tuttavia è il momento attuale ad accentuare ed esaurire proprio questo sguardo illuminista, e l'effetto è duplice: uno "sgomento di fine", negativo o "deiettivo", ma anche *emancipativo* rispetto al teologismo o facile teleologismo del passato; e appare in entrambi questi aspetti nella enigmatica sospensione che chiude *Finale di partita*.

Note al capitolo quinto

[1] R. Cohn, *Watt in the Light of "The Castle"*, in «Comparative Literature», n. 2, 1961, pp. 154-166.

[2] E. Neumann, *Franz Kafka: Das Gericht, eine Tiefenpsychologische Deutung*, Basel, S. Karter, trad. it. *Il tribunale: un'interpretazione psicologica del Processo di Kafka*, Venezia, Marsilio, 1976.

[3] J. Derrida, *Devant la loi*, in Griffiths, *Philosophy and Literature*, Cambridge University Press, 1984.

[4] M. Blanchot, *De Kafka à Kafka*, Paris, Gallimard, 1981, trad. it. *Da Kafka a Kafka*, Milano, Feltrinelli, 1983.

[5] *Ibidem*, p. 77.

[6] *Ibidem*, p. 92, n.

[7] S. Beckett, *Not I*, London, Faber & Faber, 1973, pp. 13-14.

[8] A. Camus, *L'Etranger*, in A. Camus, *Théatre, récits, nouvelles*, Paris, Gallimard (Pléiade), 1962, pp. 1208-1209.

[9] H. Pinter, *Writing for the Theatre*, in «Evergreen Review», XXXIII, 1964, p. 80.

[10] H. Pinter, *No Man's Land*, in H. Pinter, *Plays*, London, Methuen, 1976, p. 96.

[11] E. Bond, *The Sea*, London, Methuen, 1973, p. 63.

[12] Cfr. G. Restivo, *La nuova scena inglese: Edward Bond*, Torino, Einaudi, 1977.

[13] Cfr. J. Habermas, *Erkenntnis und Interesse*, in «Merkur», dicembre 1965, trad. it. *Conoscenza e interesse*, in *Teoria e prassi nella società tecnologica*, Bari, Laterza, 1969, p. 409.

[14] Cfr. G. Restivo, *op. cit.*

[15] Cfr. capitolo quinto, par. 5.

[16] Nel saggio *Des Cannibales*, *Essais*, I, XXXI.

[17] *Moby Dick*, cap. LXIV, *Stubb's Supper*.

[18] M. Praz, *Prefazione* a *La terra desolata*, Torino, Einaudi, 1965.

[19] Il mito, incluso nelle *Metamorfosi* di Ovidio, narra della violenza di Tereo, re della Tracia, sulla cognata Filomela, nel bosco, per celare la quale Tereo taglia la lingua alla fanciulla, infine trasformata dagli dei in usignolo. Giorgio Melchiori suggerisce che il tramite di rimando a questa vicenda sia stato il *Cymbeline* di Shakespeare.

[20] Questi colori sono riferibili, secondo John Rewald, a celebri dipinti di Gauguin come *Parole sussurrate*.

[21] Durand definisce "androginia" l'equilibrio tra i regimi simbolici diurno e notturno dell'immaginario: cfr. capitolo quarto, parr. 2 e 4.

[22] C. Segre interpreta la dinamica del soggetto in scena in termini di "schizofrenia sperimentale" cui viene educato dall'entità che dall'alto lo domina, fino alla catatonia (cfr. *La funzione del linguaggio nell'Acte sans paroles di Samuel Beckett*, in *Le strutture e il tempo*, cit.).

[23] La *Waste Land* è suddivisa in cinque sezioni: I. *The Burial of the Dead*, II. *A Game of Chess*, III. *The Fire Sermon*, IV. *Death by Water*, V. *What the Thunder Said*.

[24] Cfr. P. Hughes, *From Allusion to Implosion. Vico. Michelet. Joyce. Beckett*, in D.P. Verene (a cura di), *Vico and Joyce*, Albany, State University of New York Press, 1987, pp. 95-96.

[25] Cfr. capitolo secondo, par. 12.

[26] A. Serpieri sottolinea in *T.S. Eliot: le strutture profonde*, Bolo-

gna, Il Mulino, 1973, la presenza nella *Waste Land* di un doppio registro, mitico e allegorico, che non consente unità al poema.

[27] Sugli scritti critici di Eliot anteriori alla *Waste Land* cfr. G. Restivo, *Il primo Eliot: scritti critici dal 1914 al 1919*, in *Studi e ricerche di letteratura inglese e americana*, 2, Milano, Cisalpino-Goliardica, 1977.

[28] I nomi di Appleplex e Eeldrop possono forse suggerire ironiche associazioni verbali con la scena del peccato originale di Adamo ed Eva nel paradiso terrestre: Appleplex sembra comporsi di *apple* (=mela) e *plex* (formare un plesso), mentre Eeldrop pare associare *eel* (=anguilla, pesce serpentiforme) e *drop* (=lasciar cadere). Il gusto dell'irrisione e la tentazione iconoclasta indussero Eliot a leggere tra gli autori contemporanei anche poeti come Tristan Tzara (cfr. *Reflections on Contemporary poetry*, in «The Egoist», 1919), alla cui sperimentazione tuttavia rimprovera un'eccessiva distruzione della tradizione.

[29] Ju. Lotman, *op. cit.*, pp. 42-51.

[30] *Ibidem*, p. 42, nota e pp. 51-54.

[31] *Ibidem*, pp. 59-61.

[32] Eliot aveva anzi additato la necessità di superare il romanticismo.

[33] Ju. Lotman così commenta il paradosso illuminista: «L'illuminismo invita ad abbandonare le chimere del mondo segnico e a tornare alla realtà della vita naturale, non deformata dalle "parole". L'essenza delle cose è contrapposta ai segni come il reale al fantastico. Però questo "realismo" è di un tipo particolare. Poiché il mondo che circonda lo scrittore è un mondo di rapporti sociali, esso viene dichiarato chimerico. Reale è invece l'uomo, riportato alla sua essenza, il quale in realtà non esiste. Così la realtà risulta fantasticamente irreale, mentre la realtà superiore è totalmente esclusa dal mondo della realtà sociale. Il non-segno dell'illuminista diventa un segno di secondo grado» (in AA.VV., *Ricerche semiotiche*, cit., p. 59).

[34] Ju. Lotman, *Il Metalinguaggio delle descrizioni della cultura* (in Lotman e Uspenskij, *Tipologia della cultura*, Milano, Bompiani, 1975), p. 178.

[35] J. Derrida, *Cogito et histoire de la folie* (1963), in *L'écriture et la différence*, Paris, Seuil, 1967, trad. it. *La scrittura e la differenza*, Torino, Einaudi, 1971, reprint 1982, p. 70.

[36] *Ibidem*, p. 50: Derrida allude alla *hybris* calliclea in cui il logos "non conosceva il contrario".

[37] Di qui la riserva di Derrida sull'accusa che Foucault muove a Descartes come "imprigionatore della follia".

[38] Così Derrida commenta il rapporto tra l'iperbole della follia e il finito del logos storicamente determinato: «La storicità propria della filosofia trova il suo posto e si costituisce in questo passaggio, in questo dialogo tra l'iperbole e la struttura finita, tra l'eccesso sulla totalità e la totalità chiusa, nella differenza tra la storia e la storicità [...] Solo grazie a questa oppressione sulla follia può dominare un pensiero-finito, vale a dire una storia» (*op. cit.*, pp. 76-7).

[39] M. Foucault, *Folie et déraison. Histoire de la folie à l'âge classique*, Paris, Plon, 1961.

[40] Nelle note al poema Eliot rimanda a Middleton, *Women Beware Women*, ma il riferimento agli scacchi è probabilmente iperdeterminato.

[41] *East Coker*, il secondo dei quattro «Quartetti», significativamente inizia con «in my beginning is my end» e finisce con «in my end is my beginning».

[42] Cfr. capitolo quarto, par. 1.

[43] Cfr. Umberto Eco, *L'antiporfirio*, in AA.VV., *Il pensiero debole*, a cura di G. Vattimo e P.A. Rovatti, Milano, Feltrinelli, 1984.

[44] *Ibidem*, p. 52.

[45] Cfr. P. Rosenstiehl, voce *Labirinto* nell'*Enciclopedia Einaudi*, vol. II, Torino, 1979, citata anche da U. Eco, *op. cit.*, p. 77.

[46] Ju. Lotman, *Il Problema del segno...*, cit., pp. 58-9.

[47] V. sopra nota 38.

[48] Per questo Lotman può ad esempio accostare l'iconismo simbolico delle dottrine religiose razionalistiche del medioevo e di certi sistemi filosofici idealisti (per esempio di quello hegeliano), in cui il mondo materiale rappresenta parimenti il segno, l'espressione dell'idea assoluta, e lo studio del mondo materiale può allora coincidere con l'autoconoscenza dell'idea assoluta.

[49] Cfr. l'intervento di Maria Corti su «Repubblica» del 20/9/1985, p. 9, nell'ambito del "dibattito" costituito dalla serie di profili per la recente scomparsa dello scrittore.

[50] U. Eco, intervento su «Repubblica», cit., p. 6.

[51] A. Asor Rosa, intervento su «Repubblica», cit., p. 8. L'opposizione sfida/resa è qui in funzione del senso di responsabilità: v. oltre, par. 5 di questo capitolo.

[52] *Ibidem*.

[53] I. Calvino e A. Guglielmi, *Corrispondenza con poscritto a proposito della "Sfida al labirinto"*, in «Linea d'ombra», n. 23, gennaio '88, p. 22.

[54] *Ibidem*, p. 23.

[55] *Il visconte dimezzato*, Torino, Einaudi, 1957 (1ª ed. 1952), p. 57.

[56] Cfr. Otto Rank, *Der Doppelgänger*, Leipzig-Wien 1914, trad. it. *Il doppio*, Milano, SugarCo, 1979. Tratti salienti di tale intreccio sono costituiti, oltre che dallo sdoppiamento del soggetto, dal rapporto persecutorio tra soggetto e doppio, che giunge a impedire l'amore di coppia al soggetto, spingendolo ad un'uccisione del proprio doppio, che si rivela alla fine un suicidio.

[57] Cfr. Ju. Lotman, *La semiosfera*, Venezia, Marsilio, 1985.

[58] Cfr. M. Bachtin, *Dostoevskii*, Torino, Einaudi, 1968, con particolare riferimento alle «mésalliances carnevalesche», p. 161.

[59] Cfr. Trevi e Romano in *Studi sull'ombra*, Padova, Marsilio, 1975.

[60] Cfr. *La grande bonaccia delle Antille*. In questo racconto la satira politica sgorga dal rifiuto di sostituire l'immobilismo al confronto costante, alimentandosi ironicamente ai ricordi "anglisti" di Calvino (laureatosi con una tesi su Conrad): lo scenario, elisabettiano, vede ferme per la bonaccia una di fronte all'altra due navi, una inglese, condotta da un capitano di Francis Drake, e l'altra spagnola e papista. Le due navi alludono rispettivamente a PCI e DC.

[61] Conseguenza della scelta di un "circuito dei codici" di cui si è parlato: cfr. capitolo quinto, par. 3, ma anche capitolo quinto, par. 5.

[62] Cfr. M. Köhler, *"Postmodernismo": un panorama storico-concettuale*, in *Postmoderno e letteratura*, a cura di Carravetta e Spedicato, Milano, Bompiani, 1984.

[63] Onis limita il modernismo letterario agli anni dal 1896 al 1905, chiama postmoderno il periodo 1905/14 e ultramoderno quello dal 1914 al '32, come fasi di accentuazione del modernismo. Nell'ambito della lingua inglese il termine postmoderno appare per la prima volta in Dudley Fitts, nella *Conclusion* alla sua *Anthology of Contemporary Latin-American Poetry* (1942), ancora legato alla tradizione sudamericana (cfr. Köhler, *op. cit.*, p. 110).

[64] J. Barth, *The Literature of Exhaustion*, su «The Atlantic», agosto 1967, e *The Literature of Replenishment: Postmodernist Fiction*, su «The Atlantic», gennaio 1980, trad. it. in *Postmoderno e letteratura*, a cura di Carravetta e Spedicato, cit., pp. 86-98.

[65] Cfr. *The Dismemberment of Orpheus*, University of Wisconsin Press, 1972.

[66] P. Spedicato, *Nel corso del testo, nel corso del tempo*, in *Postmoderno e letteratura*, cit.

[67] A. Hornung, *Reading One/Self. S. Beckett, T. Bernhard, J. Barth, A. Robbe-Grillet*, in *Exploring Postmodernism*, a cura di M. Calinescu e D. Fokkema, Amsterdam-Philadelphia, John Benjamins, 1987, p. 177. Tuttavia Brean Mitchell, in *S. Beckett and the Postmodernism Controversy*, nella stessa raccolta di saggi in cui compare l'articolo di Hornung, non ritiene vi sia sostanziale discontinuità tra il Joyce di *Ulysses* e il Joyce di *Finnegans Wake*, come tra Joyce e Beckett, vedendo in quest'ultimo piuttosto «the culmination of Modernism itself». Mitchell infatti aspira ad eliminare il termine postmoderno, che teme svalutativo dei moderni.

[68] Cfr. M. Köhler, *op. cit.*

[69] Cfr. G. Vattimo, *La fine della modernità*, Milano, Garzanti, 1985, pp. 172-179.

[70] *Ibidem*, p. 184.

[71] *Ibidem*, p. 189.

[72] Si pensi ai saggi di Deleuze, Derrida ecc.

[73] Cfr. G. Marramao, *op. cit.*

[74] Cfr. H.G. Gadamer, *Sul circolo ermeneutico*, in «Aut Aut», nn. 217-218, p. 19.

[75] Cfr. capitolo quinto, par. 1.

[76] Cfr. G. Vattimo, che in *La fine della modernità* (cit., p. 115) riprende il concetto da Gehlen e lo connette con la letteratura del Novecento e l'opera di Joyce; cfr. anche G. Vattimo, *Ontologia dell'attualità* in *Filosofia '87*, cit., p. 213 e, a cura dello stesso autore, il volume *Filosofia '86*, Bari, Laterza.

[77] G. Vattimo, *Postmodernità e fine della storia*, in *Moderno e Postmoderno*, a cura di G. Mari, Milano, Feltrinelli, 1987, p. 107.

[78] U. Eco, *L'antiporfirio*, cit.

[79] Cfr. R. Cohn, *The Comic Gamut*, cit., p. 237. L'idea è suggerita per analogia con testi narrativi di Beckett.

[80] Cfr. *The Function of General Laws in History*, in «The Journal of Philosophy» 39, 1942, pp. 35-48, ripreso in P. Gardiner, *Theories of History*, New York, The Free Press, 1959.

[81] Cfr. W. Dray, *Laws and Explanation in History*, Oxford University Press, 1957, trad. it. *Leggi e spiegazione in storia*, Milano, Il Saggiatore, 1974; e G.H. von Wright, *Explanation and Understanding*, London, Routledge and Kegan Paul, 1971, trad. it. *Spiegazione e comprensione*, Bologna, Il Mulino, 1977.

[82] Danto, *Analytical Philosophy of History*, Cambridge University Press, 1965, trad. it. *Filosofia analitica della storia*, Bologna, Il Mulino, 1971.

[83] Cfr. P. Ricoeur, *Tempo e racconto*, cit., vol. III, p. 318, e R. Koselleck, *Vergangene Zukunft zur Semantik geschichtlicher Zeiten*, Frankfurt a. M., Suhrkamp, 1979.

[84] Ju. Lotman, *Il problema del segno...*, cit., p. 61.

[85] Cfr. capitolo terzo, par. 1.

[86] Le quattro basi azotate del DNA (adenina, timina, guanina e citosina) funzionano come le quattro lettere del messaggio genetico (cfr., ad esempio, M.W. Nirenberg, *The Genetic Code: II*, in «Scientific American», March 1963, n. 3, pp. 80-94). Poiché i nucleotidi del DNA, contenenti ognuno una delle quattro basi, si dispongono in qualunque ordine lungo un singolo filamento della doppia elica del DNA, e una molecola del DNA può essere lunga migliaia di nucleotidi, si può produrre una varietà enorme.

[87] G. Vattimo, *Ontologia dell'attualità*, cit., p. 213.

[88] *Ibidem*, p. 222.

[89] Cfr. P. Portoghesi, *Postmoderno*, Milano, Electa, 1982.

[90] H.G. Gadamer, *Vom Zirkel des Verstehens* (1959), in Id., *Kleine Schriften IV, Variationen*, Tübingen, Mohr, 1977, trad. it. in «Aut Aut», nn. 217-218, pp. 13-20.

[91] P. Rossi, *Idola della modernità*, in *Moderno, postmoderno*, cit., pp. 14-31.

Finito di stampare nel novembre 1991
per i tipi delle Arti Grafiche Editoriali Srl, Urbino

Carlo Natali, *Bios theoretikos. La vita di Aristotele e l'organizzazione della sua scuola*
Giulio A. Lucchetta, *Scienza e retorica in Aristotele. Sulle radici omeriche delle metafore aristoteliche*
Pier Cesare Bori, *L'estasi del profeta ed altri saggi tra ebraismo e cristianesimo*
Fiammetta Palladini, *Samuel Pufendorf discepolo di Hobbes. Per una reinterpretazione del giusnaturalismo moderno*
Mariafranca Spallanzani, *Immagini di Descartes nell'Encyclopédie*
Gianluca Mori, *Tra Descartes e Bayle. Poiret e la teodicea*
Nicola Matteucci, *Alexis de Tocqueville. Tre esercizi di lettura*
Paola Dessì, *L'ordine e il caso. Discussioni epistemologiche e logiche sulla probabilità da Laplace a Peirce*
Carlo Sini, *Semiotica e filosofia. Segno e linguaggio in Peirce, Nietzsche, Heidegger e Foucault*
Enzo Melandri, *Le «Ricerche logiche» di Husserl. Introduzione e commento alla Prima ricerca*
Valeria Paola Babini, *La vita come invenzione. Motivi bergsoniani in psichiatria*
Marco Segala, *La favola della terra mobile. La controversia sulla teoria della deriva dei continenti*
Marina Sbisà, *Linguaggio, ragione, interazione. Per una teoria pragmatica degli atti linguistici*
Pier Cesare Bori, *La Madonna di San Sisto di Raffello. Studi sulla cultura russa*

LINGUISTICA E CRITICA LETTERARIA

Guglielmo Cinque, *Teoria linguistica e sintassi italiana*
Maria Giuseppa Lo Duca, *Creatività e regole. Studio sull'acquisizione della morfologia derivativa dell'italiano*
Carlo Delcorno, *Exemplum e letteratura. Tra Medioevo e Rinascimento*
Guglielmo Gorni, *Lettera nome numero. L'ordine delle cose in Dante*
Giuliana Carugati, *Dalla menzogna al silenzio. La scrittura mistica della «Commedia» di Dante*
Daniela Delcorno Branca, *Boccaccio e le storie di re Artù*
Emilio Pasquini, *Le botteghe della poesia. Studi sul Tre-Quattrocento italiano*
Andrea Gareffi, *La scrittura e la festa. Teatro, festa e letteratura nella Firenze del Rinascimento*
Paolo Trovato, *Con ogni diligenza corretto. La stampa e le revisioni editoriali dei testi letterari italiani (1470-1570)*
Gilberto Sacerdoti, *Nuovo cielo, nuova terra. La rivelazione copernicana di «Antonio e Cleopatra» di Shakespeare*

Vanna Gentili, *La Roma antica degli elisabettiani*
Arnaldo Pizzorusso, *Letture di romanzi. Saggi sul romanzo francese del Settecento*
Stefano Calabrese, *Una giornata alfieriana. Caricature della Rivoluzione francese*
Gilberto Lonardi, *Ermengarda e il pirata. Manzoni, dramma epico, melodramma*
Guido Lucchini, *Le origini della scuola storica. Storia letteraria e filologia italiana (1866-1883)*
Giorgio Graffi, *La sintassi tra Ottocento e Novecento*
Romano Luperini, *Simbolo e costruzione allegorica in Verga*
Paolo Ferratini, *I fiori sulle rovine. Pascoli e l'arte del commento*
Guido Guglielmi, *Interpretazione di Ungaretti*
Laura Barile, *Adorate mie larve. Montale e la poesia anglosassone*
Mario Richter, *Apollinaire. Il rinnovamento della scrittura poetica all'inizio del Novecento*
Giuseppina Restivo, *Le soglie del postmoderno: «Finale di partita»*
Fausto Curi, *Struttura del risveglio. Sade, Sanguineti, la modernità letteraria*
Vittorio Roda, *Homo duplex. Scomposizioni dell'io nella letteratura italiana moderna*
Stefano Agosti, *Enunciazione e racconto. Per una semiologia della voce narrativa*
Giovanni Cacciavillani, *I segni dell'incanto. Prospettiva psicoanalitica sui linguaggi creativi*
Andrea Battistini, *Lo specchio di Dedalo. Autobiografia e biografia*
Vincenzina Mazzarino, *Le parole dell'ambiguità. Poetiche dell'omonimia*

MUSICA E SPETTACOLO

Paolo Fabbri, *Il secolo cantante. Per una storia del libretto d'opera nel Seicento*
Adriana Guarnieri Corazzol, *Sensualità senza carne. La musica nella vita e nell'opera di D'Annunzio*

PSICOLOGIA

Gaetano Kanizsa, *Vedere e pensare*
Paolo Bozzi, *Fenomenologia sperimentale*
Giuseppe Mosconi, *Discorso e pensiero*
Marco Danesi, *Freud e l'enigma del piacere*
P. Amerio - P. Poggi Cavallo - A. Palmonari - M.L. Pombeni, *Gruppi di adolescenti e processi di socializzazione*

G. Sarchielli - M. Depolo - F. Fraccaroli - M. Colasanto, *Senza lavoro. Vincoli, strategie e risorse per la costruzione sociale della occupabilità*

SOCIOLOGIA

Franco Crespi, *Azione sociale e potere*
Sergio Scamuzzi, *Modelli di equità. Tra individui, classi, generazioni*
Marino Regini, *Confini mobili. La costruzione dell'economia fra politica e società*
Antonio M. Chiesi, *Sincronismi sociali. L'organizzazione temporale della società come problema sistemico e negoziale*
Ida Regalia, *Al posto del conflitto. Le relazioni di lavoro nel terziario*
Silvia Gherardi, *Le micro-decisioni nelle organizzazioni*
Paolo Perulli, *Società e innovazione. Teorie, attori e politiche in Italia e negli Stati Uniti*
Loredana Sciolla - Luca Ricolfi, *Vent'anni dopo. Saggio su una generazione senza ricordi*
Diego Gambetta, *Per amore o per forza? Le decisioni scolastiche individuali*
Costanzo Ranci - Ugo De Ambrogio - Sergio Pasquinelli, *Identità e servizio. Il volontariato nella crisi del welfare*

ANTROPOLOGIA CULTURALE

Francesco Remotti - Pietro Scarduelli - Ugo Fabietti, *Centri, ritualità e potere. Significati antropologici dello spazio*
Adriana Destro, *In caso di gelosia. Antropologia del rituale di Sotah*
Pier Paolo Viazzo, *Comunità alpine. Ambiente, popolazione, struttura sociale nelle Alpi dal XVI secolo a oggi*
David I. Kertzer - Dennis P. Hogan - Massimo Marcolin, *Famiglia, economia e società. Cambiamenti demografici e trasformazioni della vita a Casalecchio di Reno (1861-1921)*
Paolo Apolito, *«Dice che hanno visto la Madonna». Un caso di apparizioni in Campania*

SCIENZA POLITICA

Roberto Cartocci, *Elettori in Italia. Rifessioni sulle vicende elettorali degli anni Ottanta*
Mauro Calise, *Governo di partito. Antecedenti e conseguenze in America*
Marco Maraffi, *Politica ed economia in Italia. La vicenda dell'impresa pubblica dagli anni Trenta agli anni Cinquanta*

Liborio Mattina, *Gli industriali e la democrazia. La Confindustria nella formazione dell'Italia repubblicana*
Alessandro Balducci, *Disegnare il futuro. Il problema dell'efficacia nella pianificazione urbanistica*

ECONOMIA

Paolo Pini, *Progresso tecnico e occupazione. Analisi economica degli effetti di compensazione agli inizi dell'Ottocento*
Onorato Castellino - Elsa Fornero, *Economia del risparmio e della ricchezza. Comportamenti privati e indebitamento pubblico*
Vincenzo Patrizii - Nicola Rossi, *Preferenze, prezzi relativi e redistribuzione*
Vincenzo Denicolò, *Scelta collettiva e rivelazione delle preferenze. L'approccio ad agenda fissa*
Flavio Delbono, *Attività innovativa e mercati oligopolistici. Una prospettiva di organizzazione industriale*
Piercarlo Ravazzi, *Produzione e finanza nell'impresa manageriale*
Graziella Bertocchi, *Strutture finanziarie dinamiche*
Massimo De Felice - Franco Moriconi, *La teoria dell'immunizzazione finanziaria. Modelli e strategie*
Paolo Bosi - Roberto Golinelli - Anna Stagni, *Un modello a medio termine dell'economia italiana. HERMES - Italia*
Margherita Chang-Ting-Fa, *L'agroindustriale. Verso una revisione dei sistemi-guida di contabilità nazionale*
Giovanni Barbieri - Giuseppe Rosa, *Terziario avanzato e sviluppo innovativo*
Marco Fortis, *Dinamiche settoriali e indicatori di sviluppo. L'economia italiana dal 1950 al 1990*
Valeriano Balloni, *Strutture di mercato e comportamento strategico delle imprese. Il caso dell'industria americana degli elettrodomestici*
Sergio Paba, *Reputazione ed efficienza. Crescita e concentrazione nell'industria degli elettrodomestici bianchi*
Alessandro Lomi, *Reti organizzative. Teoria, tecnica e applicazioni*

DIRITTO

Filippo Sgubbi, *Il reato come rischio sociale. Ricerche sulle scelte di allocazione dell'illegalità penale*
Fabio Merusi, *Servizi pubblici instabili*
Giancarlo Vilella, *Situazione legittimante e organizzazione degli interessi*
Michele Taruffo, *Il vertice ambiguo. Saggi sulla cassazione civile*